D0177479

Le grand livre des
VIVACES

Photographies : Albert Mondor

Conception graphique et infographie : Josée Amyotte
Traitement des images : Mélanie Sabourin
Révision et correction : Céline Bouchard et Nicole Raymond

Données de catalogage avant publication (Canada)

Mondor, Albert
Le grand livre des vivaces

1. Plantes vivaces. 2. Aménagement paysager.
3. Plantes vivaces – Ouvrages illustrés. I. Titre.

SB434.M66 2001 635.9'32 C2001-940247-3

L'Éditeur bénéficie du soutien de la Société de développement des entreprises culturelles du Québec pour son programme d'édition.

Nous reconnaissons l'aide financière du gouvernement du Canada par l'entremise du Programme d'aide au développement de l'industrie de l'édition (PADIÉ) pour nos activités d'édition.

Dépôt légal : 2e trimestre 2001
Bibliothèque nationale du Québec

ISBN 2-7619-1579-8

DISTRIBUTEURS EXCLUSIFS :

- Pour le Canada
et les États-Unis :
MESSAGERIES ADP*
955, rue Amherst
Montréal, Québec
H2L 3K4
Tél. : (514) 523-1182
Télécopieur : (514) 939-0406
* Filiale de Sogides ltée

- Pour la France et les autres pays :
HAVAS SERVICES
Immeuble Paryseine, 3, Allée de la Seine
94854 Ivry Cedex
Tél. : 01 49 59 11 89/91
Télécopieur : 01 49 59 11 96
Commandes : Tél. : 02 38 32 71 00
Télécopieur : 02 38 32 71 28

- Pour la Suisse :
DIFFUSION : HAVAS SERVICES SUISSE
Case postale 69 - 1701 Fribourg - Suisse
Tél. : (41-26) 460-80-60
Télécopieur : (41-26) 460-80-68
Internet : www.havas.ch
Email : office@havas.ch
DISTRIBUTION : OLF SA
Z.I. 3, Corminbœuf
Case postale 1061
CH-1701 FRIBOURG
Commandes : Tél. : (41-26) 467-53-33
Télécopieur : (41-26) 467-54-66

- Pour la Belgique et
le Luxembourg :
PRESSES DE BELGIQUE S.A.
Boulevard de l'Europe 117
B-1301 Wavre
Tél. : (010) 42-03-20
Télécopieur : (010) 41-20-24

Pour en savoir davantage sur nos publications,
visitez notre site : **www.edhomme.com**
Autres sites à visiter : www.edjour.com • www.edtypo.com
www.edvlb.com • www.edhexagone.com • www.edutilis.com

Albert Mondor

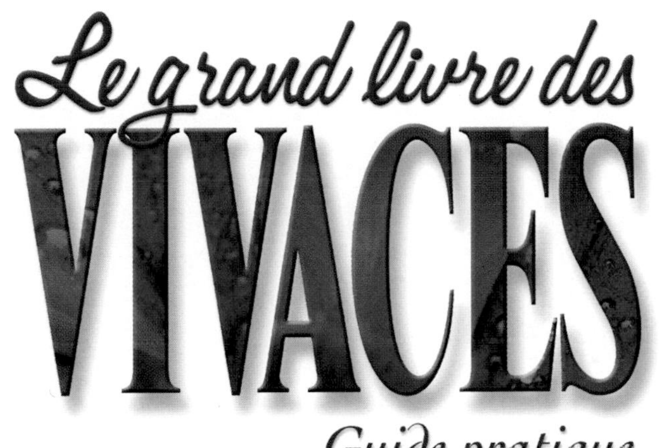

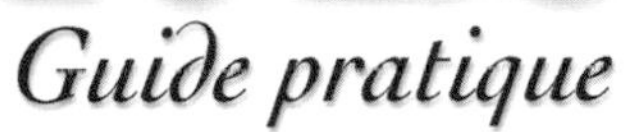

Remerciements

Je veux d'abord remercier Michèle Hogue,
qui m'a soutenu tout au long de l'écriture de ce livre.

Un remerciement particulier à Josée Amyotte pour son
formidable travail de mise en page et sa grande patience.

Merci à mon amie Hélène Vaillancourt qui, encore une fois,
m'a apporté son aide pour effectuer les photographies des
techniques d'entretien des vivaces qui apparaissent dans cet ouvrage.

Merci également à Michel-André Otis, horticulteur au Jardin
botanique de Montréal, pour son secours pour l'identification de
certains végétaux ainsi que pour ses conseils éclairés.

Mes sincères remerciements à tous les jardiniers et horticulteurs
qui m'ont permis d'illustrer les aménagements paysagers qu'ils ont créés.
Vos réalisations ont été une grande source d'inspiration.

Merci à Gilberte et Serge pour leur patience et leurs corrections.

Un remerciement à Pierre Lespérance, Pierre
Bourdon et Jacques Laurin, ainsi qu'à leur équipe, pour leur
appui, leurs conseils et le formidable travail qu'ils ont accompli.

Merci à tous ceux que j'aime de comprendre ma passion
pour l'horticulture et d'accepter de me partager avec elle.

Introduction

Parcelle d'éternité

Depuis mes débuts en horticulture, il y a maintenant 17 ans, j'ai toujours été fasciné par la polyvalence, la diversité et la grande beauté des plantes vivaces. Avec leurs coloris, leurs formes et leurs textures très diverses, ces végétaux offrent des possibilités immenses pour la réalisation d'aménagements paysagers.

Tout jardinier rêve de créer un jardin éternel, une œuvre qui défiera le temps et sera appréciée par les générations futures. Malheureusement, aucune vivace ne peut vivre aussi longtemps que les oliviers. Toutefois, comme certaines pivoines peuvent atteindre l'âge vénérable de 100 ans, en planter une dans son jardin, c'est s'offrir une portion d'éternité. Comme la pivoine, les autres vivaces constituent un élément essentiel dans la création d'aménagements paysagers fleuris et durables.

Je n'ai pas la prétention de décrire dans ce livre toutes les plantes vivaces offertes sur le marché horticole et rustiques sous notre climat. L'écriture d'un tel ouvrage exigerait de nombreuses années et compterait sans doute une quinzaine de tomes ! Mon ambition est plutôt de vous présenter les vivaces que je préfère, les plantes qui me semblent être les plus productives et les plus attrayantes, sans oublier quelques espèces plus rares ou méconnues ainsi que certains cultivars tout récemment introduits sur le marché horticole local.

Anémone du Japon 'Pamina' (*Anemone hupehensis* var. *japonica* 'Pamina').

RENSEIGNÉ

LE JARDINIER

Qu'est-ce qu'une vivace?

Le mot vivace provient de l'adjectif latin *vivax,* qui signifie «plein de vie, qui vit longtemps». En horticulture, ce terme est employé pour qualifier les végétaux qui vivent plus de deux ans et qui fleurissent habituellement chaque année. Bien que certaines d'entre elles possèdent un feuillage persistant, les feuilles et les tiges de la majorité des plantes vivaces meurent dès l'arrivée de l'hiver, mais leurs racines ne sont pas affectées par le froid, ce qui permet l'apparition de nouvelles pousses lorsque l'ensoleillement augmente et que la température se réchauffe. À de rares exceptions près, l'adjectif vivace désigne les plantes herbacées dont les tiges n'ont pas la consistance du bois.

Je m'intéresse depuis plusieurs années aux éléments qui permettent la création d'un aménagement réussi. Je suis maintenant persuadé que le succès repose en grande partie sur la façon dont les végétaux sont disposés les uns par rapport aux autres. Dans ce livre, en plus de trouver la description des plantes et des renseignements sur les exigences culturales de centaines d'espèces et de variétés, vous découvrirez des méthodes et des idées pour marier les plantes vivaces à d'autres végétaux. À partir de photos et de plans, vous pourrez recréer à votre façon les associations végétales que je propose. Vous remarquerez assurément que la plupart des aménagements présentés ici sont composés de plantes qui fleurissent au même moment. C'est donc en intégrant plusieurs de ces plantations sur votre terrain que vous obtiendrez un jardin fleuri et attrayant en toutes saisons. J'espère que ma vision de l'aménagement paysager vous stimulera et vous aidera à développer ou à perfectionner votre propre style.

RENSEIGNÉ

LE JARDINIER

Les divers types d'ombre

Les végétaux qui exigent le plein soleil doivent bénéficier de six heures d'ensoleillement et plus chaque jour. Les plantes qui acceptent la mi-ombre peuvent quant à elles se contenter de quatre à six heures de soleil. Si une partie de votre jardin reçoit moins de quatre heures d'ensoleillement par jour, vous pouvez la considérer comme étant ombragée, mais pour réussir vos plantations sous les arbres, il sera essentiel d'évaluer correctement le type d'ombre avec lequel vous devez composer.

L'ombre légère est produite par des arbres qui ont un feuillage léger comme les amélanchiers *(Amelanchier),* les féviers *(Gleditsia),* les mélèzes *(Larix)* et les sorbiers *(Sorbus).* Dans de telles conditions, les végétaux au sol reçoivent de trois à quatre heures d'ensoleillement. L'ombre légère permet l'utilisation d'une très grande variété de végétaux.

L'ombre moyenne ou modérée se trouve sous certains arbres feuillus plantés moins densément que dans une forêt et dont les premières branches sont situées à bonne hauteur sur le tronc, soit à 4 m du sol environ. Sous ces arbres, le sol n'est touché que par très peu de soleil direct, mais la luminosité est tout de même assez bonne pour permettre à un bon nombre de plantes de pousser convenablement. Un jardin exposé au nord profite à peu près de la même luminosité.

Finalement, l'ombre dense, où il n'y a pas plus de deux heures de soleil par jour, est la moins hospitalière de toutes. On la trouve surtout sous les conifères ou les feuillus très touffus comme l'érable de Norvège *(Acer platanoides)* et le marronnier d'Inde *(Aesculus hippocastanum),* par exemple. Peu de plantes peuvent pousser dans de telles conditions, car en plus de bloquer la lumière, le feuillage épais de ces arbres provoque la sécheresse en empêchant la pluie de se rendre au sol.

Les vivaces

Une association magnifique entre l'achillée de Sibérie *(Achillea sibirica),* le lis 'Chinook' (*Lilium* 'Chinook') et l'astilbe 'Bronze Queen' (*Astilbe* 'Bronze Queen' [*simplicifolia* hybride]).

Achillea
Douces achillées

Le mot achillée vient du nom d'Achille en grec, *Achilleus,* héros de la guerre de Troie qui n'était vulnérable qu'au talon. Ayant découvert les propriétés médicinales de l'achillée, il l'aurait utilisée pour soigner les blessures de ses soldats.

Bien connue

Avec ses petites fleurs blanches regroupées de façon caractéristique, l'achillée millefeuille *(A. millefolium),* aussi appelée herbe à dinde, est assurément la mieux connue de toutes les achillées. Originaire d'Europe et d'Asie, cette plante vivace est également très répandue en Amérique du Nord où, selon certains botanistes, elle aurait été introduite il y a fort longtemps. L'achillée millefeuille s'établit facilement dans la plupart des endroits ensoleillés où le sol est sec.

De nombreux cultivars aux fleurs de couleurs très diverses ont été créés à partir de cette espèce. Rustiques jusqu'en zone 2, plusieurs de ces hybrides ont une floraison exceptionnellement longue qui débute habituellement vers la fin du printemps et qui peut parfois se prolonger jusqu'au début de l'automne. Un de mes cultivars préférés est 'Terracotta', qui a été récemment introduit au Canada. Cette superbe achillée, qui atteint environ 70 cm de hauteur, produit des fleurs jaune foncé tirant sur l'abricot qui tournent avec le temps au jaune plus pâle puis, quelques semaines plus tard, au blanc crème. J'affectionne aussi particulièrement le cultivar 'Lachsschönheit', également connu sous le nom plus aisé à prononcer de 'Salmon Beauty'. Cette achillée très florifère se pare de magnifiques fleurs de couleur saumon qui passent au jaune puis au blanc teinté de rose. Leur transformation est des plus fascinantes. Cette plante atteint parfois plus de 1 m de hauteur; il est donc nécessaire de la tuteurer dans les endroits venteux. 'Feurland' est également un cultivar d'achillée dont les fleurs changent de couleur au fur et à mesure qu'avance la saison. Il forme des fleurs aux pétales vermillon prenant graduellement une teinte plus pâle allant jusqu'au jaune. Finalement,

Nom latin : *Achillea.*
Nom commun : achillée.
Famille : composées.
Feuillage : feuilles très finement découpées, souvent teintées de gris.
Floraison : fleurs minuscules regroupées en corymbes aplatis. Selon les espèces et les cultivars, les fleurs sont blanches, jaunes, orange, roses ou rouges.
Période de floraison : fin du printemps et été.
Exposition : soleil.
Sol : s'adapte bien à divers types de sols peu riches et bien drainés.
Rusticité : à partir de la zone 2.

RENSEIGNÉ

LE JARDINIER

La culture des achillées

Les achillées préfèrent une exposition ensoleillée ainsi qu'un sol parfaitement drainé. Bien que ces conditions soient essentielles au développement de la plupart des hybrides, certains cultivars d'*A. ptarmica* peuvent pousser dans une terre plus humide. De façon générale, les achillées nécessitent un sol pauvre, mais elles peuvent également s'adapter à une terre à jardin brune, plus riche en humus et en éléments nutritifs. Cependant, en sol très riche, plusieurs cultivars d'achillées ont tendance à croître de façon excessive et à atteindre des proportions démesurées ; il est alors souvent nécessaire de les tuteurer, surtout s'ils sont exposés au vent. Si vous plantez des achillées dans un sol argileux et lourd, assurez-vous d'ajouter une ou deux pelletées de compost et quelques poignées de gravier à la terre de plantation afin d'obtenir un drainage adéquat. Après la plantation, la plupart des achillées ne devraient pas recevoir plus de 0,5 cm d'épaisseur de compost chaque année.

Achillée 'Terracotta' (*Achillea* 'Terracotta').

Achillée 'Fanal' (*Achillea* 'Fanal').

Une superbe association entre l'achillée 'Moonshine' (*Achillea* 'Moonshine') et l'hémérocalle 'Sugar Candy' (*Hemerocallis* 'Sugar Candy').

le cultivar 'Fanal', aussi connu sous le nom de 'The Beacon', produit quant à lui des fleurs rouges dont le centre est jaune. Cette achillée donne toujours un effet très vibrant et apporte une certaine chaleur dans une plantation.

Fleurs jaunes

Avec ses larges corymbes de fleurs d'un jaune très intense, l'achillée filipendule *(A. filipendulina)* devrait, à mon avis, occuper une place de choix dans tous les jardins. Comme elle atteint parfois plus de 1 m de hauteur, je vous suggère de disposer cette vivace très architecturale à l'arrière des plates-bandes. Les cultivars 'Gold Plate' et 'Cloth of Gold', rustiques en zone 3, sont habituellement plus faciles à trouver sur le marché horticole. Cela dit, mon achillée à fleurs jaunes favorite est sans aucun doute le très florifère cultivar 'Moonshine', issu d'un croisement entre *A. clypeolata* et *A.* 'Taygetea'. En plus de produire des fleurs jaune pâle qui s'associent parfaitement aux végétaux à fleurs bleues tel le *Geranium* 'Johnson's Blue', cette plante possède un joli feuillage vert glauque très découpé. 'Moonshine' est un cultivar compact qui atteint environ 60 cm de hauteur. J'apprécie également l'achillée 'Anthea' aux fleurs jaune très pâle qui tournent rapidement au blanc crème.

LE JARDINIER RENSEIGNÉ

Des fleurs minuscules

Les achillées produisent des fleurs de très petite dimension disposées en capitules. Au centre de ces capitules, on trouve des fleurs sans pétales, alors qu'autour poussent des fleurs à un seul pétale. Ces petits capitules sont eux-mêmes regroupés en larges inflorescences appelées corymbes. Les inflorescences de certains cultivars d'achillées semblent être tachetées ; cela est dû au fait que les fleurs qui composent le centre des capitules ne sont pas de la même couleur que celles qui sont disposées au pourtour.

ASTUCIEUX

LE JARDINIER

Taillez les fleurs fanées

Il est important de tailler régulièrement les fleurs fanées des achillées tout au long de l'été. D'abord effectuée dans un but esthétique, cette opération permet aussi d'éviter l'apparition de semis de qualité inférieure l'année suivante. Une telle taille initie également la pousse de nouvelles fleurs. Vous devez couper les inflorescences fanées à quelques millimètres au-dessus de la troisième ou de la quatrième feuille.

Les achillées à fleurs jaunes que je viens de vous décrire sont issues de parents originaires du Caucase et du sud-est de l'Europe. Dans la nature, elles poussent dans des sols secs et caillouteux; elles tolèrent donc plus difficilement un mauvais drainage que les cultivars d'*A. millefolium* et d'*A. ptarmica*. Divisez ces plantes après trois ou quatre années afin d'éviter une diminution de la qualité et de leur floraison.

Boules de neige

L'achillée sternutatoire *(A. ptarmica)* affectionne des milieux moins bien drainés que les autres espèces. Elle est parfaitement à son aise dans un sol humide et riche en humus. Chez certains cultivars, comme 'Boule de Neige', aussi appelé 'The Pearl', les fleurs qui composent le centre des capitules possèdent des pétales, ce qui leur donne une forme sphérique. La plupart des cultivars d'*A. ptarmica* sont rustiques en zone 3.

L'achillée de Sibérie *(A. sibirica)* est une vivace rustique qui vient de la Sibérie ainsi que de l'est de la Russie. D'une hauteur d'environ 70 cm, cette vivace forme de belles fleurs d'un rose très pâle tournant rapidement au blanc. Je suggère également le cultivar 'Love Parade', dont les dimensions sont plus restreintes.

Associations gagnantes

Les achillées sont des compagnes formidables pour certaines plantes de hauteur moyenne qui apprécient le soleil et les sols bien drainés, comme les diverses espèces et variétés de géraniums vivaces *(Geranium)*, d'hémérocalles *(Hemerocallis)*, de népétas *(Nepeta)* et de scabieuses *(Scabiosa)*. La plupart des cultivars d'achillées s'associent également très bien avec les graminées comme certaines espèces et quelques cultivars de carex *(Carex)*, les fétuques *(Festuca)* et l'avoine ornementale *(Helictotrichon sempervirens)*. Finalement, les armoises *(Artemisia)* sont idéales pour mettre en valeur la douce floraison des achillées.

Subtile association entre le feuillage de l'érable à Giguère 'Kelly's Gold' (*Acer negundo* 'Kelly's Gold') et les fleurs de l'achillée 'Anthea' (*Achillea* 'Anthea').

Jovialité estivale

soleil

Les plantations composées de deux couleurs contrastantes comme le bleu et le jaune sont simples à réaliser et dégagent toujours beaucoup de dynamisme. En plus d'apporter une certaine fraîcheur, la floraison blanche de la valériane rouge 'Albus' rend plus visibles les fleurs bleues de la népéta 'Six Hills Giant'. Cet aménagement, que j'ai conçu, est facile d'entretien et convient à un sol bien drainé exposé au plein soleil.

Achillée 'Moonshine'
(*Achillea* 'Moonshine')

Valériane rouge 'Albus'
(*Centranthus ruber* 'Albus')

Hémérocalle 'Krakatoa Lava'
(*Hemerocallis* 'Krakatoa Lava')

Népéta 'Six Hills Giant'
(*Nepeta* x *faassenii* 'Six Hills Giant')

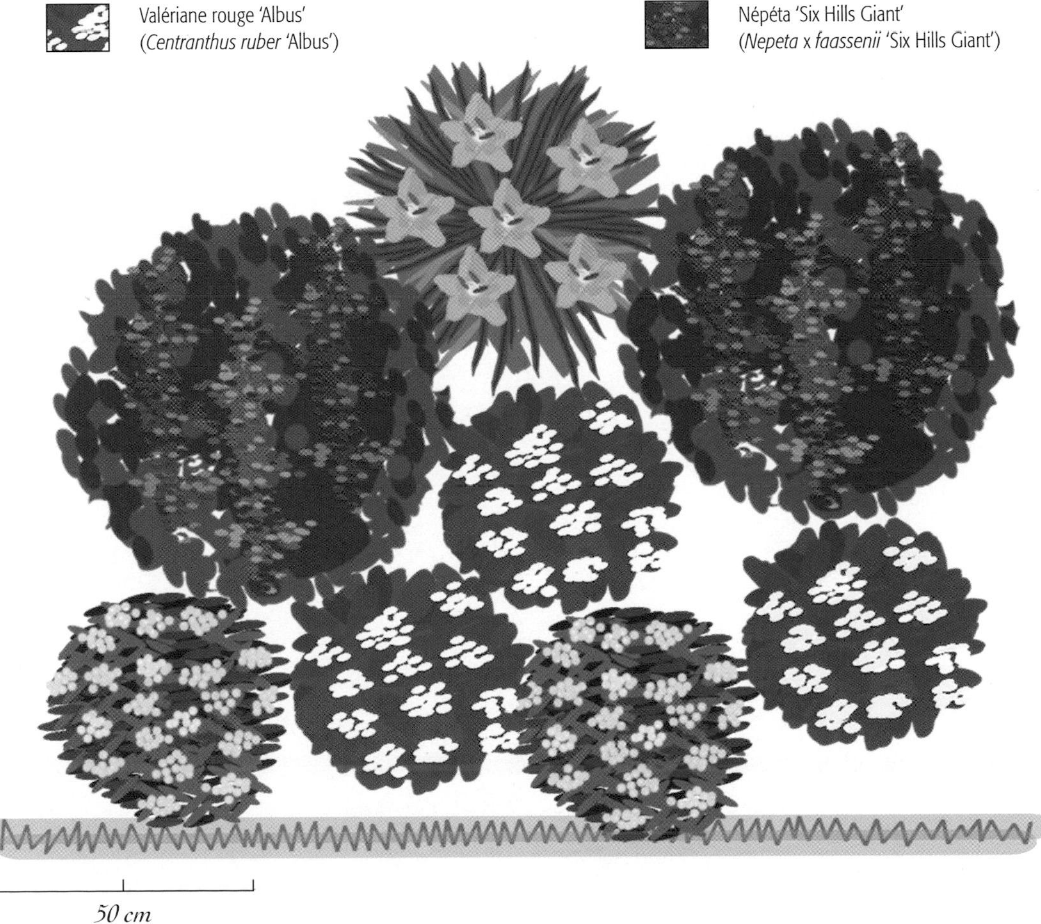

L'aconit de Carmichael *(Aconitum carmichaelii)* en compagnie de l'adénophore *(Adenophora liliifolia)*, une plante très proche parente des campanules.

Aconitum
Casque de Jupiter

Les fleurs des aconits sont composées de cinq sépales disposés de façon à prendre la forme d'un chapeau ; en fait, chaque fleur ressemble au casque que porte Jupiter, le père et maître des dieux dans le panthéon romain. Paradoxalement, ces fleurs dignes des dieux ne peuvent être fécondées que par d'humbles bourdons.

Bleu

D'une hauteur d'environ 1,20 m, *A. napellus* est une vivace qui croît de façon spontanée dans plusieurs régions d'Europe. En Amérique du Nord, où elle est cultivée dans les jardins depuis fort longtemps, on trouve parfois cette plante à l'état sauvage, car elle s'échappe des cultures. Ses fleurs, d'un bleu violacé foncé, s'épanouissent habituellement au cœur de l'été, en juillet et en août. Quant à l'aconit de Carmichael *(A. carmichaelii)*, il est originaire de Chine. Cet aconit, qui est de loin mon préféré, atteint environ 1 m de hauteur. Ce n'est qu'au début de l'automne, en septembre et en octobre, qu'il produit ses magnifiques fleurs bleues regroupées en épis. Il existe également quelques cultivars d'aconits de Carmichael rustiques en zone 3, dont 'Arendsii', un bel hybride aux fleurs bleu azur obtenu par Georg Arends, et 'Barker', qui forme des grappes de fleurs bleu violacé plus lâches que chez l'espèce. L'aconit d'Henry 'Spark' (*A. henryi* 'Spark'), dont la floraison survient en juillet et en août, me plaît aussi beaucoup. Rustique en zone 3, ce cultivar produit des fleurs d'un bleu violacé particulièrement foncé portées par de longues tiges qui font 1,50 m de hauteur.

Jolis coloris

Vous pouvez également trouver des aconits possédant des fleurs d'une autre couleur que le bleu. Certains cultivars tels que *A.* x *cammarum* 'Grandiflorum Album' et *A. lycoctonum* subsp. *lycoctonum* (syn. *A. septentrionale* 'Ivorine') arborent des fleurs blanches.

Nom latin : *Aconitum.*

Noms communs : aconit, casque de Jupiter.

Famille : renonculacées.

Feuillage : feuilles généralement palmées et lobées.

Floraison : fleurs très caractéristiques composées de cinq sépales et réunies en longues grappes. Selon les espèces et les cultivars, les fleurs sont de couleur blanche, jaune, rose, bleue ou bleu violacé ; certains cultivars possèdent des fleurs bicolores, teintées de blanc et de bleu.

Période de floraison : fin d'été et automne.

Exposition : soleil, mi-ombre. Certains cultivars peuvent également pousser à l'ombre légère.

Sol : riche et frais.

Rusticité : à partir de la zone 2.

Douce association entre l'aconit des Pyrénées (*Aconitum lycoctonum* subsp. *neapolitanum*, syn. *A. lamarckii*) et la campanule à fleurs laiteuses 'Loddon Anna' (*Campanula lactiflora* 'Loddon Anna').

RENSEIGNÉ

LE JARDINIER

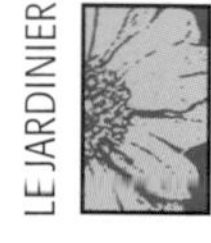

La culture des aconits

Bien que certains cultivars puissent pousser et fleurir adéquatement avec quatre heures d'ensoleillement par jour, les aconits préfèrent tout de même une exposition mi-ombragée. Ils se plaisent également en plein soleil, pourvu que le sol reste toujours frais. En plein été, lorsqu'il fait très chaud, les aconits ne fleurissent bien que si on les arrose copieusement. L'idéal est de faire un arrosage par semaine, ou deux, en période de canicule. Chaque fois, donnez environ 2,5 cm d'eau. Vous pouvez également disposer un paillis organique à la base de ces plantes pour éviter que le sol dans lequel leurs racines plongent ne s'assèche trop rapidement. Les premières années, il est souvent nécessaire de tuteurer les aconits, surtout s'ils sont exposés au vent. Après quatre ou cinq ans cependant, ils forment des touffes denses qui se tiennent habituellement assez bien. Après la plantation, les aconits doivent recevoir environ 2,5 cm d'épaisseur de compost chaque année.

Aconit de Carmichael 'Arendsii' (*Aconitum carmichaelii* 'Arendsii').

D'autres aconits, comme *A. lycoctonum* subsp. *neapolitanum* (syn. *A. lamarckii*), possiblement rustique en zone 3, portent des fleurs de couleur jaune pâle. Chez *A. compactum* 'Carneum', d'une hauteur d'environ 1,50 m, les fleurs sont blanches avec une très légère teinte de rose. Sous un climat frais, les fleurs de ce cultivar prennent une couleur rose plus prononcée. Enfin, l'*A.* x *cammarum* 'Bicolor', un hybride issu d'un croisement entre *A. variegatum* et *A. napellus*, possède de jolies fleurs colorées de bleu et de blanc. Cette plante rustique en zone 2 atteint environ 1,20 m de hauteur.

Longue vie

Les aconits sont des plantes longévives qui n'apprécient guère être dérangées et qui peuvent pousser au même endroit pendant de nombreuses années. J'ai moi-même vu des aconits âgés d'une trentaine d'années, jamais divisés ou déplacés, qui étaient particulièrement sains et florifères. Ne les divisez donc pas trop rapidement, attendez sept ou huit ans avant d'effectuer cette opération. La division, fort simple, peut être effectuée au printemps ou à l'automne. Comme les souches des aconits se séparent de façon naturelle, il vous sera particulièrement aisé de prélever de nouvelles pousses qui auront émergé au pourtour des plants et de les remettre en terre. Mais attention ! Si vous touchez aux racines fraîchement coupées avec vos mains nues, lavez-les immédiatement après votre travail ; ces plantes contiennent de l'aconitine, une substance très toxique.

Associations gagnantes

Les aconits accompagnent très bien les anémones du Japon *(Anemone)*, les grands cultivars d'astilbes *(Astilbe)*, les cierges d'argent *(Cimicifuga)* ainsi que certaines fougères. Il est important de bien mettre en valeur les fleurs bleues des aconits en les plaçant contre un feuillage doré, comme celui du sureau 'Plumosa Aurea' (*Sambucus racemosa* 'Plumosa Aurea') ou du physocarpe 'Dart's Gold' (*Physocarpus opulifolius* 'Dart's Gold'). Vous pouvez également faire ressortir leurs fleurs foncées en les disposant devant des plantes à fleurs jaunes ou blanches.

LE JARDINIER ASTUCIEUX

Cassez votre argile !

Pour plusieurs jardiniers, les sols lourds et argileux des régions qui bordent le Saint-Laurent et certains autres cours d'eau semblent bien peu convenir à la culture de la plupart des plantes ornementales. Il est clair que certains végétaux qui affectionnent les sols sableux et bien drainés ne s'y plaisent pas du tout. Toutefois, malgré le fait que les terres argileuses retiennent beaucoup d'eau et qu'elles ne soient pas bien aérées, elles sont très riches et constituent un magnifique point de départ à la création de plantations luxuriantes. Afin de cultiver une vaste gamme de végétaux sans problèmes majeurs de développement, il est donc essentiel d'améliorer la structure de ces sols en leur ajoutant du compost.

Les composts fabriqués à partir de débris végétaux comme les écorces, les rameaux et les feuilles mortes sont particulièrement efficaces pour alléger les sols argileux et améliorer leur drainage. Quant aux composts contenant du fumier décomposé, ils n'auront qu'un faible effet sur la structure des sols, puisqu'ils apportent plutôt des éléments nutritifs rapidement assimilables par les végétaux.

Lors de la réalisation d'une nouvelle plantation, en plus de mettre une ou deux pelletées de compost dans le trou de chaque plante, vous pouvez en épandre une couche d'environ 1 cm d'épaisseur (1 à 2 sacs par mètre carré) sur toute la surface du sol de la plate-bande. Les années suivantes, il est également important d'ajouter du compost à la base de la plupart de vos végétaux. Cette opération se fait idéalement au printemps, à la fin du mois d'avril et en mai, lors du nettoyage des plates-bandes. Vous pouvez également en épandre à l'automne, une fois les feuilles tombées. Évitez cependant d'effectuer un ajout de compost entre la fin du mois de juillet et le début de la chute des feuilles à l'automne ; cela empêcherait certains végétaux de bien s'endurcir en prévision de l'hiver. N'oubliez pas que chaque plante possède des exigences particulières en compost ; il est important de les respecter. Dans chaque encadré concernant la culture des plantes présentées dans cet ouvrage, et parfois ailleurs dans le texte, je mentionne les quantités de compost nécessaires à leur croissance et à leur développement.

Aconitum

Opulence et richesse

soleil, mi-ombre

Le violet est une couleur riche et opulente. Il apporte beaucoup de calme aux aménagements et, s'il domine, il peut parfois donner une impression de tristesse. Toutefois, lorsqu'il est judicieusement marié à du jaune, comme c'est le cas dans cette scène, il donne une intensité joyeuse et fort agréable. Cette plantation conçue et réalisée par Pierre Gosselin, du Centre de la Nature de Laval, nécessite un site ensoleillé ou mi-ombragé.

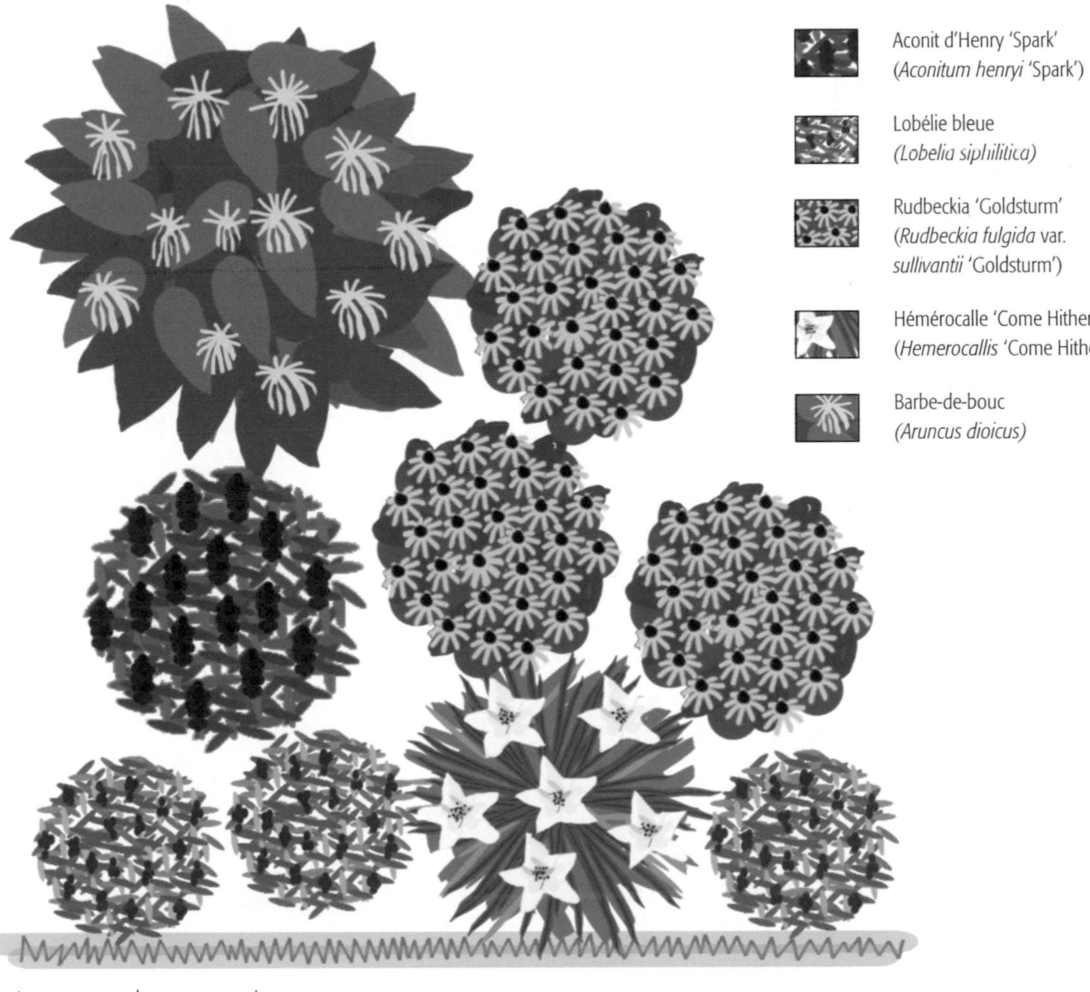

Alchemilla
Fraîches alchémilles

Rarement attaquées par les insectes et les maladies, les alchémilles sont des plantes presque parfaites. Avec leur feuillage découpé et leur fraîche floraison, ces vivaces apportent beaucoup de légèreté et de poésie au jardin. Discrètes, elles mettent en valeur les végétaux qu'elles accompagnent.

Montagnardes

Toutes les espèces d'alchémilles sont originaires d'Europe et d'Asie. Dans la nature, on les trouve principalement dans les massifs montagneux comme les Alpes, les Carpates et le Caucase. Bien qu'elles s'adaptent assez bien à divers types de sols, elles ont une préférence pour les terres caillouteuses parfaitement drainées et exposées au soleil ou à la mi-ombre.

De toutes les espèces d'alchémilles, c'est assurément *A. mollis* qui est la plus adaptable. Elle est à son aise tant dans une plate-bande ensoleillée dont le sol est argileux que dans une terre riche en humus et située à l'orée d'un boisé. Toutefois, bien qu'elle puisse s'accommoder d'une certaine humidité pendant l'été, elle tolère très difficilement l'accumulation d'eau à sa base en hiver ; il est donc essentiel que le sol où plongent ses racines se draine parfaitement durant la saison automnale. Contrairement à ce qui est le cas pour la plupart des autres espèces d'alchémilles qui préfèrent recevoir du compost aux deux ou trois ans seulement, *A. mollis* demande 1 cm d'épaisseur à sa base annuellement. Rustique en zone 3, cette vigoureuse vivace atteint environ 40 cm de hauteur sur autant en largeur. En juin et en juillet, elle produit de petites fleurs jaune verdâtre qui donnent une douce fraîcheur aux plantations.

A. erythropoda, que j'apprécie beaucoup, est une espèce plus petite qui atteint tout au plus 25 cm de hauteur. Assurez-vous de planter cette vivace dans un terreau composé d'une partie de terre brune légèrement sableuse mélangée à une partie de compost et une partie de gravier fin. Également rustiques en zone 3, *A. conjuncta* et *A. glaucescens* sont d'autres espèces basses

Alchemilla erythropoda.

Nom latin : *Alchemilla.*
Nom commun : alchémille.
Famille : rosacées.
Feuillage : feuilles finement dentelées, d'un vert très tendre, comprenant plusieurs lobes.
Floraison : petites fleurs de couleur jaune verdâtre qui s'élèvent à peine au-dessus du feuillage.
Période de floraison : printemps et début de l'été.
Exposition : soleil, mi-ombre, ombre légère.
Sol : la plupart des espèces poussent relativement bien dans une terre à jardin brune bien drainée, mais elles préfèrent les sols légèrement sableux.
Rusticité : zone 3.

ASTUCIEUX

LE JARDINIER

Évitez qu'elles se ressèment

Les alchémilles se ressèment facilement dans les endroits les plus inusités. Elles germeront même dans l'interstice entre deux dalles. Afin d'éviter l'apparition de ces petits rejetons indésirables, je vous suggère de tailler les fleurs dès qu'elles sont fanées, ce qui empêchera la production de semences. Coupez les hampes florales le plus près possible de la base du plant à l'aide d'un sécateur bien aiguisé.

Après une pluie, les feuilles d'*Alchemilla mollis* se parent de fines gouttelettes d'eau lui donnant une allure bucolique.

fort attrayantes. Toutes deux d'une hauteur d'environ 20 cm, elles forment de petites feuilles finement dentelées et particulièrement pubescentes. Toutes ces espèces sont assez rares, mais il est tout de même possible de les trouver dans certaines pépinières spécialisées.

Associations gagnantes

Grâce à leurs fleurs et à leurs feuilles discrètes et subtiles, les alchémilles mettent en valeur la floraison des autres plantes. Les végétaux aux fleurs bleues ou violettes comme les népétas *(Nepeta)* ainsi que certains cultivars de géraniums vivaces

(Geranium) ressortent davantage s'ils sont placés près des alchémilles. Celles-ci accompagnent aussi parfaitement certaines plantes cultivées pour leur feuillage. Leurs fleurs jaunes et leurs feuilles vert tendre offrent un contraste particulièrement agréable lorsqu'elles sont mariées au feuillage pourpre de certaines variétés de coléus *(Solenostemon scutellarioides)* et d'heuchères *(Heuchera)*. Les alchémilles sont aussi des plantes idéales pour lier les différentes parties d'une plate-bande ou même d'un jardin entier. Quand on les plante à plusieurs endroits dans un aménagement, elles donnent un effet de continuité et de rythme, deux composantes nécessaires à l'unité d'un jardin.

L'alchémille *(Alchemilla mollis)* s'associe particulièrement bien aux plantes à feuillage ornemental. Dans cet arrangement aux allures psychédéliques, elle est en compagnie de trois annuelles : la grande cérinthe 'Purpurascens' (*Cerinthe major* 'Purpurascens') ainsi que les coléus 'Inky Fingers' (*Solenostemon scutellarioides* 'Inky Fingers') et 'Saturn' (*S. scutellarioides* 'Saturn').

Alchemilla

DOUX FEUILLAGES

soleil, mi-ombre, ombre légère

L'alchémille se marie particulièrement bien à certaines plantes annuelles. Dans cet aménagement sans fleurs, elle s'associe subtilement aux feuilles grises du plectranthe argenté et au feuillage jaune du coléus 'The Line'. Ce petit arrangement est mis en valeur par le bugle rampant 'Atropurpurea' dont le feuillage pourpre tapisse le sol. Les végétaux qui composent cette plantation créée par Hélène Vaillancourt et Gaétan Deschênes peuvent accepter le plein soleil, la mi-ombre ou l'ombre légère.

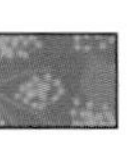

Alchémille
(Alchemilla mollis)

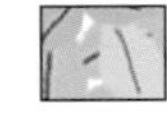

Coléus 'The Line'
(*Solenostemon scutellarioides* 'The Line')

Bugle rampant 'Atropurpurea'
(*Ajuga reptans* 'Atropurpurea')

Plectranthe argenté
(Plectranthus argentatus)

Anemone

Anémones du Japon

En 1695, le nom commun anémone du Japon a été donné à une plante découverte dans un jardin situé au Japon et qu'on croyait à tort être indigène. Elle fut alors appelée *Anemone japonica*. Ce n'est qu'en 1947 qu'on la nomma correctement *Anemone hupehensis* var. *japonica*, puisque cette plante est en fait une variation naturelle d'*Anemone hupehensis*, une espèce originaire de la province de Hu-pei, en Chine. *A. vitifolia* et *A. matsudae*, deux espèces aux fleurs blanches originaires des régions montagneuses de l'ouest de la Chine, *A. tomentosa*, aux fleurs rose pâle, ainsi que tous les hybrides et cultivars issus de ces espèces sont aussi classés dans le groupe des anémones du Japon.

Noms latins : *Anemone hupehensis, A. x hybrida, A. matsudae, A. tomentosa, A. vitifolia.*

Nom commun : anémone du Japon.

Famille : renonculacées.

Feuillage : feuilles composées de trois grandes folioles lobées et profondément dentées.

Floraison : grandes fleurs composées de 5 à 30 tépales blancs ou roses, selon les espèces et les cultivars. La couleur des fleurs varie un peu sous l'effet des rayons du soleil et de l'acidité du sol. Les fleurs sont portées sur de robustes tiges qui atteignent environ 1 m de hauteur.

Période de floraison : fin de l'été et début de l'automne.

Exposition : mi-ombre. La plupart des cultivars s'adaptent aussi au plein soleil et à l'ombre légère.

Sol : riche, frais et bien drainé.

Rusticité : à partir de la zone 3.

Variétés très valables

Quelques cultivars issus d'*A. hupehensis* méritent une place dans tous les jardins. La plupart de ces variétés sont rustiques en zone 4. J'affectionne beaucoup 'Bowles' Pink' qui possède des fleurs roses composées de cinq tépales dont deux sont plus petits et plus foncés que les autres. Vous pouvez également trouver la variété 'Splendens' qui forme de belles fleurs rose pâle légèrement teintées de blanc s'épanouissant assez tardivement en septembre. 'Splendens' fut introduit sur le marché horticole en 1928.

Certains cultivars sont également issus d'*A. hupehensis* var. *japonica*. Mon préféré est sans aucun doute 'Pamina', rustique en zone 4 et dont les impressionnantes fleurs possèdent des tépales étroits et légèrement déformés d'un rose foncé particulièrement saturé. Ce magnifique cultivar a remporté le fameux Award of Garden Merit, un symbole d'excellence décerné par la Royal Horticultural Society d'Angleterre aux plantes qui présentent des qualités horticoles exceptionnelles. 'Prinz Heinrich', appelé 'Prince Henry' sur le marché horticole nord-américain, est un autre cultivar d'anémone du Japon qui me plaît beaucoup. Il produit une abondance de fleurs d'un diamètre d'environ 6 cm. Chaque fleur comprend de 14 à 19 tépales déformés d'un rose très vif légèrement pourpré. 'Prinz Heinrich' a également remporté un Award of Garden Merit en 1993.

La fameuse *Anemone hupehensis* est à l'origine du groupe des anémones du Japon.

Anémone du Japon 'Pamina'
(*Anemone hupehensis* var. *japonica*

Anémone du Japon 'September Charm'
(*Anemone* x *hybrida* 'September Charm').

RENSEIGNÉ

LE JARDINIER

Tépales?

Les fleurs des anémones du Japon sont composées, autour des étamines, de structures qu'on appelle tépales parce qu'elles ne peuvent être clairement identifiées comme étant des sépales et des pétales.

Vous pouvez également trouver sur le marché horticole une foule d'hybrides, à peu près tous rustiques en zone 4, classés sous l'appellation de *A.* x *hybrida*. Le cultivar 'Honorine Jobert' est sans doute une mutation d'*A.* x *hybrida* 'Elegans' survenue en 1858 dans le jardin d'un dénommé Jobert à Verdun, en France. Cette anémone produit d'abondantes fleurs comprenant de 6 à 9 tépales blancs portés par de solides tiges qui s'élèvent à une hauteur d'environ 1,20 m. En 1993, 'Honorine Jobert' a reçu un Award of Garden Merit (AGM). Également primé d'un AGM, 'September Charm' possède de jolies fleurs comprenant cinq tépales rose clair irrégulièrement marqués de rose pourpré, dont deux sont plus petits que les autres. Cette variété atteint environ 80 cm de hauteur. Elle a été introduite en 1932, par Bristol Nurseries, aux États-Unis.

Je suggère l'anémone tomenteuse *(A. tomentosa)*. Rustique en zone 3, cette anémone très vigoureuse est l'une des premières à fleurir. Il arrive parfois qu'elle forme ses fleurs rose pâle dès la fin de juillet. Plus facile à trouver sur le marché horticole, *A. tomentosa* 'Robustissima' produit de grandes fleurs d'un rose plus foncé que l'espèce. Je recommande également l'anémone à feuilles de vignes *(A. vitifolia)* qui forme de

Anémone tomenteuse *(Anemone tomentosa)*.

belles fleurs blanches. Mais comme sa rusticité n'est pas encore bien connue, il ne faudra la planter qu'à titre d'essai.

Associations gagnantes

Les anémones du Japon sont idéales pour éclairer un coin sombre d'un jardin. Ce sont des compagnes idéales pour certaines plantes hautes qui apprécient la mi-ombre et l'ombre légère comme les diverses espèces et variétés à floraison tardive d'aconits *(Aconitum)*, d'astilbes *(Astilbe)* ainsi que de cierges d'argent *(Cimicifuga)*. Au soleil, les anémones du Japon s'associent également très bien avec certaines autres plantes à floraison automnale comme les divers cultivars d'asters *(Aster)*, de chrysanthèmes *(Chrysanthemum* x *morifolium)* et d'orpins remarquables *(Sedum spectabile)*.

Les anémones du Japon forment également de très jolis mariages avec certains arbustes dont le feuillage se colore l'automne venu. Parmi les arbustes les plus intéressants, je vous propose la viorne trilobée *(Viburnum trilobum)*, qui prend une teinte rouge pourpré à l'automne. Les arbustes aux feuilles pourpres, dont le physocarpe 'Diabolo' (*Physocarpus opulifolius* 'Diabolo'), forment un contraste particulièrement saisissant avec les fleurs des anémones du Japon et les mettent magnifiquement en valeur.

LE JARDINIER RENSEIGNÉ

Une propagation bien particulière

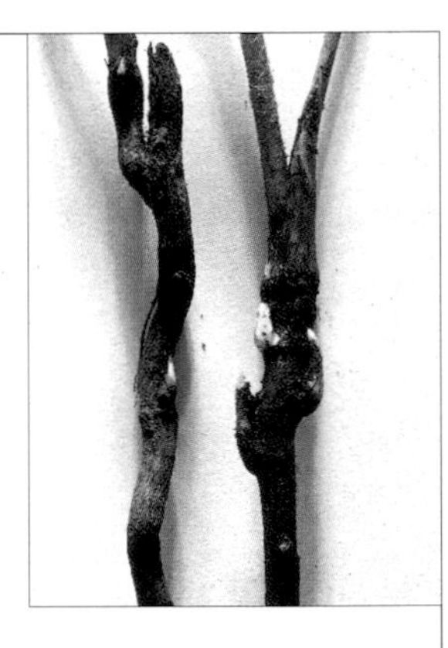

Pourtant valable pour la majorité des vivaces, la division convient peu aux anémones du Japon. Quand la souche d'une anémone est coupée en deux, la base de la tige, très lignifiée, a beaucoup de difficulté à former de nouvelles racines. Le semis fonctionne assez bien pour la plupart des espèces, mais les cultivars font exception puisqu'ils produisent peu de pollen fertile et, par conséquent, rarement des semences. Il est toutefois possible de faire des boutures de racines lorsque les anémones sont en dormance. Au pourtour de la couronne se trouvent de jeunes racines sur lesquelles se forment des bourgeons blancs. Coupez ces racines en petits morceaux d'environ 5 cm de longueur. Par la suite, installez ces morceaux à l'horizontale dans des pots et recouvrez-les d'une épaisseur de compost d'environ 5 mm. Dès que les jeunes plants sont bien enracinés, vous pouvez les transférer en pleine terre.

RENSEIGNÉ

LE JARDINIER

La culture des anémones du Japon

La plupart des anémones du Japon s'adaptent relativement bien à divers types de sols, mais elles préfèrent tout de même les sols riches, légers, frais et bien drainés. En sol argileux mal drainé, les anémones ont beaucoup de difficulté à s'établir et peuvent même mourir durant le premier hiver suivant la plantation. Vers la mi-novembre, pour éviter tout problème, vous pouvez recouvrir vos anémones d'un paillis de feuilles mortes déchiquetées pour leur permettre de mieux résister au froid hivernal. N'oubliez pas non plus de leur fournir un peu de compost, environ 1 cm d'épaisseur chaque printemps.

Les anémones du Japon ont une nette préférence pour la mi-ombre. Elles s'adaptent tout de même assez bien à l'ombre légère ou au plein soleil, à condition que le sol reste toujours frais. Ces plantes sont assez sensibles à la sécheresse. Il est donc essentiel de les arroser régulièrement, surtout durant les chauds mois de juillet et d'août, à raison d'un minimum de 2,5 cm d'eau par semaine. La pose d'un paillis à la base des anémones du Japon a un effet bénéfique sur leur croissance et leur développement. La présence d'un paillis entraîne la formation de racines situées plus près de la surface du sol, ce qui réduit la tendance naturelle des anémones à former des racines très dures et lignifiées qui se soulèvent hors de terre. Les plantes dont les racines sortent trop de terre doivent être renchaussées ou carrément replantées.

Une association quelque peu étonnante entre *Anemone tomentosa* et *Macleaya cordata*.

Printanières ?

Une foule d'autres espèces et cultivars d'anémones ont une floraison plutôt printanière et conviennent bien aux plantations ombragées. Une de mes préférées est l'anémone du Canada *(A. canadensis)* qui forme des fleurs blanches à la fin du printemps, habituellement en juin. Rustique en zone 3, elle s'adapte bien à divers types de sols, même très humides, situés au soleil comme à l'ombre légère. Très envahissante, l'anémone du Canada doit être plantée dans un pot sans fond ou ceinturée d'une profonde bordure. L'anémone sylvestre *(A. sylvestris),* qui atteint environ 40 cm de hauteur, produit également des fleurs blanches vers la fin du printemps. Cette plante, qui se trouve à l'état indigène en Europe dans certains lieux montagneux et boisés dont le sol est caillouteux, est rustique en zone 3. L'anémone des bois *(A. nemorosa),* originaire des forêts du nord de l'Europe, produit tôt au printemps, parfois dès le mois d'avril, de belles fleurs blanches portées sur des tiges qui n'atteignent pas plus de 20 cm de hauteur. Plusieurs cultivars aux fleurs roses ou bleues sont également offerts. Après sa floraison, l'anémone des bois, qui est probablement rustique en zone 4, entre en dormance et disparaît complètement. Bien qu'elle soit plus rare, il faut se procurer la magnifique *A.* x *lipsiensis,* issue d'un croisement entre *A. ranunculoides* et *A. nemorosa,* aux fleurs jaune pâle. Cette vivace pousse bien à la mi-ombre ou à l'ombre légère dans un sol riche et frais.

Anémone du Canada *(Anemone canadensis).*

Je tiens également à parler de deux vivaces, proches parentes des anémones, dont la floraison est particulièrement hâtive et attrayante. D'abord, l'anémone pulsatille *(Pulsatilla vulgaris),* une espèce originaire d'Europe du Nord où elle pousse dans certaines prairies au sol sec et caillouteux. Vers la fin d'avril ou au début de mai, ses tiges très velues et d'une hauteur de 30 cm se parent de riches fleurs aux pétales violet foncé. On peut aussi trouver sur le marché plusieurs cultivars aux fleurs blanches, roses, rouges ou pourpres, rustiques en zone 3. Cette jolie vivace préfère les sols bien drainés exposés au plein soleil. Plantez-la donc dans un terreau composé d'une partie de terre brune sableuse mélangée à une partie de compost et une partie de gravier fin. Si vous désirez apporter de la couleur à votre jardin très tôt au printemps, je vous suggère de planter l'adonis du printemps *(Adonis vernalis).* Cette petite plante se couvre de fleurs jaune vif parfois dès le début d'avril. Comme l'anémone pulsatille, elle affectionne les lieux ensoleillés dont le sol est légèrement sableux. L'adonis du printemps est rustique en zone 4.

Anémone pulsatille *(Pulsatilla vulgaris).*

Adonis du printemps

Anemone x *lipsiensis.*

Anthemis
Très florifère camomille

Anthemis tinctoria, communément appelée camomille des teinturiers, est une plante vivace d'une hauteur d'environ 60 cm, dont la floraison exceptionnellement longue se produit presque sans relâche de juin à septembre. Chez cette espèce, les fleurs sont habituellement d'un jaune saturé. Mais comme il y a beaucoup de variations dans la nature, cela a donné naissance à plusieurs cultivars tous rustiques en zone 3 et dont la couleur va du crème au jaune foncé. 'Alba' possède des fleurs blanches au cœur jaune. 'Sauce Hollandaise', introduit il y a une dizaine d'années par Monksilver Nursery, en Angleterre, est une autre variété à floraison très pâle. Les fleurs, composées de pétales blanc crème dont la base est marquée de jaune, ont une allure très riche. Quant à 'E. C. Buxton' et 'Wargrave Variety', ils possèdent des fleurs d'un jaune très pâle. Ce dernier est un peu plus grand que l'espèce et atteint près de 90 cm de hauteur. Finalement, on trouve quelques cultivars aux fleurs d'un jaune vraiment saturé comme 'Grallagh Gold' et 'Kelwayi'. 'Grallagh Gold' est issu d'une hybridation entre *A. tinctoria* et *A. sancti-johannis*, une espèce originaire de la péninsule balkanique.

Une chaude scène composée d'*Anthemis tinctoria* 'Kelwayi', d'*A. tinctoria* 'Alba' et de *Lilium* 'Red Carpet'.

Peu voraces

Bien que les cultivars d'*A. tinctoria* puissent pousser dans divers types de sols, il est préférable de les planter en plein soleil dans une terre brune parfaitement drainée, légèrement sableuse et caillouteuse. En sol pauvre, ces plantes restent bien droites, tandis qu'en terre argileuse, plus riche, il est absolument nécessaire de les tuteurer puisqu'elles s'affaissent très facilement. Vous pouvez aussi rabattre les plants de moitié vers la fin du printemps afin qu'ils soient plus trapus. Évidemment, les camomilles des teinturiers ainsi traitées fleurissent habituellement plus tardivement. Pour éviter tout problème, n'épandez pas plus de 0,5 cm d'épaisseur de compost par année au pied de ces plantes. Je suggère même d'espacer les apports aux deux ou trois ans.

Il arrive parfois que les camomilles des teinturiers fleurissent jusqu'à en mourir. Pour éviter des pertes, vers la mi-septembre, taillez les plantes épuisées au ras du sol afin de stimuler la sortie de nouvelles pousses vigoureuses avant l'hiver. Malheureusement, ces vivaces ont une durée de vie assez courte si elles ne sont pas divisées régulièrement. Il est donc nécessaire d'effectuer cette opération tous les trois ou quatre ans.

Associations gagnantes

Les fleurs jaunes de la camomille des teinturiers s'harmonisent particulièrement bien aux fleurs bleues de certaines plantes de sols secs et bien drainés comme les chardons bleus *(Echinops)*, les panicauts *(Eryngium)* et les népétas *(Nepeta)*. Elles forment également de belles associations avec les végétaux aux feuilles grises, telles les armoises *(Artemisia)* et certains cultivars d'achillées *(Achillea)*.

Aquilegia
Sous le charme des ancolies

Les fleurs des ancolies, tout à fait singulières, ne manquent jamais d'attirer la curiosité des jardiniers et des oiseaux-mouches. Avec leur grâce et leur beauté, ces vivaces vous feront tomber rapidement sous leur charme.

Nom latin : *Aquilegia.*
Nom commun : ancolie.
Famille : renonculacées.
Feuillage : feuilles découpées en trois folioles lobées.
Floraison : l'extérieur des fleurs est formé de sépales qui ressemblent à des pétales, alors que l'intérieur est composé de pétales disposés en forme de cornet et prolongés à l'arrière par un éperon qui est lui-même terminé par une glande produisant du nectar. Les fleurs peuvent être blanches, jaunes, rouges, roses, pourpres, bleues ou violettes. Plusieurs espèces et cultivars possèdent des fleurs bicolores.
Période de floraison : printemps et début de l'été.
Exposition : mi-ombre et ombre légère. La plupart des espèces et des cultivars poussent également en plein soleil, à condition que le sol reste toujours frais, voire humide.
Sol : les hybrides s'adaptent à plusieurs types de sols bien drainés, mais préfèrent les sols riches et frais. Les espèces originaires des montagnes affectionnent les sols caillouteux bien drainés, mais frais.
Rusticité : à partir de la zone 3.

Alpines

Plusieurs espèces d'ancolies provenant de régions montagneuses sont fort attrayantes et peuvent facilement être intégrées aux aménagements paysagers. L'ancolie alpine *(A. alpina)*, originaire des Alpes, produit de jolies fleurs bleues portées par des tiges atteignant environ 40 cm de hauteur. On trouve également le cultivar 'Hensol Harebell', aux fleurs d'un bleu très riche, issu d'un croisement entre *A. alpina* et *A. vulgaris*. L'ancolie du Canada *(A. canadensis)* est une de mes espèces préférées. Elle atteint environ 50 cm de hauteur et produit, en mai et en juin, une abondance de fleurs retombantes colorées de rouge et de jaune. Rustique en zone 3, c'est une plante robuste qui pousse à l'état sauvage dans les forêts des montagnes de l'est de l'Amérique du Nord. L'ancolie du Canada s'adapte bien à l'ombre et peut croître avec aussi peu que trois heures d'ensoleillement par jour. J'apprécie également *A. flabellata* var. *pumila*, originaire des régions montagneuses du Japon et de la Corée. Cette toute petite ancolie, qui ne fait guère plus de 20 cm de hauteur, porte de belles petites fleurs bleues qui dépassent à peine le feuillage. Ce sont les cultivars issus de cette espèce qui sont vendus dans les jardineries et les pépinières. 'Ministar' possède des fleurs bleu et blanc, tandis que 'Alba' arbore des fleurs complètement blanches. Ces variétés sont rustiques jusqu'en zone 3.

Une ancolie faisant partie du groupe des hybrides Biedermeier Mixed mariée à *Anthemis tinctoria* 'Kelwayi'.

Hybrides

Les hybrides d'ancolies aux grandes fleurs bicolores sont faciles à trouver sur le marché horticole. Biedermeier Mixed, Dragonfly Hybrids, McKenna Hybrids et Music Hybrids sont des séries

RENSEIGNÉ

LE JARDINIER

Des tunnels dans les feuilles

Le feuillage des ancolies est souvent attaqué par un insecte nommé mineuse de l'ancolie. La larve se nourrit des tissus des feuilles, ce qui provoque l'apparition de tunnels blanchâtres très inesthétiques. Heureusement, les plantes n'en meurent pas.

Dès le début du printemps, vérifiez régulièrement s'il y a des œufs cylindriques blancs sous les feuilles et détruisez-les. Lors de l'apparition de symptômes, vous devez tailler le feuillage atteint et le jeter aux ordures. Advenant le cas où la plante est entièrement contaminée, coupez-la au ras du sol, elle formera de nouvelles feuilles plus tard. L'utilisation de savon insecticide est aussi envisageable, mais pas toujours très efficace. Songez en dernier recours à cacher les ancolies inesthétiques avec une potée fleurie ou des annuelles et des vivaces au feuillage ample.

populaires habituellement vendues en mélange. Personnellement, je ne suis pas très friand de ces plantes aux coloris variés qui ont une allure un peu artificielle et qui s'associent difficilement aux autres végétaux.

Mes cultivars préférés sont plutôt issus de l'ancolie commune *(A. vulgaris)*, une plante indigène d'Europe qui fait environ 50 cm de hauteur. Dans la nature, la couleur et la forme des fleurs de cette espèce varient beaucoup, ce qui a donné naissance à une foule de cultivars, tous rustiques en zone 3. Certaines variétés possèdent des fleurs composées de plusieurs pétales sans éperons, paraissant ainsi être doubles. C'est le cas de 'Clematiflora' qui arbore de belles fleurs rose et blanc retombantes. Bien qu'elle soit rare, vous pouvez trouver cette ancolie dans certaines pépinières spécialisées. 'Double Pleat', aux fleurs bleu et blanc ou rose et blanc, ainsi que 'Jane Hollow', dont la floraison est d'un blanc légèrement teinté de rose, possèdent des fleurs doubles d'allure très surprenante qui éclosent pendant de nombreuses semaines en juin ainsi qu'en juillet. Chez 'Jane Hollow', les sépales retroussés surmontent une série de pétales qui sont tous curieusement courbés dans le même sens. J'aime également les cultivars d'*A. vulgaris* à fleurs simples dont la couleur est unie. 'Woodside Blue', aux fleurs violet très foncé, confère beaucoup de richesse et d'opulence aux plates-bandes. Afin de mettre en valeur toute la beauté de ce cultivar, disposez-le devant une plante au feuillage jaune vif. Enfin, certaines variétés comme 'Granny's Gold' possèdent un feuillage vert marbré de jaune.

Associations gagnantes

Tout d'abord, je recommande d'éviter de disposer les ancolies en massifs. Comme plusieurs d'entre elles deviennent inesthétiques une fois leur floraison terminée, plantez-les isolées ou en petits groupes, au centre et à l'arrière des plates-bandes, de façon qu'elles soient cachées par les vivaces à floraison estivale qui prendront ensuite la relève.

Les hybrides ainsi que les cultivars d'*A. vulgaris* sont de bons compagnons pour les plantes qui aiment les sols riches et frais, et dont la floraison survient au printemps ainsi qu'en début d'été. Parmi ces plantes, je propose plus particulièrement le brunnéra *(Brunnera macrophylla)*, le cœur-saignant *(Dicentra spectabilis)*, certains cultivars de géraniums vivaces *(Geranium)*, la valériane grecque *(Polemonium caeruleum)*, les pulmonaires *(Pulmonaria)* et les trolles *(Trollius)*. Quant aux espèces provenant des montagnes, elles se marient bien avec les cœurs-saignants nains *(Dicentra formosa* et *D. eximia)* et certaines espèces de primevères *(Primula)* de rocaille.

Ancolie commune 'Woodside Blue' (*Aquilegia vulgaris* 'Woodside Blue').

Ancolie du Canada
(Aquilegia canadensis).

RENSEIGNÉ LE JARDINIER

La culture des ancolies

La plupart des hybrides d'ancolies exigent une terre riche, fraîche et bien drainée. Bien que ces plantes s'adaptent relativement bien à divers types de sols, elles préfèrent tout de même pousser dans une terre à jardin brune additionnée de compost. Chaque année, vous pouvez donc épandre environ 1 cm d'épaisseur de compost à la base de ces vivaces. Les ancolies affectionnent la mi-ombre et peuvent facilement s'accommoder du plein soleil si le sol reste toujours frais. En plus des hybrides, plusieurs cultivars d'*A. vulgaris* peuvent aussi s'établir à l'ombre légère, près des arbres, dans la mesure où le sol est suffisamment riche et peu encombré par les racines des arbres. Quant aux espèces provenant des chaînes montagneuses, elles préfèrent un sol caillouteux parfaitement drainé. Si possible, plantez-les dans une section escarpée de votre terrain dans un terreau composé d'une partie de terre brune légèrement sableuse mélangée à une partie de compost et une partie de gravier fin. Comme ces espèces d'ancolies aiment que leurs racines plongent dans un sol constamment frais, assurez-vous de les disposer dans un endroit où elles seront protégées des brûlants rayons du soleil de l'après-midi.

Les ancolies sont habituellement des plantes peu longévives; certaines ne vivent que trois ou quatre ans. Cependant, plusieurs espèces se ressèment facilement, assurant ainsi leur pérennité. En revanche, la plupart des hybrides doivent être multipliés à partir de semences commerciales, car les graines issues des plantes de votre jardin risquent de former des rejetons de moindre qualité. Semez-les à l'extérieur en septembre ou en octobre. Si les semences ne germent pas avant le froid de novembre, elles passeront l'hiver sous la neige et sortiront au printemps suivant. De façon générale, les ancolies sont plutôt difficiles à diviser parce que leurs racines sont pivotantes et profondes. Cependant, les rejetons qui poussent près de la plante mère peuvent être transplantés au début de leur croissance.

Ancolie commune 'Clematiflora'
(*Aquilegia vulgaris* 'Clematiflora').

Ancolie commune 'Jane Hollow'
(*Aquilegia vulgaris* 'Jane Hollow').

FRAÎCHEUR PRINTANIÈRE

mi-ombre, ombre légère

Grâce à l'utilisation de fleurs blanches et bleues, il se dégage beaucoup de fraîcheur et de douceur de cette scène. Un arrangement comme celui-ci provoque un profond apaisement chez la personne qui l'observe. Cette plantation, qui convient à la mi-ombre ou à l'ombre légère et qui nécessite un sol riche et frais, a été conçue et réalisée par Daniel Fortin du Centre de la Nature de Laval.

Ancolie commune 'Nivea' (*Aquilegia vulgaris* 'Nivea')

Barbe-de-bouc (*Aruncus dioicus*)

Filipendule rouge 'Venusta' (*Filipendula rubra* 'Venusta')

Valériane grecque 'Album' (*Polemonium caeruleum* 'Album')

Valériane grecque (*Polemonium caeruleum*)

Hosta 'Fortunei Albomarginata' (*Hosta* 'Fortunei Albomarginata')

Artemisia
Armoises duveteuses

Les armoises sont des plantes principalement cultivées pour leur feuillage gris et duveteux, souvent aromatique, qui apporte une douce fraîcheur aux aménagements. Une de mes espèces préférées est *Artemisia ludoviciana,* qui pousse à l'état sauvage dans le sud-ouest des États-Unis ainsi qu'au Mexique. On la trouve habituellement dans les prairies au sol sec et sableux. Ce sont les cultivars issus de cette espèce qui sont vendus dans les jardineries et les pépinières. Attention ! ils sont pour la plupart assez envahissants, il est donc préférable de les planter dans un pot sans fond ou de les diviser tous les deux ans afin de les contenir. 'Silver Queen', qui atteint 75 cm de hauteur, et 'Silver King', aux feuilles découpées portées par de longues tiges qui font 1 m de hauteur, sont les variétés les plus agressives. Avec ses tiges qui atteignent 60 cm de hauteur, 'Valerie Finnis' est un cultivar au feuillage dentelé plus petit et moins envahissant. 'Silver Frost', qui possède un feuillage finement ciselé, est encore plus compact puisqu'il n'atteint guère plus de 40 cm de hauteur. Les cultivars d'*A. ludoviciana* sont tous rustiques en zone 3. J'apprécie également l'armoise de Steller *(A. stelleriana),* qui est originaire des zones littorales de la Corée, du Japon et de la Sibérie. Elle pousse aussi dans l'est de l'Amérique du Nord, principalement en Gaspésie et dans les provinces maritimes, où elle s'est naturalisée. Contrairement à l'espèce, qui forme des tiges dressées, le cultivar 'Silver Brocade' est une plante basse et rampante qui atteint rarement plus de 15 cm de hauteur. C'est une variété particulièrement attrayante avec son feuillage découpé qui ressemble à celui du populaire cinéraire maritime *(Senecio cineraria)*. Je propose enfin le cultivar 'Powis Castle', rustique en zone 5 seulement, qui est probablement un hybride entre *A. arborescens* et *A. absinthium,* la fameuse absinthe. D'une hauteur d'environ 75 cm, cette armoise possède un feuillage très découpé des plus attrayants.

Associées aux plantes à fleurs roses, bleues ou blanches, les feuilles grises des armoises créent une ambiance qui porte à la rêverie.

Adaptables

Les armoises préfèrent être plantées en plein soleil dans une terre brune très bien drainée, légèrement sableuse et caillouteuse. Cependant, la plupart des cultivars s'accommodent assez bien d'un sol plus argileux, à condition qu'il ne soit pas trop humide. Lors de la plantation, afin d'améliorer le drainage de la terre dans laquelle vous plantez les armoises, ajoutez-y un peu de compost et du gravier fin. N'épandez pas plus de 0,5 cm d'épaisseur de compost par année à leur pied. N'hésitez pas à tailler de moitié les armoises plantées en sol trop riche qui ont tendance à s'affaisser. Une fois établis, les divers cultivars d'armoises deviennent particulièrement résistants à la sécheresse.

Associations gagnantes

Les plantes au feuillage gris comme les armoises forment un merveilleux fond de scène sur lequel les fleurs aux couleurs pâles ressortent davantage. Marié aux fleurs blanches, roses et bleues, le gris crée une atmosphère des plus romantiques. Cette teinte permet également de diminuer l'impact des couleurs chaudes. Associé au jaune et au orange, le gris confère toujours beaucoup d'originalité aux plantations. Les armoises s'harmonisent particulièrement bien aux plantes qui apprécient les sols secs et bien drainés comme les achillées *(Achillea),* les chardons bleus *(Echinops),* les panicauts *(Eryngium),* les népétas *(Nepeta)* et les orpins *(Sedum)*. Elles forment également des contrastes étonnants avec les végétaux au feuillage pourpre comme le berbéris 'Rose Glow' (*Berberis thunbergii* 'Rose Glow') ainsi que les orpins 'Mohrchen' et 'Vera Jameson' (*Sedum* 'Mohrchen' et *S.* 'Vera Jameson').

Aruncus
Barbe-de-bouc

Barbe-de-bouc naine (*Aruncus aethusifolius*).

La barbe-de-bouc (*Aruncus dioicus*) est une vivace qui possède les proportions d'un arbuste; elle peut parfois atteindre jusqu'à 2 m de hauteur sur un peu plus de 1 m de largeur. Cette plante, rustique en zone 3, pousse à l'état sauvage en Amérique du Nord, en Europe et en Asie; on la trouve principalement le long des cours d'eau et dans les forêts au sol humide. En juin et en juillet, la barbe-de-bouc produit d'innombrables fleurs blanc crème réunies en impressionnantes panicules d'une longueur de 50 cm. La barbe-de-bouc est une plante dioïque; cela signifie que les fleurs femelles et les fleurs mâles se forment sur des plants distincts. Si l'espace dont vous disposez est plutôt restreint, je suggère de planter *A. dioicus* 'Kneiffii', au feuillage finement divisé, faisant environ 1 m de hauteur sur 60 cm de largeur. Ce cultivar est probablement rustique en zone 4. Il y a quelques années, un ami m'a fait découvrir la barbe-de-bouc naine *(A. aethusifolius)*. Depuis, je ne cesse d'utiliser cette plante aux qualités exceptionnelles dans mes aménagements. Elle produit de petites panicules de fleurs blanc crème portées par des tiges qui font tout au plus 40 cm de hauteur. Son feuillage compact et très finement découpé atteint quant à lui environ 20 cm de hauteur sur 30 cm de largeur. La barbe-de-bouc naine est une vivace fidèle et vigoureuse qui est possiblement rustique jusqu'en zone 2.

Peu de soins

Les variétés de barbe-de-bouc sont des plantes longévives qui demandent peu d'entretien une fois établies. Plutôt facilement adaptables, ces vivaces préfèrent les sols riches et frais situés à la mi-ombre ou à l'ombre légère. Elles s'accommodent assez bien du soleil, à condition que la terre qui les héberge soit constamment humide. La barbe-de-bouc naine peut même croître dans les sols rocailleux et toujours frais, à l'ombre des arbres. Les années suivant la plantation, je recommande d'épandre environ 2,5 cm d'épaisseur de compost à la base des plants.

Associations gagnantes

À cause de ses dimensions imposantes, disposez *A. dioicus* à l'arrière des plantations. Elle constitue un bon fond de scène pour les divers cultivars d'iris de Sibérie *(Iris sibirica)* et pour les pigamons *(Thalictrum)*. Pour sa part, *A. aethusifolius* peut être associée aux gingembres sauvages *(Asarum)*, aux épimèdes *(Epimedium)*, aux cultivars nains de hostas *(Hosta)* ainsi qu'à certaines primevères *(Primula)* de rocaille.

La barbe-de-bouc *(Aruncus dioicus)* se plaît particulièrement aux abords d'un bassin. Elle côtoie ici l'iris de Sibérie 'Rimouski' (*Iris sibirica* 'Rimouski').

Aster
L'automne des asters

Aster est un nom latin signifiant étoile qui fait sans doute référence à la forme des inflorescences de ces plantes. Une fois l'automne venu, comme autant de petits soleils, les fleurs des asters apportent aux aménagements une luminosité et une gaieté sans pareils.

Cultivars en quantité

Certains asters, comme les cultivars d'*A. alpinus*, fleurissent vers la fin du printemps, tandis que d'autres, dont le fameux *A.* x *frikartii* 'Mönch', aux fleurs bleu clair, ainsi que le très original *A. yunnanensis* 'Napsbury' forment leurs fleurs en juillet. Outre ces variétés, les fleurs de la plupart des asters s'épanouissent plutôt vers la fin de l'été et à l'automne.

Les cultivars d'*A. dumosus*, une espèce indigène de l'est des États-Unis, sont de petite taille puisqu'ils atteignent rarement plus de 30 cm de hauteur. En août, en septembre et parfois même en octobre, ils se couvrent d'une multitude de fleurs. Ces cultivars, rustiques en zone 4, sont probablement issus de croisements entre *A. dumosus* et *A. novi-belgii*, une autre espèce originaire de l'Amérique du Nord. Parmi mes cultivars préférés, je propose 'Rose Serenade', aux fleurs rose vif, 'Professor Anton Kippenberg', dont les fleurs sont d'un beau bleu pâle légèrement violacé, et 'Violet Carpet', aux fleurs violet foncé.

L'aster de la Nouvelle-Angleterre *(A. novae-angliae)* est une plante indigène de l'est de l'Amérique du Nord. Elle forme de superbes fleurs aux pétales d'un violet particulièrement intense. Dans la nature, cette vivace croît principalement dans les champs et les fourrés humides, ainsi qu'aux abords des marais. Les cultivars issus de cette espèce atteignent presque tous plus de 1 m de hauteur et leurs fleurs éclosent à partir de septembre jusqu'aux gelées plus importantes de la fin d'octobre. Une de mes variétés favorites est 'Andenken an Alma Pötschke', aux fleurs rose foncé, qui a reçu un Award of Garden Merit pour ses qualités exceptionnelles. 'Crimson Beauty', dont les fleurs

Nom latin : *Aster.*
Nom commun : aster.
Famille : composées.
Feuillage : petites feuilles elliptiques ou lancéolées.
Floraison : le cœur des inflorescences est fait d'une multitude de petites fleurs habituellement jaunes et sans pétales, alors qu'au pourtour se trouvent des fleurs à un seul pétale dont les couleurs vont du blanc au bleu en passant par le rose, le rouge, le pourpre et le violet, selon les espèces et les cultivars.
Période de floraison : été et automne.
Exposition : soleil. Certaines espèces poussent aussi à la mi-ombre ainsi qu'à l'ombre légère ou moyenne.
Sol : s'adapte à plusieurs types de sols frais, mais donne de meilleurs résultats dans une terre riche et fraîche, voire humide, pour certaines espèces et variétés.
Rusticité : à partir de la zone 3.

Le fameux aster de la Nouvelle-Angleterre *(Aster novae-angliae)*, qui pousse à l'état sauvage dans l'est de l'Amérique du Nord, en compagnie de la verge d'or du Canada *(Solidago canadensis)*.

Aster de Yunnan 'Napsbury' (*Aster yunnanensis* 'Napsbury').

RENSEIGNÉ

LE JARDINIER

La culture des asters

Les cultivars d'*A. dumosus*, d'*A. novae-angliae* ainsi que d'*A. novi-belgii* s'adaptent bien à divers types de sols, mais surtout à des sols argileux. Cependant, les plants donnent habituellement de meilleurs résultats lorsqu'ils poussent dans une terre à jardin brune toujours humide et additionnée de compost. Afin de maintenir le sol riche et sain, je suggère donc d'épandre annuellement environ 1 cm d'épaisseur de compost à la base de ces vivaces. Je recommande également de disposer un paillis organique à leur pied afin de leur assurer une humidité constante. De plus, n'hésitez pas à arroser ces plantes une ou deux fois par semaine. À chacun des arrosages, donnez environ 2,5 cm d'eau sans mouiller le feuillage afin d'éviter la propagation de maladies fongiques comme le blanc. Presque tous les asters exigent le plein soleil. Toutefois, quelques espèces comme *A. divaricatus* et *A. umbellatus* s'établissent facilement sous les arbres, à l'ombre légère ou moyenne, dans un sol riche et frais. Pour ce qui est des cultivars d'*A. alpinus* et d'*A.* x *frikartii*, ils doivent être plantés en plein soleil dans une bonne terre à jardin brune parfaitement drainée ; ces plantes tolèrent difficilement les sols trop humides.

sont rouge cramoisi, me semble aussi très intéressant. Je suggère également d'essayer 'Purple Dome', une introduction faite en 1990, aux fleurs violet foncé qui donnent un dynamisme très particulier aux arrangements automnaux. Contrairement à la plupart des asters de la Nouvelle-Angleterre, cette variété n'atteint que 60 cm de hauteur. Enfin, notez que 'Herbstschnee' est le seul cultivar d'aster de la Nouvelle-Angleterre qui donne des fleurs blanches.

Outre quelques exceptions, les cultivars issus de l'aster de la Nouvelle-Belgique *(A. novi-belgii)* atteignent entre 80 cm et 1,20 m de hauteur et sont pour la plupart rustiques en zone 3. J'aime bien 'Marie Ballard', aux fleurs doubles de couleur bleu pâle légèrement violacé, et 'Patricia Ballard' qui forme de grandes fleurs roses.

LE JARDINIER RENSEIGNÉ

Une division régulière

Pour qu'ils soient sains et toujours florifères, vous devez diviser les cultivars d'*A. dumosus,* d'*A. novae-angliae* et d'*A. novi-belgii* tous les deux à trois ans. En avril, dès le dégel du sol, cernez les plants et sortez-les de terre. À l'aide d'un couteau bien aiguisé, coupez les mottes en morceaux d'environ 15 cm de diamètre et replantez-les en ajoutant du compost et une poignée d'os moulus à chacun. Placez ensuite un paillis organique à la base des jeunes plants fraîchement replantés.

Aster de la Nouvelle-Angleterre (*Aster novae-angliae*).

Aster divariqué *(Aster divaricatus)*.

Indigènes à l'ombre

Les jardins d'ombre sont habituellement bien peu fleuris en fin de saison, mais certaines espèces d'asters apprécient les milieux ombragés et, grâce à leur floraison tardive, apportent une touche de couleur à ces plantations. Les asters que je décris plus loin poussent de façon spontanée en Amérique du Nord et sont tous rustiques en zone 3. Je propose en premier lieu l'aster divariqué *(A. divaricatus)* qui atteint environ 70 cm de hauteur. En septembre et en octobre, cette vivace se couvre de multiples petites inflorescences blanches. Dans un sol riche et frais, sans trop de compétition racinaire, elle peut résister à l'ombre dense. Avec trois ou quatre heures d'ensoleillement toutefois, elle produit une floraison plus abondante. Cet aster est également capable de s'accommoder de sols légèrement sableux et plus secs. L'aster à ombelles *(A. umbellatus)* est une autre espèce à fleurs blanches qui tolère très bien l'ombre moyenne, à condition que le sol soit humide. Cette plante porte ses inflorescences, qui s'épanouissent habituellement en août et en septembre, sur de longues tiges atteignant parfois plus de 2 m de hauteur. Quant à l'aster à grandes feuilles *(A. macrophyllus)*, qui atteint 1 m de hauteur, il supporte les sols secs situés à l'ombre moyenne. En août, il produit de jolies fleurs de couleur violet pâle.

Associations gagnantes

Plusieurs cultivars d'asters qui atteignent entre 30 et 60 cm de hauteur peuvent être placés à l'avant des plates-bandes afin de camoufler les plantes qui ont terminé leur floraison et qui sont devenues inesthétiques. Au contraire, il est préférable de disposer les grandes variétés à l'arrière des plantations de façon que la base de leurs tiges, souvent dégarnie, soit bien cachée par les végétaux situés devant.

Les divers cultivars d'*A. dumosus*, d'*A. novae-angliae* et d'*A. novi-belgii* se marient bien aux anémones du Japon (*Anemone*), aux coréopsis *(Coreopsis)*, aux rudbeckias *(Rudbeckia)* et aux verges d'or *(Solidago)*. Les espèces adaptées à l'ombre peuvent accompagner les aconits *(Aconitum)*, les cierges d'argent *(Cimicifuga)*, les tricyrtis *(Tricyrtis)* ainsi que plusieurs espèces de fougères.

Dans cette association très dynamique, l'aster de la Nouvelle-Angleterre 'Purple Dome' (*Aster novae-angliae* 'Purple Dome') côtoie la deschampsie cespiteuse 'Goldgehänge' (*Deschampsia caespitosa* 'Goldgehänge').

Astilbe 'Fanal' (*Astilbe* x *arendsii* 'Fanal').

Astilbe
Élégantes astilbes

Avec leur feuillage découpé et leur floraison absolument spectaculaire, les astilbes confèrent beaucoup d'élégance et de dynamisme aux jardins. Peu sensibles aux maladies, ces vivaces sont très appréciées des jardiniers pour la création d'aménagements à l'ombre.

Hybrides d'*Astilbe* x *arendsii*

S'il est aujourd'hui possible de trouver sur le marché des astilbes aux formes et aux coloris les plus divers, c'est en majeure partie grâce aux travaux d'hybridation de Georg Arends. Au cours du XXe siècle, cet hybrideur allemand a littéralement transformé le genre *Astilbe* en créant plus de 75 nouveaux cultivars.

Arends effectue d'abord des croisements entre *A. astilboides*, *A. japonica* et *A. thunbergii*, trois espèces à fleurs blanches, ainsi qu'*A. chinensis*, dont les fleurs sont roses. Dès 1904, il présente deux cultivars issus de ces hybridations à l'exposition de la Royal Horticultural Society de Londres. *A.* x *rosea* 'Peach Blossom' et 'Queen Alexandra' y reçoivent la médaille d'or. L'année suivante, fort de ce succès, il entreprend d'autres travaux en utilisant cette fois *A. chinensis* var. *davidii*, aux longues inflorescences rose pourpré. De ces croisements il obtient une foule de nouvelles variétés qu'il classe sous le nom d'*Astilbe* x *arendsii*. En 1909, il introduit ses premiers cultivars sur le marché; il offre alors 'Ceres', aux fleurs roses, et 'Venus', aux fleurs rose pourpré.

En 1930, l'hybrideur découvre parmi ses semis une astilbe qui possède un feuillage de couleur bronze et d'étroites panicules de fleurs d'un rouge particulièrement vif. Il nomme ce premier cultivar à fleurs rouges 'Fanal'. Cette astilbe, qui a reçu un Award of Garden Merit, est encore aujourd'hui une des variétés à fleurs rouges les plus populaires. En 1940, il crée aussi 'Feuer' (syn. 'Fire'), aux fleurs d'un rouge encore plus intense. Cette variété produit des panicules un peu plus amples portées par des tiges qui atteignent environ 70 cm de hauteur.

Nom latin: *Astilbe.*
Nom commun: astilbe.
Famille: saxifragacées.
Feuillage: feuilles composées de plusieurs folioles dentées.
Floraison: fleurs minuscules réunies en grandes panicules. Selon l'espèce et le cultivar, la couleur des fleurs varie du blanc au rouge, en passant par toutes les teintes de rose, de magenta, de lilas et de lavande.
Période de floraison: été.
Exposition: soleil, mi-ombre, ombre légère. Quelques cultivars tolèrent l'ombre moyenne.
Sol: riche, humide et bien drainé.
Rusticité: à partir de la zone 3.

Une plantation d'allure saisissante composée d'*Astilbe* 'Aphrodite' (*simplicifolia* hybride), de *Nepeta sibirica* et de *Gypsophila paniculata* 'Schneeflocke' (syn. 'Snow Flake').

RENSEIGNÉ LE JARDINIER

La culture des astilbes

Les astilbes affectionnent la mi-ombre et l'ombre légère ; certains cultivars peuvent même s'accommoder de l'ombre moyenne. La majorité de ces plantes acceptent aussi le plein soleil, à condition que le sol où plongent leurs racines soit constamment humide. Ces vivaces ne se comportent toutefois pas très bien lorsque l'ombre est trop dense et la compétition racinaire trop féroce. Sous le couvert d'arbres au feuillage épais comme des conifères ou de vieux érables, elles n'ont habituellement pas une floraison et une croissance satisfaisantes. En revanche, les astilbes s'implantent assez facilement au pied de jeunes arbres ou de chênes dont le système racinaire s'étend en profondeur.

Les astilbes nécessitent un sol riche et léger ayant une excellente capacité de rétention d'eau. Lors de la plantation, ajoutez dans chaque trou une moitié de compost à la terre existante. Si le sol extrait de la fosse n'est pas de bonne qualité, vous pouvez le remplacer par une terre à jardin brune. Les astilbes sont des plantes exigeantes qui doivent recevoir annuellement 2,5 cm d'épaisseur de compost à leur base.

Astilbe 'Amethyst'
(*Astilbe* x *arendsii* 'Amethyst').

Le groupe des *A.* x *arendsii* comprend la majorité des astilbes maintenant offertes sur le marché horticole. La plupart des cultivars appartenant à ce groupe sont rustiques jusqu'en zone 3. 'Amethyst' est de loin mon préféré. Vers la mi-juillet, cette astilbe forme de superbes panicules de fleurs rose violacé qui s'élèvent à un peu moins de 1 m de hauteur. J'apprécie également 'Gloria Purpurea', qui produit en juillet de grosses panicules de fleurs rose pourpré. Je vous suggère aussi de faire l'essai des très beaux cultivars 'Erica', aux fleurs rose clair, et 'Cattleya', qui est une des plus grandes astilbes avec ses larges panicules roses portées par des tiges de 1 m de hauteur.

Astilbes de Chine

L'astilbe de Chine *(A. chinensis)* est une petite vivace aux fleurs roses de 50 cm de hauteur. En Chine et au Japon, où elle pousse de façon spontanée, on la trouve près des cours d'eau et dans les bois humides. Deux types de cultivars sont issus de cette espèce : les variétés naines qui proviennent toutes d'*A. chinensis* var. *pumila,* originaire du Tibet, et les cultivars de grande taille issus d'*A. chinensis* var. *taquetii,* qui provient de la Chine.

Astilbe 'Erica' (*Astilbe* x *arendsii* 'Erica').

La splendide astilbe de Chine 'Intermezzo' (*Astilbe chinensis* 'Intermezzo') est ici mariée au hosta 'Halcyon' (*Hosta* 'Halcyon').

Astilbe 'Darwin's White Sprite' (*simplicifolia* hybride) et *Heuchera* 'Palace Purple' : le jour et la nuit.

Astilbe crispée 'Perkeo' (*Astilbe* x *crispa* 'Perkeo').

A. chinensis var. *pumila* a été beaucoup utilisée par Georg Arends lors de ses travaux d'hybridation. Cette plante très populaire, qui a d'ailleurs reçu un Award of Garden Merit pour ses qualités exceptionnelles, est aujourd'hui offerte sous le nom d'*A. chinensis* 'Pumila'. Elle forme de belles panicules de fleurs rose violacé qui s'élèvent à 30 cm de hauteur. Sa floraison tardive survient en août et se prolonge parfois pendant près de cinq semaines. Son feuillage bas, d'une hauteur d'au plus 20 cm, s'étend assez rapidement, ce qui en fait un bon couvre-sol pour les sites ombragés. C'est un des cultivars d'astilbes qui s'adaptent le mieux à l'ombre modérée ainsi qu'aux sécheresses passagères. C'est à partir de 'Pumila' qu'ont été créés quelques autres cultivars d'astilbes de Chine, tous rustiques en zone 3, comme 'Intermezzo', aux fleurs rose très pâle, 'Serenade', dont la floraison est rose foncé, et 'Veronica Klose', aux fleurs rose violacé. Ma variété préférée est 'Visions', aux panicules violet pâle très touffues, qui atteint environ 40 cm de hauteur.

De toutes les astilbes, ce sont les cultivars issus d'*A. chinensis* var. *taquetii* qui me fascinent le plus. Ces grandes astilbes, atteignant toutes un peu plus de 1 m de hauteur, forment de longues panicules de fleurs en août. En plus du très populaire 'Superba', vous devez absolument planter dans votre jardin les cultivars 'Purpurlanze' (syn. 'Purple Lance'), aux fleurs rose pourpré, et 'Peach', qui produit de douces fleurs blanches teintées de pêche.

Astilbes du Japon

A. japonica est une espèce indigène du Japon qui pousse principalement dans les ravins humides des montagnes. Ses panicules de fleurs blanches atteignent jusqu'à 80 cm de hauteur. Les hybridations effectuées à partir de cette espèce ont mené à la production de variétés aux panicules habituellement plus petites et plus serrées que celles des cultivars du groupe des *A.* x *arendsii*. Seuls quelques cultivars, dont 'Deutschland' aux fleurs blanches, possèdent des panicules plus lâches et légèrement retombantes.

Astilbes crispées

En 1915, Georg Arends trouve parmi ses semis une astilbe aux caractéristiques très curieuses. C'est une toute petite plante au feuillage frisé comme celui du persil. Malgré l'obtention de toute une série d'hybridations, Arends n'a jamais réussi à créer de grandes astilbes possédant ce même feuillage particulièrement original. En 1927, il commercialise donc deux nouvelles astilbes aux feuilles crispées qui n'atteignent pas plus de 20 cm de hauteur. Ces plantes sont *A.* x *crispa* 'Liliput', aux fleurs rose pâle légèrement teinté de saumon qui apparaissent en juillet, et *A.* x *crispa* 'Perkeo', dont les fleurs sont roses.

Astilbes à feuilles simples

L'astilbe à feuilles simples *(A. simplicifolia)* est une espèce originaire du Japon qui a été introduite en Europe en 1894. Contrairement à celui de toutes les autres espèces,

ASTUCIEUX

LE JARDINIER

Ne les laissez pas sécher

Dans la nature, les astilbes poussent dans les régions où l'humidité atmosphérique est particulièrement élevée. Elles affectionnent les sols constamment humides de certaines forêts feuillues ou des abords des cours d'eau. Au jardin, les astilbes ne doivent donc jamais manquer d'eau. Si le sol est trop sec, les marges de leurs feuilles brunissent. Parfois, toutes les feuilles d'un plant peuvent se dessécher et le faire mourir. La plupart des astilbes ont la capacité de former de nouvelles pousses pour remplacer celles qu'elles ont perdues. Toutefois, une sécheresse prolongée peut entraîner la mort de certains individus. En plein été donc, assurez-vous de fournir à vos astilbes environ 3,5 cm d'eau par semaine, surtout à celles qui sont situées au soleil très intense ou qui sont directement en compétition avec les racines des arbres.

Comme pour toutes les vivaces qui affectionnent les sols frais ou humides, je suggère de disposer un paillis organique à la base de vos plantations d'astilbes. En plus d'empêcher la sortie des herbes indésirables, un tel matériau permet de retenir plus d'humidité durant les périodes chaudes et sèches du milieu de l'été. Un paillis sert également de couverture thermale, puisqu'il diminue les écarts de température du sol entre le jour et la nuit, et entre les saisons, ce qui permet de protéger les racines des plantes contre les méfaits du gel et du dégel.

Placée directement sur le sol, une épaisseur de paillis de 5 à 7,5 cm est habituellement suffisante. Il est préférable de repousser le paillis de quelques centimètres autour de la base des astilbes, de façon à ne pas nuire à leur croissance. Dans une plate-bande de vivaces, il n'est généralement pas nécessaire de remplacer le paillis une fois qu'il est complètement décomposé, après trois ou quatre ans. La plupart des plantes toucheront alors leurs voisines, diminuant ainsi l'ensoleillement au sol et limitant de façon appréciable l'évaporation et la pousse de mauvaises herbes.

Certains paillis organiques offrent plus d'avantages que d'autres, mais aucun n'est vraiment parfait. J'apprécie beaucoup le paillis de cèdre, qui est très efficace pour empêcher la pousse des herbes indésirables. Il prend cependant très rapidement une couleur grise peu décorative. Le paillis de pruche est constitué de morceaux d'écorce d'un aspect plus esthétique que le paillis de cèdre. Ce matériau est brun orangé à l'application et se décolore moins rapidement. Son prix est cependant assez élevé.

Les fleurs de la gracieuse *Astilbe chinensis* var. *taquetii* 'Peach' s'associent aux fruits rouges d'*Actaea erythrocarpa* dans un arrangement des plus originaux.

le feuillage de cette astilbe n'est pas composé, mais est cependant très découpé. Avec ses panicules de fleurs blanches lâches et retombantes, cette plante n'atteint pas plus de 30 cm de hauteur. Ce n'est qu'au début des années 1990 que les divers hybrides d'*A. simplicifolia* ont été popularisés en Amérique du Nord, avec la nomination, par la Perennial Plant Association, du cultivar 'Sprite' comme vivace de l'année aux États-Unis. Ces astilbes, rustiques en zone 4, prennent plus de temps que les autres à s'établir dans un jardin. Elles peuvent mettre jusqu'à quatre ans avant d'atteindre leur maturité. Il est donc important de les planter dans un sol peu envahi par les racines des arbres et de leur fournir une bonne dose de compost tous les ans.

Outre 'Sprite', cette fameuse variété aux inflorescences roses sélectionnée par Alan Bloom en 1969, un de mes cultivars d'*A. simplicifolia* préférés est 'Aphrodite'. Cette astilbe, qui atteint 45 cm en fleurs, est issue d'une mutation de la variété 'Atrorosea'. Vers la fin de juillet et au début d'août, elle se pare de superbes fleurs d'un rose foncé très intense. Chez 'Darwin's White Sprite', les fleurs blanches sont regroupées en petites panicules lâches qui atteignent un peu plus de 30 cm de hauteur.

Astilbes de Thunberg

A. thunbergii, originaire de Chine et du Japon, a été introduite en Europe en 1876. Cette grande espèce, qui atteint la hauteur respectable de 1,20 m, forme de gracieuses panicules de fleurs blanches retombantes. La variété 'Professor van der Wielen' est très près de l'espèce tant par ses dimensions que par ses magnifiques inflorescences blanches qui s'épanouissent vers la fin de juillet. Quant à 'Straussenfeder' (syn. 'Ostrich Plume'), un de mes cultivars favoris, il possède un charme bien particulier avec ses panicules roses très retombantes. Cette astilbe, rustique en zone 3, atteint environ 75 cm de hauteur.

Associations gagnantes

Les astilbes s'associent merveilleusement avec certains cultivars d'anémones du Japon *(Anemone)* à floraison hâtive, avec les hostas *(Hosta)*, les divers cultivars d'iris de Sibérie *(Iris sibirica)*, ainsi qu'avec certaines ligulaires *(Ligularia)*. De plus, ces plantes sont mises en valeur lorsqu'elles sont accompagnées de végétaux au feuillage ornemental comme les fougères, le myosotis du Caucase *(Brunnera macrophylla)*, les heuchères *(Heuchera)*, les sceaux-de-Salomon *(Polygonatum)*, les pulmonaires *(Pulmonaria)* et les rodgersies *(Rodgersia)*.

La spectaculaire astilbe 'Straussenfeder' (*Astilbe* 'Straussenfeder' [*thunbergii* hybride]).

RENSEIGNÉ

LE JARDINIER

Des astilbes saines et florifères

Avec les années, les astilbes ont tendance à former des couronnes de racines particulièrement dures et lignifiées qui se soulèvent hors de terre. Ce phénomène induit habituellement une perte de vitalité ainsi qu'une diminution de la floraison. Afin d'éviter ce problème, je vous recommande de diviser vos astilbes tous les trois ou quatre ans. Effectuez cette opération durant l'automne, avant la mi-octobre.

Avant d'entreprendre la division d'une astilbe, vous devez d'abord la cerner avec une pelle-bêche — petite pelle de forme carrée — bien aiguisée, afin de l'extraire du sol aisément tout en conservant une bonne motte de terre autour de ses racines. Vous n'avez ensuite qu'à couper la plante en trois ou quatre morceaux. N'hésitez pas à éliminer le centre du plant s'il est vieux et dégarni. Replantez les rejetons sans tarder et arrosez-les abondamment. Comme les astilbes forment des racines particulièrement dures, vous serez contraint d'utiliser une petite scie à élaguer ou une égoïne pour les diviser.

Pureté du blanc

mi-ombre

Les jardins composés uniquement de floraisons blanches étaient très appréciés en Europe au XIXe siècle. Depuis quelques années, ils connaissent un regain de popularité en Amérique du Nord. Ces aménagements sont surtout appréciés pour la pureté et la douceur qui émanent du blanc. Cette magnifique scène monochrome réalisée par Robert Contant, du Jardin botanique de Montréal, est idéale pour les endroits mi-ombragés où elle apportera une certaine luminosité.

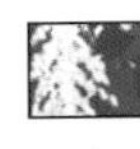

Astilbe 'Professor van der Wielen'
(*Astilbe* 'Professor van der Wielen' [*thunbergii* hybride])

Hosta 'August Moon'
(*Hosta* 'August Moon')

Lis 'Lucyda'
(*Lilium* 'Lucyda')

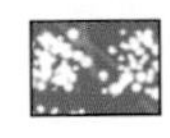

Filipendule 'Flore Pleno'
(*Filipendula ulmaria* 'Flore Pleno')

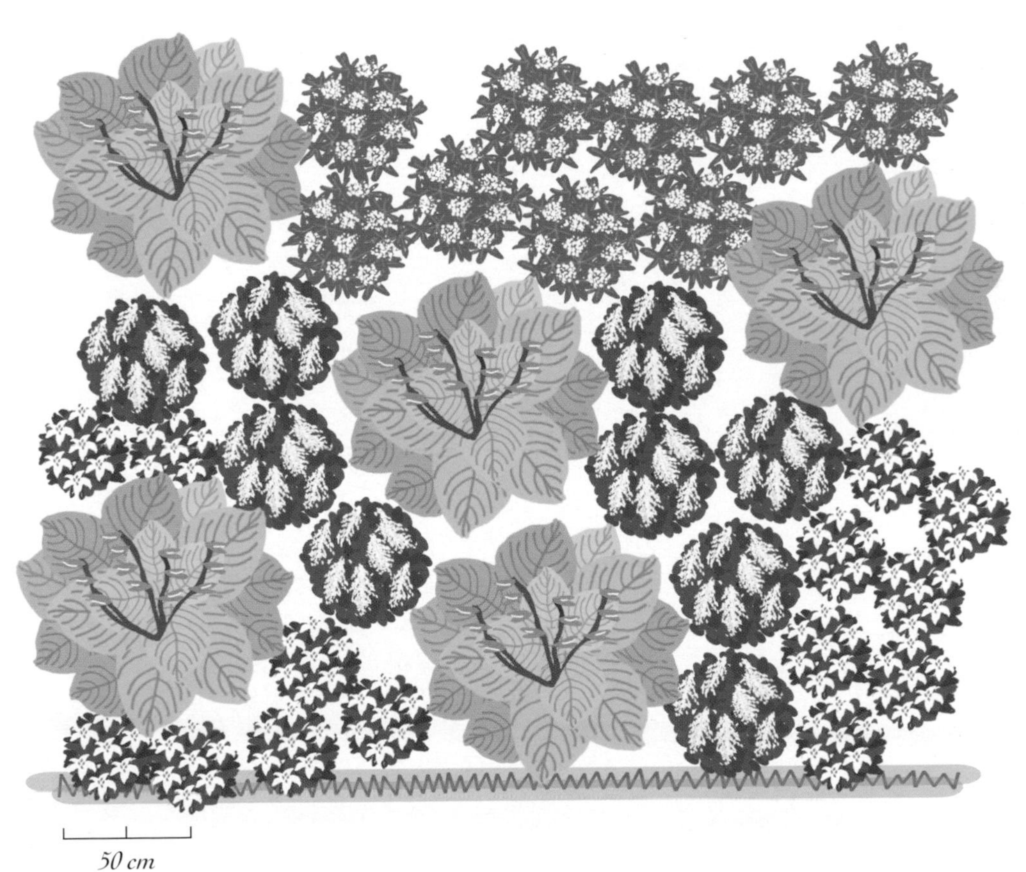

Subtil mariage

ombre légère, ombre moyenne

Un magnifique tableau où les formes et les textures des feuillages se combinent avec élégance et subtilité. Seule au centre, l'astilbe 'Fanal' déploie ses fleurs flamboyantes qui contrastent vivement avec la masse de vert qui l'entoure. Toutes les vivaces plantées dans cet aménagement créé par Réjean D. Millette poussent bien à l'ombre légère ou modérée dans un sol riche et humide.

Astilbe 'Fanal'
(*Astilbe* x *arendsii* 'Fanal')

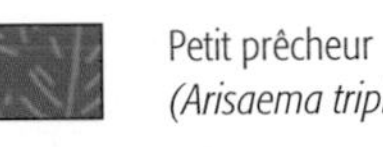
Petit prêcheur
(*Arisaema triphyllum*)

Adiante du Canada
(*Adiantum pedatum*)

Fougère peinte
(*Athyrium nipponicum* 'Pictum')

Matteuccie fougère-à-l'autruche
(*Matteuccia struthiopteris*)

Carex glauque
(*Carex glauca*)

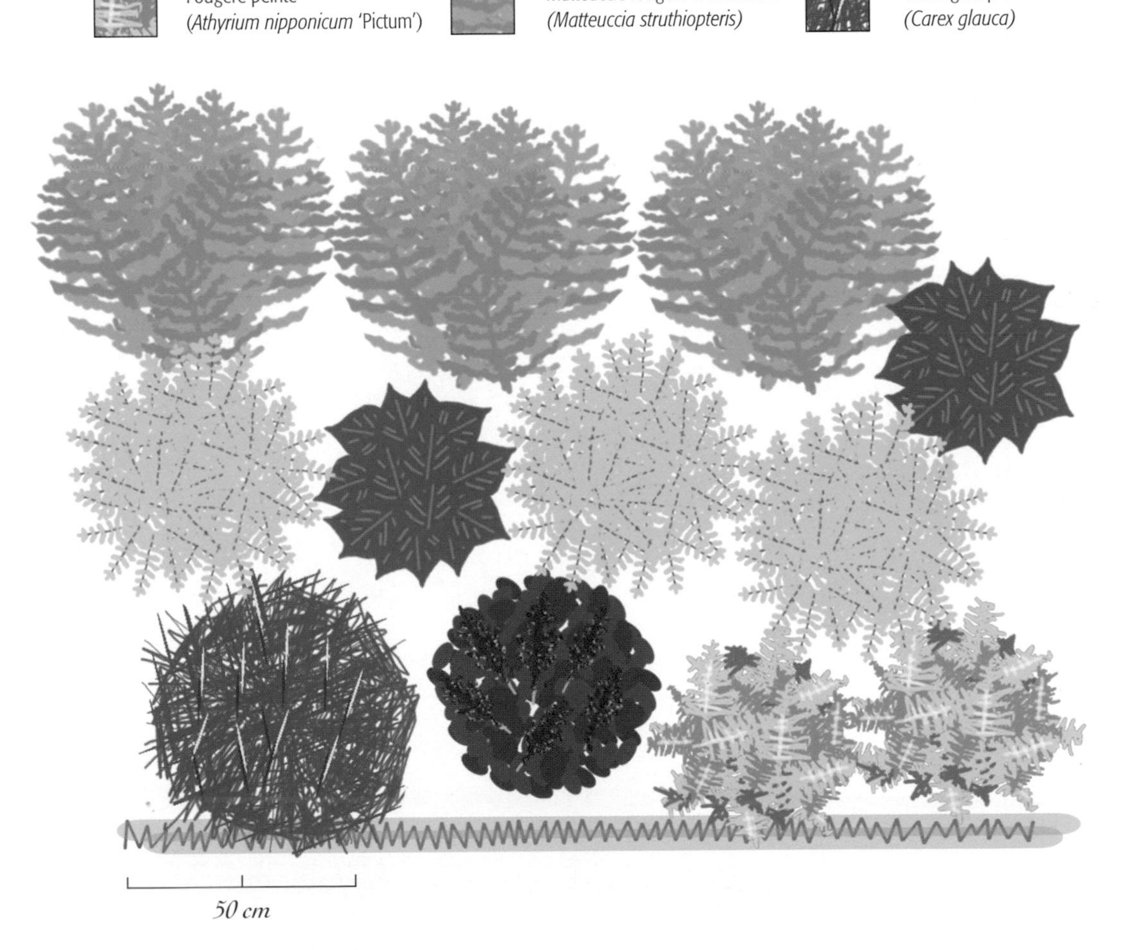

Astrantia
La grande radiaire, une plante méconnue

La grande radiaire *(Astrantia major)* est une plante exceptionnelle, presque sans défaut, qui fleurit de façon intermittente de la fin de juin jusqu'aux premières gelées de la fin de septembre ou du début d'octobre.

Variable

Originaire d'Europe, la grande radiaire *(A. major)* est une plante qui pousse à l'état sauvage dans les prairies et les boisés humides. Dans la nature, la couleur des inflorescences de cette plante est très variable, ce qui a favorisé l'apparition de plusieurs cultivars particulièrement ornementaux et presque tous rustiques en zone 3. J'aime beaucoup les variétés aux fleurs rouges, comme 'Lars' et 'Rubby Wedding' (syn. 'Claret'), qui confèrent une certaine intensité aux aménagements. En pleine floraison, ces deux cultivars atteignent 70 cm de hauteur sur environ 40 cm de largeur. 'Hadspen Blood', probablement issu d'un croisement entre *A. major* et *A. maxima,* produit des inflorescences d'un rouge pourpré encore plus foncé.

On trouve également sur le marché des cultivars aux fleurs blanches. *A. major* subsp. *involucrata* 'Shaggy' est une plante d'allure très noble qui possède de grandes inflorescences blanches dont l'extrémité des bractées est teintée de vert. 'Titoki Point' est une autre variété qui lui ressemble beaucoup. Quelques cultivars à fleurs roses sont également offerts. 'Rosensinfonie' et 'Primadonna' sont selon moi les plus intéressants.

Nom latin : *Astrantia major.*
Nom commun : grande radiaire.
Famille : ombellifères.
Feuillage : feuilles palmées comprenant de trois à cinq lobes dentés.
Floraison : fleurs minuscules regroupées en une ombelle qui est elle-même entourée d'une série de bractées ressemblant à s'y méprendre à des pétales. Selon les espèces et les cultivars, les inflorescences sont blanches, roses ou rouges.
Période de floraison : été.
Exposition : soleil, mi-ombre, ombre légère. Quelques cultivars tolèrent l'ombre moyenne.
Sol : s'adapte à plusieurs types de sols humides, sauf les sols sableux.
Rusticité : zone 3.

Associations gagnantes

La grande radiaire confère beaucoup d'originalité aux plantations. Ses divers cultivars se marient à merveille avec les végétaux d'ombre comme les astilbes *(Astilbe),* les hostas *(Hosta)* et les fougères. Les variétés à fleurs roses s'harmonisent bien aux géraniums vivaces *(Geranium)* ainsi qu'aux campanules *(Campanula)* à fleurs bleues. Quant aux cultivars dont la floraison est rouge, ils donnent un effet saisissant lorsqu'ils sont plantés en compagnie d'hémérocalles *(Hemerocallis)* et de lis *(Lilium)*

Grande radiaire 'Lars' (*Astrantia major* 'Lars').

Grande radiaire 'Shaggy'
(*Astrantia major* subsp. *involucrata* 'Shaggy').

La grande radiaire n'est pas qu'une simple compagne pour les autres vivaces. Dans cette jolie plantation, la grande radiaire 'Ruby Wedding' (*Astrantia major* 'Ruby Wedding', syn. 'Claret') capte l'attention autant que l'astilbe 'Straussenfeder' (*Astilbe* 'Straussenfeder', syn. 'Ostrich Plume' [*thunbergii* hybride]).

Les fleurs de la grande radiaire *(Astrantia major)* sont mises en valeur par le feuillage pourpre du fustet 'Royal Purple' (*Cotinus coggygria* 'Royal Purple').

aux fleurs orange. Enfin, pour créer des arrangements très actuels, je suggère de combiner les grandes radiaires à des plantes au feuillage décoratif telle que les coléus *(Solenostemon scutellarioides)* et les heuchères *(Heuchera)*.

RENSEIGNÉ

LE JARDINIER

La culture de la grande radiaire

La grande radiaire et ses cultivars sont des plantes peu exigeantes et rarement attaquées par les insectes et les maladies. Bien qu'elles aient une préférence pour la mi-ombre et l'ombre légère, ces vivaces s'accommodent habituellement bien du plein soleil si le sol est humide. Plusieurs variétés poussent également à l'ombre moyenne, sous le couvert d'arbres feuillus, par exemple les chênes. Les divers cultivars de grandes radiaires se plaisent bien dans une terre à jardin brune fraîche amendée d'un peu de compost et apprécient également les sols argileux et humides. Ces vivaces sont peu voraces et peuvent se contenter d'un apport de compost d'environ 1 cm d'épaisseur à leur base chaque année.

Tout au long de l'été, il est important de tailler régulièrement les fleurs fanées des grandes radiaires. D'abord effectuée dans un but esthétique, cette opération permet aussi d'initier la pousse de nouvelles fleurs. De plus, vous éviterez ainsi que les plants se ressèment, puisque les rejetons, dont la floraison est habituellement d'une couleur différente de celle des fleurs des parents, sont très vigoureux et les supplantent rapidement.

Moderne

mi-ombre, ombre légère

La grande radiaire 'Lars' se marie aux divers feuillages ornementaux qui l'entourent pour former une scène d'aspect particulièrement moderne et actuel. Cette plantation empreinte de dynamisme nécessite la mi-ombre ou l'ombre légère. Un aménagement pensé et réalisé par Hélène Vaillancourt et Gaétan Deschênes.

Grande radiaire 'Lars' (*Astrantia major* 'Lars')

If 'Hicksii' (*Taxus* x *media* 'Hicksii')

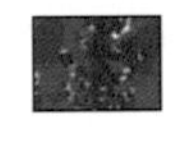
Astilbe 'Glut' (*Astilbe* x *arendsii* 'Glut', syn. 'Glow')

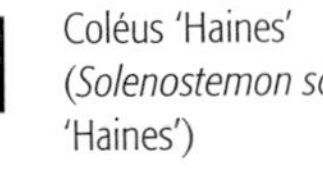
Coléus 'Haines' (*Solenostemon scutellarioides* 'Haines')

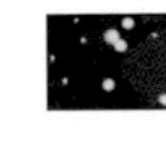
Heuchère 'Palace Purple' (*Heuchera* 'Palace Purple')

Hosta 'Undulata Albomarginata' (*Hosta* 'Undulata Albomarginata')

Pulmonaire 'David Ward' (*Pulmonaria rubra* 'David Ward')

Hosta 'Big Daddy' (*Hosta* 'Big Daddy')

50 cm

Bergenia

Attrayant toute l'année, ce bergénia !

Le bergénia à feuilles cordiformes (*Bergenia cordifolia*), une espèce à fleurs roses native du massif montagneux d'Altaï, en Sibérie, est assez facile à dénicher sur le marché horticole. Vous pouvez aussi trouver une foule de cultivars tous plus intéressants les uns que les autres. La plupart d'entre eux font de 30 à 50 cm de hauteur lorsqu'ils fleurissent et sont rustiques en zone 3. Personnellement, je suis fou de 'Bressingham Salmon', qui arbore des fleurs de couleur saumon. Dans les aménagements paysagers que je crée, j'utilise également 'Morgenröte' (syn. 'Morning Red'), aux fleurs roses, et 'Silberlicht' (syn. 'Silver Light'), aux fleurs blanches, tous deux primés du fameux Award of Garden Merit en 1993. La floraison de la majorité de ces cultivars dure six semaines, en mai et au début de juin. Lors d'une saison estivale particulièrement longue et chaude, certaines variétés peuvent fleurir une seconde fois vers la fin de l'été.

Très adaptables

Les bergénias sont des vivaces robustes qui s'adaptent à presque toutes les situations. Au soleil comme à l'ombre légère, ils s'accommodent aussi bien des sols argileux et humides, voire détrempés, que d'une terre à jardin brune mieux drainée. Les bergénias poussent même dans les sols rocailleux mais toujours frais, à l'ombre d'arbres au feuillage léger. Les années suivant la plantation, bien qu'ils soient peu exigeants, vous pouvez tout de même épandre environ 1 cm d'épaisseur de compost à leur base.

Associations gagnantes

En plus de constituer un couvre-sol impénétrable par les herbes indésirables, les bergénias apportent un attrait continuel du début du printemps jusqu'aux premières neiges. Contrairement à bien des plantes printanières, ces vivaces peuvent être disposées à l'avant des plates-bandes. Une fois leur floraison terminée, les cultivars de bergénias restent attrayants grâce à leur feuillage vert foncé très lustré. Au printemps, ces plantes accompagnent bien les cœurs-saignants (*Dicentra*), les épimèdes (*Epimedium*), les pulmonaires (*Pulmonaria*), les tiarelles (*Tiarella*) ainsi qu'une foule de bulbes à floraison hâtive. Et comme leurs feuilles persistantes se teintent de rouge à l'automne, plusieurs cultivars s'associent bien aux graminées ainsi qu'aux plantes à floraison automnale dont le rudbeckia 'Goldsturm' (*Rudbeckia fulgida* var. *sullivantii* 'Goldsturm') et plusieurs grands cultivars d'orpins (*Sedum*).

Le bergénia 'Silberlicht' (*Bergenia* 'Silberlicht', syn. 'Silver Light') est un des rares cultivars à fleurs blanches. Il arrive cependant régulièrement que les fleurs de cette variété soient teintées de rose, comme c'est le cas ici.

Myosotis du Caucase 'Variegata'
(*Brunnera macrophylla* 'Variegata').

Un arrangement printanier rempli de fraîcheur où les frondes vert tendre de l'onoclée sensible *(Onoclea sensibilis)* s'entremêlent gracieusement aux fleurs du myosotis du Caucase *(Brunnera macrophylla)* et du muguet *(Convallaria majalis)*.

Brunnera
Myosotis géant

En mai et au début de juin, le myosotis du Caucase *(Brunnera macrophylla)* produit une multitude de petites fleurs bleu pâle très semblables à celles de son cousin le myosotis et portées par des tiges qui s'allongent jusqu'à environ 50 cm de hauteur. Comme son nom commun l'indique, cette vivace provient principalement de la chaîne montagneuse du Caucase, qui s'étend entre la mer Noire et la mer Caspienne, à la frontière de l'Europe et de l'Asie. Dans cette région, on la trouve surtout dans les forêts d'épinettes et sur les pentes herbeuses. Une fois la floraison du myosotis du Caucase terminée, ses feuilles en forme de cœur s'agrandissent. D'une hauteur et d'une largeur d'au plus 40 cm, ce superbe feuillage reste attrayant jusqu'en octobre. Vous pouvez vous procurer le cultivar 'Langtrees' qui forme de grandes feuilles vert foncé marquées de quelques petites taches grises. 'Hadspen Cream' et 'Variegata' sont deux variétés magnifiques qui me plaisent énormément et dont les feuilles sont panachées de blanc crème. Tout comme l'espèce, ces cultivars sont rustiques en zone 3.

Sol riche et frais

Vous pouvez planter le myosotis du Caucase sous le couvert des arbres, à l'ombre légère ou à l'ombre moyenne, dans un sol riche et toujours frais. Dans une terre plus sèche et exposée au soleil, cette vivace forme de plus petites feuilles dont la marge a tendance à brunir. Elle peut même entrer en dormance à la suite d'une sécheresse trop prolongée. Toutefois, le myosotis du Caucase s'accommode facilement du plein soleil s'il est planté aux abords d'un bassin où le sol est constamment humide. Bien qu'elle soit peu exigeante, épandez annuellement 1 cm d'épaisseur de compost à la base de cette plante ; n'hésitez pas à augmenter la dose à 2,5 cm si elle est en compétition avec les racines des arbres.

Associations gagnantes

Disposées en grandes masses, les fleurs bleues du myosotis du Caucase produisent un contraste magnifique empreint d'une fraîche énergie lorsqu'elles sont associées aux fleurs jaunes des narcisses *(Narcissus)* ou des doronics *(Doronicum)*. Le myosotis du Caucase et ses cultivars s'harmonisent également à certaines plantes d'ombre cultivées pour leur feuillage, dont les divers cultivars de caladiums bicolores *(Caladium bicolor)*, d'heuchères *(Heuchera)*, de hostas *(Hosta)*, de pulmonaires *(Pulmonaria)*, de coléus *(Solenostemon scutellarioides)* ainsi que certaines fougères.

Campanula
Coquettes campanules

Cultivées depuis fort longtemps, les campanules ont toujours été populaires auprès des jardiniers. Très florifères, ces vivaces produisent des fleurs aux douces couleurs pastel qui s'harmonisent parfaitement aux aménagements à caractère romantique.

Très populaire

De toutes les espèces, la campanule à feuilles de pêcher *(C. persicifolia)* est sans aucun doute la plus utilisée dans nos jardins. Avec ses douces fleurs bleu lilacé qui éclosent durant une longue période s'étendant de la fin de juin à la fin d'août, cette vivace possiblement rustique jusqu'en zone 2 est assurément très attrayante. Plantée en plein soleil, elle s'adapte relativement bien à tous les types de sols. Cependant, dans un endroit un peu plus ombragé où le sol est argileux et lourd, ses tiges, qui atteignent environ 80 cm de hauteur, peuvent avoir tendance à se coucher au sol. Vous pouvez tenter d'éviter ce problème en plantant cette vivace dans une terre brune légère et bien drainée, additionnée de compost. Dans certains cas, vous n'aurez d'autre choix que de la tuteurer. Je vous recommande également de diviser la campanule à feuilles de pêcher et ses cultivars tous les deux ans. Cette opération, qui permet de conserver des plants sains, doit être effectuée vers la fin du mois de septembre.

Plusieurs cultivars de campanules à feuilles de pêcher sont offerts sur le marché nord-américain. Certains, comme 'Alba', 'Alba Coronata' et 'Grandiflora Alba', possèdent des fleurs blanches. 'Moerheimii', une variété très originale, forme des fleurs blanches doubles. Pour leur part, 'Pike's Supremo' et 'Pride of Exmouth' forment également des fleurs doubles mais de couleur bleue. Le cultivar que je préfère est 'Chettle Charm', aux fleurs blanches légèrement teintées de mauve.

Certains documents mentionnent l'existence de *C. persicifolia* subsp. *sessiliflora*. Cependant, la plupart des horticulteurs connaissent plutôt cette plante sous le nom de *C. latiloba*. Elle ressemble

Nom latin : *Campanula.*
Nom commun : campanule.
Famille : campanulacées.
Feuillage : feuilles habituellement elliptiques.
Floraison : fleurs en forme de clochettes. Selon les espèces et les cultivars, la floraison est de couleur blanche, rose, bleue ou violette.
Période de floraison : fin du printemps et été.
Exposition : soleil, mi-ombre. Certaines espèces et variétés tolèrent également l'ombre légère.
Sol : terre à jardin brune amendée de compost, fraîche et bien drainée. Les espèces de campanules originaires des montagnes nécessitent une terre brune sableuse et bien drainée.
Rusticité : à partir de la zone 2.

Bien différente des autres espèces, la campanule ponctuée *(Campanula punctata)* arbore d'élégantes fleurs blanches retombantes. Dans cet arrangement, elle est accompagnée par la campanule ponctuée 'Rubriflora' (*C. punctata* 'Rubriflora').

Campanule à larges feuilles 'Macrantha' (*Campanula latifolia* 'Macrantha').

beaucoup à la campanule à feuilles de pêcher, mais ses fleurs bleues, plus grosses, sont presque collées sur la tige.

Grande taille

Outre la campanule à feuilles de pêcher, plusieurs espèces de grande taille s'intègrent parfaitement bien à la plupart des aménagements paysagers. La campanule à larges feuilles *(C. latifolia)*, originaire d'Europe, de Sibérie et de certaines régions du Moyen-Orient, est ma favorite. Elle forme des tiges robustes qui atteignent environ 1 m de hauteur. Ses fleurs bleues éclosent pendant quelques semaines entre la fin de juin et la fin de juillet. 'Macrantha', un cultivar aux longues clochettes bleu violacé, et 'Alba', aux fleurs blanches, sont habituellement plus faciles à trouver que l'espèce dans les jardineries. Ces variétés sont rustiques en zone 3. La campanule à larges feuilles nécessite un sol riche et frais situé à la mi-ombre. Elle peut aussi croître dans des lieux ensoleillés ou plus ombragés.

J'apprécie également la campanule à fleurs laiteuses *(C. lactiflora)*, une jolie vivace rustique en zone 4, qui provient du massif montagneux du Caucase. Pendant plusieurs semaines, en juillet et en août, elle se couvre de fleurs bleues au centre blanc. C'est une espèce de grande dimension; ses tiges atteignent parfois près de 1,50 m de hauteur. Comme elle a tendance à s'affaisser, il est presque toujours nécessaire de la tuteurer. En revanche, quelques cultivars de petite taille offerts sur le marché horticole semblent mieux se comporter au jardin. Dans mes aménagements, j'ai beaucoup utilisé 'Loddon Anna' dont les tiges, qui font environ 90 cm de hauteur, se tiennent mieux que celles de l'espèce. Durant environ quatre ou cinq semaines, au cœur de l'été, ce cultivar se pare de superbes fleurs rose lilacé. 'Pritchard's Variety', aux fleurs bleu violacé, est plus petit encore ; il atteint au maximum 75 cm de hauteur.

La campanule gantelée *(C. trachelium)* produit des tiges qui s'élèvent à environ 90 cm de hauteur et qui portent des fleurs bleues. Cette espèce peu longévive pousse bien en sol frais à la mi-ombre ou à l'ombre, sous le couvert d'arbres au feuillage léger. Une fois bien établie, elle nécessite très peu de soins. 'Bernice' est un cultivar à fleurs doubles d'un bleu légèrement teinté de mauve. Sa floraison débute en juillet et se poursuit généralement jusqu'à la mi-septembre. Cette variété, rustique en zone 4, atteint environ 60 cm de hauteur.

Campanule à fleurs laiteuses *(Campanula lactiflora)*.

Petites dimensions

Plusieurs espèces de campanules de petites dimensions proviennent de régions montagneuses. La campanule des Carpates *(C. carpatica)*, rustique en zone 2, est originaire de la chaîne montagneuse des Carpates qui s'étend principalement en Ukraine et en Roumanie. Compacte, elle atteint au plus 20 cm de hauteur sur environ 30 cm de largeur. Ses fleurs bleues en forme de coupes s'épanouissent presque sans arrêt de la fin de juin à la fin de septembre. De toutes les campanules basses, c'est celle qui s'adapte le mieux aux sols argileux. Vous pouvez facilement trouver dans les jardineries les fameux cultivars 'Blaue Clips' (syn. 'Blue Clips'), aux fleurs bleues, et 'Weisse Clips' (syn. 'White Clips'), dont les fleurs sont blanches. Je suggère également la très prometteuse campanule des Carpates 'Thorpedo Blue Balls', aux belles fleurs doubles d'un riche bleu violacé.

La campanule fluette *(C. cochleariifolia)*, possiblement rustique jusqu'en zone 3, me charme toujours avec ses petites fleurs bleues retombantes qui apparaissent de la fin de juin au mois d'août. Cette espèce, qui n'atteint pas plus de 15 cm de hauteur, convient très bien aux rocailles et aux murets, puisque ses racines pénètrent facilement les fissures et les interstices laissés entre les pierres. *C. cochleariifolia* var. *alba* possède des fleurs blanches et le cultivar 'Elizabeth Oliver', des fleurs doubles d'un bleu très pâle. La campanule des murailles *(C. portenschlagiana)* présente sensiblement les mêmes caractéristiques que la précédente, à la différence que ses fleurs bleu violacé sont plutôt dressées. Cette espèce très basse, légèrement moins rustique que la campanule fluette, pousse également bien dans les rocailles et les espaces laissés entre les pierres des murets.

C. garganica, qui atteint à peine 15 cm de hauteur, est une espèce originaire d'Italie et de Grèce. Au début de l'été, pendant quelques semaines, elle se couvre de petites fleurs étoilées de couleur bleue. Cette plante est possiblement rustique en zone 4. Chez le cultivar 'Alba', la floraison est blanche, tandis que 'Dickson's Gold' possède des fleurs bleues qui contrastent magnifiquement sur son feuillage jaune. Parmi toutes les espèces basses, la campanule de Dalmatie *(C. poscharskyana)* est celle que je préfère. C'est une plante particulièrement vigoureuse qui s'étale rapidement pour couvrir la surface du sol qui l'entoure. Elle est rustique en zone 3, peut-être même jusqu'en zone 2. Sa floraison s'étale sur une longue période ; du début de juin jusqu'en août, puis de façon intermittente en septembre et même en octobre, elle produit une multitude de fleurs étoilées d'un joli bleu teinté de lilas. Plusieurs cultivars sont offerts, dont 'Blauranke' (syn. 'Blue Gown'), aux fleurs bleues.

La campanule gantelée *(Campanula trachelium)* en compagnie de la mauve musquée *(Malva moschata)*.

Campanule à larges feuilles 'Alba' (*Campanula latifolia* 'Alba').

ASTUCIEUX

LE JARDINIER

Une petite coupe

Je suggère fortement de tailler les fleurs des campanules une fois leur floraison terminée. Chez de nombreuses espèces et variétés, cette opération favorise la pousse de nouvelles fleurs. Dans le cas des campanules de grande taille, vous devez couper les hampes florales en biseau à quelques millimètres au-dessus de la troisième ou de la quatrième feuille. Par ailleurs, les fleurs fanées des campanules basses peuvent être taillées à l'aide de cisailles.

Ombre

La campanule ponctuée *(C. punctata)* est une vivace d'allure très originale. De la fin de juin à la mi-août, cette espèce indigène de Sibérie et du Japon se pare de fleurs blanches qui pendent gracieusement au bout de tiges d'une hauteur d'environ 40 cm. L'intérieur des fleurs est constellé de petits points de couleur rose foncé. C'est une des campanules les mieux adaptées à l'ombre. Lorsque le sol est riche et frais, elle peut s'établir à la base de certains arbres dont le feuillage produit une ombre modérée. Mais comme c'est une plante qui s'étale vigoureusement, ceinturez-la d'une bordure ou plantez-la dans un pot sans fond lorsque la compétition racinaire est moins importante. Plusieurs cultivars rustiques en zone 3 sont offerts sur le marché horticole. 'Rubriflora' possède des fleurs presque entièrement tachetées de rouge, tandis que 'Nana Alba', qui fait 25 cm de hauteur, forme des fleurs blanches.

C. takesimana est native de Corée. Comme la précédente, c'est une espèce à fleurs retombantes qui convient bien aux aménagements ombragés. Sa floraison blanche tachetée de rose se produit pendant plusieurs semaines à partir de juillet jusqu'à la mi-septembre. Récemment introduit en Amérique du Nord, 'Kent Belle' est un cultivar issu de cette espèce qui possède des fleurs d'un opulent bleu violacé.

RENSEIGNÉ

LE JARDINIER

La culture des campanules

La plupart des campanules sont des plantes vivaces de culture facile. Bien qu'elles tolèrent l'ombre légère, il est préférable de disposer *C. persicifolia* et *C. lactiflora* en plein soleil dans une terre à jardin brune légère et bien drainée, amendée d'un peu de compost. Certaines autres espèces de campanules telles que *C. latifolia, C. punctata* et *C. trachelium* poussent bien à la mi-ombre ou au soleil, dans un sol riche et frais. Ces plantes apprécient également l'ombre légère et même, dans le cas de la campanule ponctuée, l'ombre moyenne. Les années suivant la plantation, vous devez épandre 1 cm d'épaisseur de compost à leur base.

Les campanules basses qui proviennent des régions montagneuses nécessitent le plein soleil ou la mi-ombre ; seule *C. portenschlagiana* peut tolérer un peu d'ombre. De plus, ces petites campanules exigent un sol moins riche que les autres espèces. Habituellement, une terre brune légèrement sableuse et parfaitement bien drainée leur convient. Si vous voulez implanter ces vivaces dans un milieu argileux, je vous propose alors de remplacer la terre existante par un mélange composé d'un tiers de sol sableux, d'un tiers de compost et d'un tiers de gravier fin. Bien qu'elles soient peu exigeantes, vous pouvez tout de même leur fournir un peu de compost, chaque année ou aux deux ans seulement, soit l'équivalent de 0,5 cm d'épaisseur.

Elles ressemblent aux campanules

Faisant également partie de la famille des campanulacées, quelques plantes vivaces donnent sensiblement le même effet que les campanules lorsqu'elles sont installées dans un aménagement paysager. Le platycodon à grandes fleurs *(Platycodon grandiflorus),* rustique en zone 3, est probablement l'espèce la plus ressemblante. Au cœur de l'été, cette plante produit des fleurs bleues qui prennent, avant d'éclore, la forme de petits ballons, ce qui lui a valu l'appellation anglaise de *balloon flower.* L'espèce est extrêmement variable, ce qui a facilité la création des cultivars. 'Apoyama' et 'Sentimental Blue', tous deux aux fleurs bleues, sont nains et n'atteignent guère plus de 25 cm de hauteur. Plusieurs autres variétés comme 'Albus', qui porte des fleurs blanches, 'Mariesii', aux fleurs bleues, ainsi que 'Shell Pink', à floraison rose, atteignent approximativement 50 cm de hauteur. Certains platycodons possèdent même des fleurs doubles; c'est le cas du magnifique 'Hakone Double White'. Au soleil comme à l'ombre légère, l'espèce et ses cultivars poussent très bien dans une bonne terre brune, fraîche et bien drainée. L'adénophore *(Adenophora liliifolia),* qui arbore de belles clochettes bleues en juillet et en août, ainsi que les diverses espèces de campanules tigrées *(Codonopsis),* dont les fleurs blanches ou bleues sont souvent marquées de pourpre, sont d'autres vivaces très semblables aux campanules.

Platycodon à grandes fleurs 'Hakone Double White' (*Platycodon grandiflorus* 'Hakone Double White').

Associations gagnantes

Dans les plates-bandes, les grandes campanules s'associent superbement avec les filipendules *(Filipendula),* les hémérocalles *(Hemerocallis),* les lis *(Lilium)* et les rosiers *(Rosa).* Pour un effet des plus originaux, associez *C. lactiflora* 'Loddon Anna' à *Aconitum lycoctonum* subsp. *neapolitanum.* Les espèces et les variétés basses telles que les armérias *(Armeria),* les œillets *(Dianthus),* certaines espèces de géraniums vivaces *(Geranium cinereum* et *G. dalmaticum)* ainsi que la saponaire faux-basilic *(Saponaria ocymoides)* sont de bonnes compagnes pour les campanules de rocaille.

Campanule de Dalmatie (*Campanula poscharskyana*).

Campanule des Carpates *(Campanula carpatica).*

Plate-bande à l'anglaise

soleil, mi-ombre

Une plantation à l'anglaise où le rose particulièrement foncé de la filipendule à feuilles palmées 'Elegantissima' contraste vivement avec le rose lilacé pâle de la campanule à fleurs laiteuses 'Loddon Anna'. L'utilisation de couleurs riches et saturées combinées à des teintes pastel confère tout le rythme et le dynamisme nécessaires à la réalisation d'aménagements harmonieux. Cette plantation créée par Francis Cabot nécessite une terre à jardin brune amendée de compost, fraîche et bien drainée, située en plein soleil ou à la mi-ombre.

 Campanule à fleurs laiteuses 'Loddon Anna'
(*Campanula lactiflora* 'Loddon Anna')

 Filipendule à feuilles palmées 'Elegantissima'
(*Filipendula palmata* 'Elegantissima')

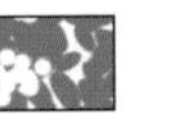 Phlox des jardins 'Fujiyama'
(*Phlox paniculata* 'Fujiyama')

 Grande radiaire
(Astrantia major)

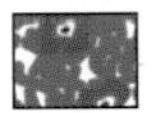 Géranium 'Johnson's Blue'
(*Geranium* 'Johnson's Blue')

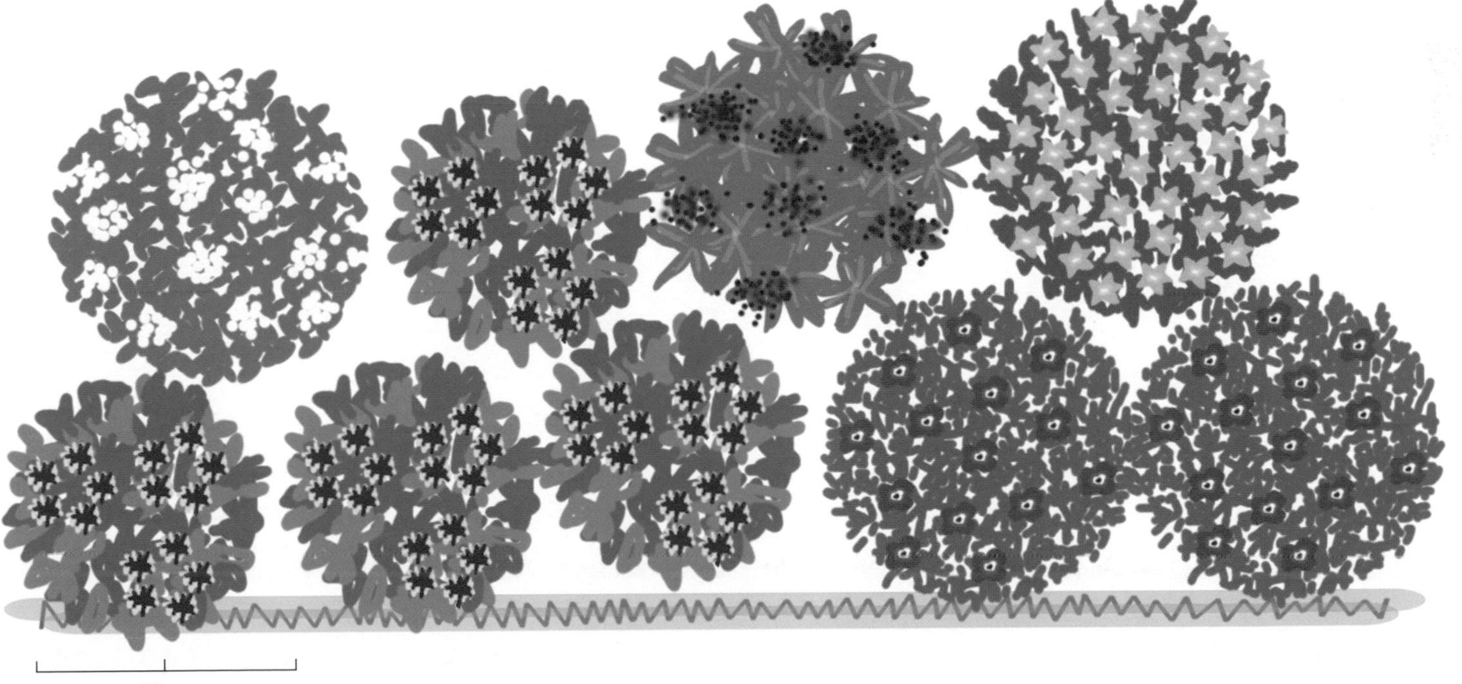

Centaurea

Surprenantes centaurées

Les centaurées sont des plantes vivaces aux fleurs très caractéristiques qui font partie des composées, la famille de la marguerite. La centaurée des montagnes *(Centaurea montana)* est probablement la plus populaire de toutes les espèces. Cette vivace, d'une hauteur d'environ 60 cm, est très florifère si les fleurs fanées sont régulièrement éliminées. À partir de juin, elle produit de grandes inflorescences bleues pendant parfois plus de deux mois. Bien que la centaurée des montagnes puisse supporter un peu d'ombre, elle a une fâcheuse tendance à s'écraser au sol si elle est plantée dans une terre argileuse, riche et humide. Comme c'est une plante qui provient de certaines régions montagneuses d'Europe, comme les Ardennes en Belgique et les Pyrénées en France, il est essentiel de lui fournir un sol léger, à peine frais et parfaitement bien drainé pour éviter que ses tiges s'affaissent.

Plusieurs autres espèces, rustiques en zone 3, méritent à mon avis d'être intégrées aux aménagements paysagers. La centaurée blanchâtre *(C. dealbata)*, qui est originaire de la chaîne de montagnes du Caucase, possède une floraison particulièrement attrayante. Au début de l'été, elle se couvre de grandes inflorescences roses au cœur blanc, portées par des tiges qui s'élèvent à environ 70 cm de hauteur. *C. hypoleuca*, probablement aussi rustique, lui ressemble beaucoup, quoique ses fleurs soient légèrement plus pâles. *C. macrocephala*, qui atteint un peu plus de 1 m de hauteur, est une espèce d'allure tout à fait singulière. Avec ses curieuses inflorescences jaunes et sphériques qui contrastent vivement avec son feuillage grisâtre, cette impressionnante centaurée surprend toujours. Je suggère également de faire l'essai de *Stokesia laevis*, qui ressemble beaucoup aux centaurées, mais dont les inflorescences sont encore plus grosses. Plusieurs cultivars sont offerts sur le marché horticole. 'Blue Danube' forme des fleurs bleues et 'Silver Moon', des fleurs blanches.

Centaurée blanchâtre *(Centaurea dealbata)*.

Sol léger

Pour qu'elles soient saines et vigoureuses, les centaurées doivent absolument être plantées au soleil dans un sol léger, à peine frais et surtout bien drainé. Si vous voulez les planter dans une terre argileuse, je vous propose de la remplacer par un terreau composé de terre brune amendée d'un peu de compost, auquel vous ajouterez quelques pelletées de gravier fin. Ne fertilisez pas les centaurées et n'épandez pas plus de 0,5 cm d'épaisseur de compost à leur pied. De plus, les apports doivent idéalement être espacés de deux ans.

Associations gagnantes

Les cautaurées accompagnent très bien les achillées *(Achillea)*, la valériane rouge *(Centranthus ruber)*, les népétas *(Nepeta)*, les penstémons *(Penstemon)* et les véroniques *(Veronica)*. Dans les endroits très légèrement ombragés, *C. montana* peut être associée à l'alchémille *(Alchemilla mollis)* ainsi qu'à la valériane grecque *(Polemonium caeruleum)*.

Centranthus

Ardente valériane rouge

La valériane rouge *(Centranthus ruber)* est une plante formidable, mais méconnue, qui mérite selon moi d'être beaucoup plus utilisée par les jardiniers nord-américains. Originaire de la région méditerranéenne, cette vivace est maintenant naturalisée dans plusieurs autres parties de l'Europe. Dans la nature, elle pousse spontanément dans les sols sableux et rocailleux, souvent près des ruines où elle se ressème abondamment entre les pierres. D'une hauteur d'au plus 80 cm, la valériane rouge offre une floraison étalée sur une longue période. Ses petites fleurs rose rougeâtre éclosent de la mi-juin au mois d'août, parfois même jusqu'en septembre. Quelques cultivars, rustiques en zone 4, sont offerts sur le marché horticole: 'Albus', qui produit des fleurs blanches, et 'Roseus', qui porte des fleurs roses.

Aménagement joyeux et lumineux où se côtoient la valériane rouge *(Centranthus ruber)*, la valériane rouge 'Albus' (*Centranthus ruber* 'Albus'), l'achillée 'Moonshine' (*Achillea* 'Moonshine') et la népéta 'Six Hills Giant' (*Nepeta x faassenii* 'Six Hills Giant').

Bon drainage

Bien qu'elle préfère les endroits ensoleillés où le sol est pauvre, caillouteux et sec, la valériane rouge peut s'accommoder d'une terre brune un peu plus riche ou même d'une terre argileuse, à condition qu'elle ait un bon drainage, surtout avant l'hiver. N'épandez pas plus de 0,5 cm d'épaisseur de compost à la base de cette plante. Vous pouvez même espacer les apports aux deux ans. N'hésitez pas à rabattre sévèrement la valériane rouge si elle a tendance à s'écraser une fois la floraison terminée.

Associations gagnantes

La valériane rouge se marie bien à certaines plantes qui affectionnent les emplacements ensoleillés au sol bien drainé comme les achillées *(Achillea)*, les coréopsis *(Coreopsis)*, les népétas *(Nepeta)*, les penstémons *(Penstemon)* et les véroniques *(Veronica)*. De plus, les fleurs de cette plante sont bien mises en valeur par les feuillages gris des armoises *(Artemisia)*, de l'épiaire *(Stachys byzantina)* ou du plectranthe argenté *(Plectranthus argentatus)*.

Chelone
Comme une tête de tortue

Les galanes possèdent des fleurs très caractéristiques qui ressemblent à des têtes de tortues. Leur nom scientifique *Chelone*, dérivé du grec, signifie d'ailleurs «tortue». La galane oblique *(C. obliqua)* forme de belles fleurs roses pendant une période s'étendant de la fin d'août au début d'octobre. Cette plante, rustique en zone 3, porte ses fleurs sur des tiges très robustes qui s'élèvent à environ 80 cm. Pour sa part, la galane glabre *(C. glabra)*, une plante indigène de l'est de l'Amérique du Nord, est une espèce très rustique qui peut parfois être retrouvée au sud de la baie James, en zone 1. En juillet, en août et parfois même au début de septembre, elle produit des fleurs blanches. Elle peut atteindre jusqu'à 1 m de hauteur.

Près des cours d'eau

Presque sans défaut, les vigoureuses galanes ont leur place dans tous les jardins. Elles se plaisent particulièrement dans les sols riches, frais ou humides. Elles ne craignent pas une sécheresse temporaire. Elles poussent aussi bien dans les plates-bandes ensoleillées que dans les plantations ombragées situées sous des arbres au feuillage léger. Vous pouvez même les disposer au bord d'un bassin. Chaque année, assurez-vous d'épandre environ 2,5 cm d'épaisseur de compost à leur pied.

Galane oblique *(Chelone obliqua)*.

Associations gagnantes

Les galanes se marient avec élégance aux anémones du Japon *(Anemone)*, aux eupatoires *(Eupatorium)* et à la lobélie bleue *(Lobelia siphilitica)*. Disposez-les également en compagnie de plantes au feuillage attrayant comme les iris des marais *(Iris pseudacorus)* ainsi que certaines fougères et graminées telles que la calamagrostide 'Stricta' (*Calamagrostis* x *acutiflora* 'Stricta').

Cimicifuga racemosa var. *cordifolia*.

Un mariage aux allures psychédéliques entre le cierge d'argent 'Hillside Black Beauty' (*Cimicifuga* 'Hillside Black Beauty') et le canna 'Tropicanna' (*Canna* 'Tropicanna').

Cimicifuga

(syn. Actaea) Cierges élancés

Grâce à leurs imposantes dimensions, les cierges d'argent sont utilisés pour structurer les aménagements paysagers à l'ombre. Dans les plantations, ils servent de fond de scène ou de pivots autour desquels sont ensuite placées les autres vivaces.

Floraison hâtive

Parmi toutes les espèces de cierges d'argent, c'est le très spectaculaire *C. racemosa,* atteignant parfois près de 2 m de hauteur, qui fleurit le plus hâtivement. Habituellement vers la mi-juillet, ses étroites grappes de fleurs s'épanouissent à l'extrémité de longues tiges qui dominent un beau feuillage composé et très dense. La floraison, qui dure environ deux semaines, dégage une forte odeur qui peut sembler désagréable pour certaines personnes. Vous pouvez aussi trouver le *C. racemosa* var. *cordifolia* (syn. *C. cordifolia*) aux jolies fleurs blanc crème qui éclosent en août. Ces deux plantes originaires des États-Unis sont rustiques jusqu'en zone 3.

Floraison tardive

Malheureusement, certains cierges d'argent tels que *C. simplex* 'White Pearl' fleurissent si tardivement que leurs bourgeons à fleurs sont souvent détruits par les gelées automnales avant même d'avoir pu s'épanouir. Je recommande cependant sans hésitation *C. dahurica* qui fleurit toujours très abondamment vers la fin d'août et au début de septembre. Ses tiges, d'une hauteur d'environ 1,50 m, portent plusieurs grappes de fleurs blanc crème. Le feuillage de ce cierge d'argent est composé de folioles beaucoup plus grosses que chez les autres espèces. Comme cette plante est originaire de Mongolie et de la région du fleuve Amour, qui sert de frontière entre la Sibérie et la Chine, elle est sans doute rustique jusqu'en zone 3.

Nom latin : *Cimicifuga* (syn. *Actaea*).
Nom commun : cierge d'argent ou cimicaire.
Famille : renonculacées.
Feuillage : grandes feuilles généralement découpées en folioles trilobées et dentées. Les feuilles sont habituellement vertes, mais certains cultivars possèdent un feuillage pourpre.
Floraison : petites fleurs blanches regroupées en longues grappes, parfois très odorantes.
Période de floraison : été et automne.
Exposition : soleil, mi-ombre, ombre légère et ombre moyenne.
Sol : riche et frais.
Rusticité : à partir de la zone 3.

RENSEIGNÉ

LE JARDINIER

La culture des cierges d'argent

Les cierges d'argent sont des plantes ornementales très longévives qui s'établissent lentement dans les jardins. Ils affectionnent surtout la mi-ombre et l'ombre légère ; la plupart des espèces et des variétés peuvent aussi s'accommoder d'ombre modérée si la compétition racinaire n'est pas trop intense au cours des premières années suivant leur implantation. La majorité de ces végétaux acceptent aussi le plein soleil, à condition que la terre où plongent leurs racines soit constamment humide. Les cierges d'argent exigent un sol riche, léger et frais. Au moment de la plantation, ajoutez dans chaque trou une moitié de compost et quelques poignées d'os moulus à la terre existante. Bien que les cierges d'argent ne soient pas des plantes particulièrement exigeantes, je suggère tout de même d'épandre annuellement 2,5 cm d'épaisseur de compost à leur base. De plus, si la compétition racinaire est forte, une fertilisation riche en phosphore et en potassium favorise nettement leur floraison. Tous les deux ans, appliquez 90 ml (trois poignées) d'os moulus et 30 ml (une poignée) de sulfate de potassium et de magnésium (Sul-Po-Mag) par plant.

Cimicifuga racemosa.

Cimicifuga dahurica.

Feuillage pourpre

Les cierges d'argent qui me plaisent le plus sont ceux qui ont des feuilles pourpres. Je vous invite à faire l'essai du cultivar 'Brunette' qui est rustique en zone 3. Bien que ses feuilles verdissent un peu vers la fin de la saison, cette plante donne tout de même un dynamisme saisissant aux aménagements. Ses fleurs blanches légèrement teintées de rose éclosent en septembre et sont attachées à des hampes florales qui font 1,50 m de hauteur. Contrairement à ce dernier, 'Hillside Black Beauty' est une nouvelle variété dont le feuillage conserve une couleur pourpre très foncé en tout temps. Ses très longs épis de fleurs blanches, qui contrastent fortement avec ses feuilles, lui confèrent une allure des plus spectaculaires. Ce cultivar récemment introduit au Canada est probablement rustique en zone 4.

Associations gagnantes

Les cierges d'argent gagnent à être mis en valeur par des plantes de hauteur moyenne comme les hostas *(Hosta)*, les sceaux-de-Salomon *(Polygonatum)* et certaines fougères. Les espèces et les cultivars à floraison tardive forment de très beaux arrangements lorsqu'ils sont disposés à proximité des anémones du Japon *(Anemone)* et des tricyrtis *(Tricyrtis)*. Le feuillage pourpre de certains cultivars de cierges d'argent se marie parfaitement à l'alchémille *(Alchemilla mollis)*, aux heuchères *(Heuchera)* à feuillage vert ou gris et aux cultivars de hostas *(Hosta)* à feuilles jaunes ou panachées de blanc. Les astilbes aux fleurs rouges ou rose violacé sont puissamment mises en valeur par *C.* 'Hillside Black Beauty'.

Cimicifuga 'Brunette'.

LE JARDINIER RENSEIGNÉ

Les cierges d'argent sont des actées

Les cierges d'argent, aussi appelés cimicaires, ont longtemps appartenu au genre *Cimicifuga* mais des analyses génétiques récemment effectuées par des chercheurs ont permis d'établir que ces vivaces sont plutôt rattachées au genre *Actaea*. Les cierges d'argent seraient donc directement reliés aux actées, ces plantes qui poussent spontanément dans nos forêts et qui produisent de petits fruits rouges ou blancs. Ne soyez pas surpris si vous les voyez maintenant identifiés sous le nom de *Actaea* dans certains documents.

Cimicifuga

Scène dramatique

mi-ombre, ombre légère

Il se dégage de cette scène spectaculaire une intensité presque dramatique créée par la présence des fleurs rouge foncé de l'astilbe 'Fanal' et des feuilles pourpres du cierge d'argent 'Brunette'. Cet aménagement réalisé par Michel-André Otis nécessite la mi-ombre ou l'ombre légère.

Cierge d'argent 'Brunette'
(*Cimicifuga* 'Brunette')

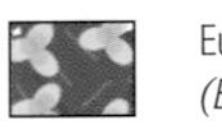

Euphorbe de Wallich
(*Euphorbia wallichii*)

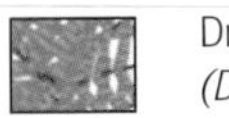

Dryoptère à rhizome épais
(*Dryopteris crassirhizoma*)

Astilbe 'Fanal'
(*Astilbe* x *arendsii* 'Fanal')

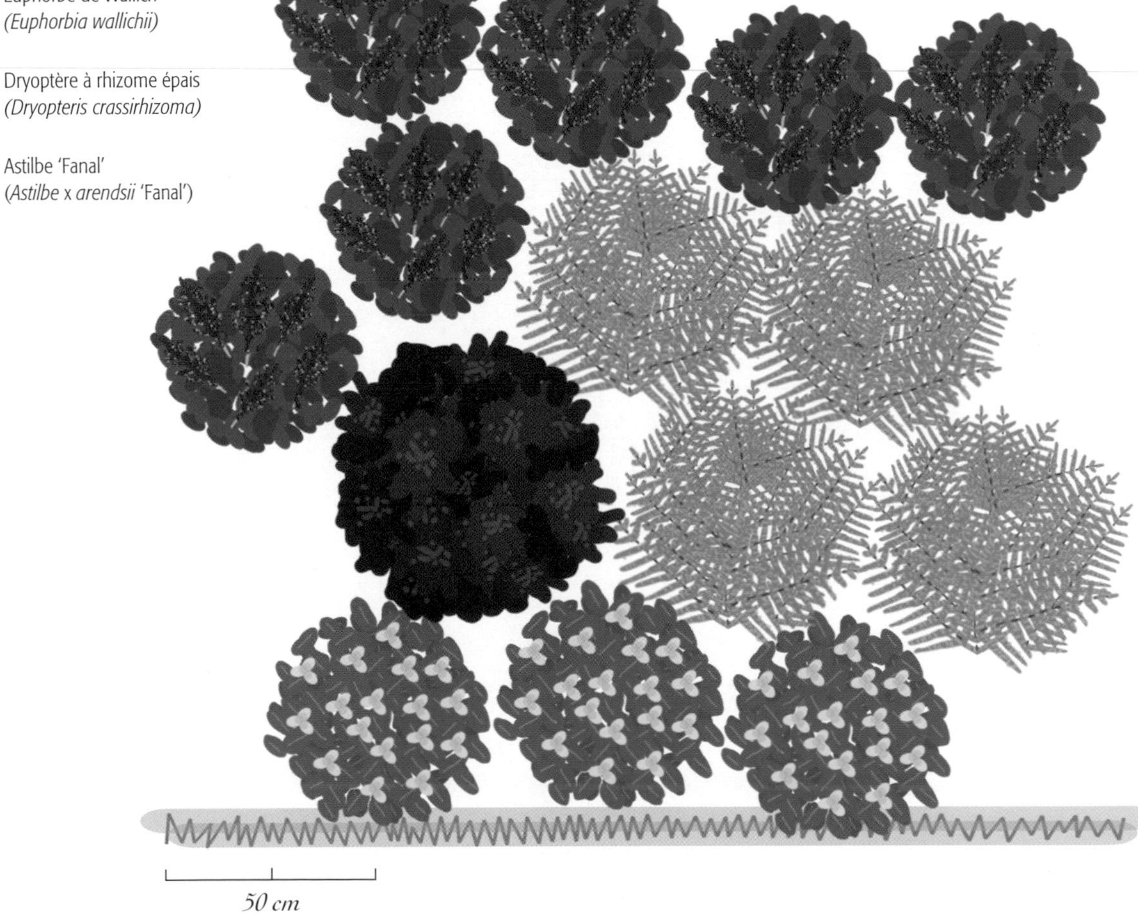

Coreopsis

Très florifères, ces coréopsis !

Rares sont les vivaces qui fleurissent durant plus d'un mois. Les coréopsis, dont la floraison est particulièrement longue, sont des plantes très précieuses dans un jardin. Utilisés de façon judicieuse, ils présentent un attrait particulier lorsque les floraisons des arbustes et des vivaces estivales diminuent.

Toujours en fleurs

Le coréopsis verticillé *(C. verticillata)* pousse de façon spontanée dans le sud-est des États-Unis, de la Virginie à la Floride. Cette plante recherche habituellement les milieux ensoleillés et secs. Tous les cultivars issus de cette espèce sont très florifères et rustiques jusqu'en zone 3. 'Moonbeam', qui est ma variété préférée, donne l'impression d'être toujours en fleurs. C'est en effet une des plantes vivaces qui fleurissent le plus longtemps : du début de l'été jusqu'aux premières gelées de l'automne. Ce cultivar fait environ 40 cm de hauteur sur autant en largeur et produit de jolies fleurs jaune pâle. 'Grandiflora' (syn. 'Golden Shower'), qui atteint une hauteur d'environ 60 cm, fleurit sur une période presque aussi longue, mais ses inflorescences sont plus grandes et d'un jaune plus foncé. 'Zagreb' est semblable à 'Grandiflora', à la différence qu'il possède un port très compact et fait 30 cm de hauteur au maximum. Pour sa part, le coréopsis rose *(C. rosea)*, dont le port rappelle celui du coréopsis verticillé, donne des inflorescences roses qui éclosent à partir de juillet jusqu'au début de septembre. Récemment introduit sur le marché nord-américain, 'American Dream' est un cultivar aux fleurs plus grandes que celles de l'espèce.

Nom latin : *Coreopsis.*
Nom commun : coréopsis.
Famille : composées.
Feuillage : feuilles comprenant trois lobes minces profondément découpés.
Floraison : inflorescences composées de plusieurs petites fleurs sans pétales formant le cœur et, au pourtour, de fleurs possédant un seul pétale jaune parfois marqué de bronze à la base. Quelques variétés possèdent des inflorescences doubles.
Période de floraison : été et automne.
Exposition : soleil, mi-ombre.
Sol : terre à jardin brune bien drainée, fraîche ou temporairement sèche.
Rusticité : à partir de la zone 3.

Coréopsis à feuilles lancéolées 'Baby Sun' (*Coreopsis lanceolata* 'Baby Sun').

Peu longévifs

Contrairement au coréopsis verticillé, le coréopsis à grandes fleurs *(C. grandiflora)* ne vit pas très longtemps. C'est également une espèce très florifère, indigène des États-Unis, qui a donné naissance à de nombreux cultivars commerciaux rustiques en zone 3. Un des plus performants est sans aucun doute 'Early

Coréopsis 'Tequila Sunrise' (*Coreopsis* 'Tequila Sunrise').

Sunrise', gagnant d'un All America Award en 1989. Il possède des fleurs jaunes doubles qui sont portées par des tiges qui s'élèvent à 45 cm de hauteur. Sa longue floraison débute en juin et se termine habituellement avec le gel de la fin de septembre ou du début d'octobre. Plusieurs cultivars sont également issus du coréopsis à feuilles lancéolées *(C. lanceolata)*, un peu plus longévif et aussi rustique que le précédent. Je vous propose entre autres les variétés 'Baby Sun' (syn. 'Sonnenkind'), aux pétales jaunes, dont la base est marquée de bronze, et 'Goldfink', qui fait au plus 25 cm de hauteur. 'Tequila Sunrise' est un nouvel hybride d'origine incertaine qui possède un attrayant feuillage vert panaché de jaune. Au printemps, ses nouvelles pousses sont teintées de rose.

Associations gagnantes

Les coréopsis s'intègrent bien aux plates-bandes ensoleillées en compagnie de plantes aimant les sols bien drainés comme les divers cultivars de camomilles des teinturiers *(Anthemis tinctoria)*, les crocosmias *(Crocosmia)*, la liatride en épis *(Liatris spicata)*, les népétas *(Nepeta)*, les scabieuses *(Scabiosa)* et les orpins *(Sedum)*. Ils s'associent également très bien à certaines graminées dont les fétuques *(Festuca)* et l'avoine ornementale *(Helictotrichon sempervirens)*.

Dans cette plate-bande, des végétaux de hauteurs différentes ont été disposés de façon peu conventionnelle. À l'arrière de cet énergique aménagement, on trouve le crocosmia 'Lucifer' (*Crocosmia* 'Lucifer') bordé par une plante basse, le coréopsis verticillé 'Zagreb' (*Coreopsis verticillata* 'Zagreb'). À l'avant sont plantés l'asclépiade tubéreuse *(Asclepias tuberosa)* et l'hémérocalle 'Madge Cayse' (*Hemerocallis* 'Madge Cayse'), des vivaces de hauteur moyenne.

LE JARDINIER RENSEIGNÉ

La culture des coréopsis

Les coréopsis s'adaptent relativement bien à divers types de sols, mais ils sont plus à leur aise en plein soleil ou à la mi-ombre dans une terre brune légère et bien drainée. En sol riche, ces plantes ont tendance à s'affaisser. Si vous installez des coréopsis dans une terre argileuse et lourde, assurez-vous d'ajouter une ou deux pelletées de compost et quelques poignées de gravier au terreau de plantation afin d'obtenir un drainage adéquat. Vous pouvez également privilégier l'utilisation des cultivars de *C. grandiflora* et de *C. rosea,* qui tolèrent mieux les sols humides. Après la plantation, la plupart des coréopsis ne demandent pas plus de 0,5 cm d'épaisseur de compost chaque année. Une fois implantées, ces vivaces tolèrent très bien la sécheresse.

Afin de prolonger leur floraison, coupez régulièrement les fleurs fanées des cultivars de *C. grandiflora* et *C. lanceolata*. N'hésitez pas à rabattre sévèrement ces plantes une fois leur floraison terminée, pour éviter qu'elles ne s'épuisent inutilement et pour favoriser un bon hivernage.

Le coréopsis verticillé 'Moonbeam' (*Coreopsis verticillata* 'Moonbeam') en compagnie de l'euphorbe petit-cyprès *(Euphorbia cyparissias).*

HAUTE ÉNERGIE

soleil

Avec ses fleurs d'un doux jaune pâle, le coréopsis verticillé 'Moonbeam' s'harmonise facilement à plusieurs annuelles. Dans cette scène inédite, cette plante s'associe de façon saisissante et énergique aux fleurs rose très saturé de l'agérate 'Red Sea' ainsi qu'aux divers feuillages qui l'entourent. Tous les végétaux qui composent cet aménagement réalisé par Hélène Vaillancourt et Gaétan Deschênes doivent être installés dans un endroit bien ensoleillé.

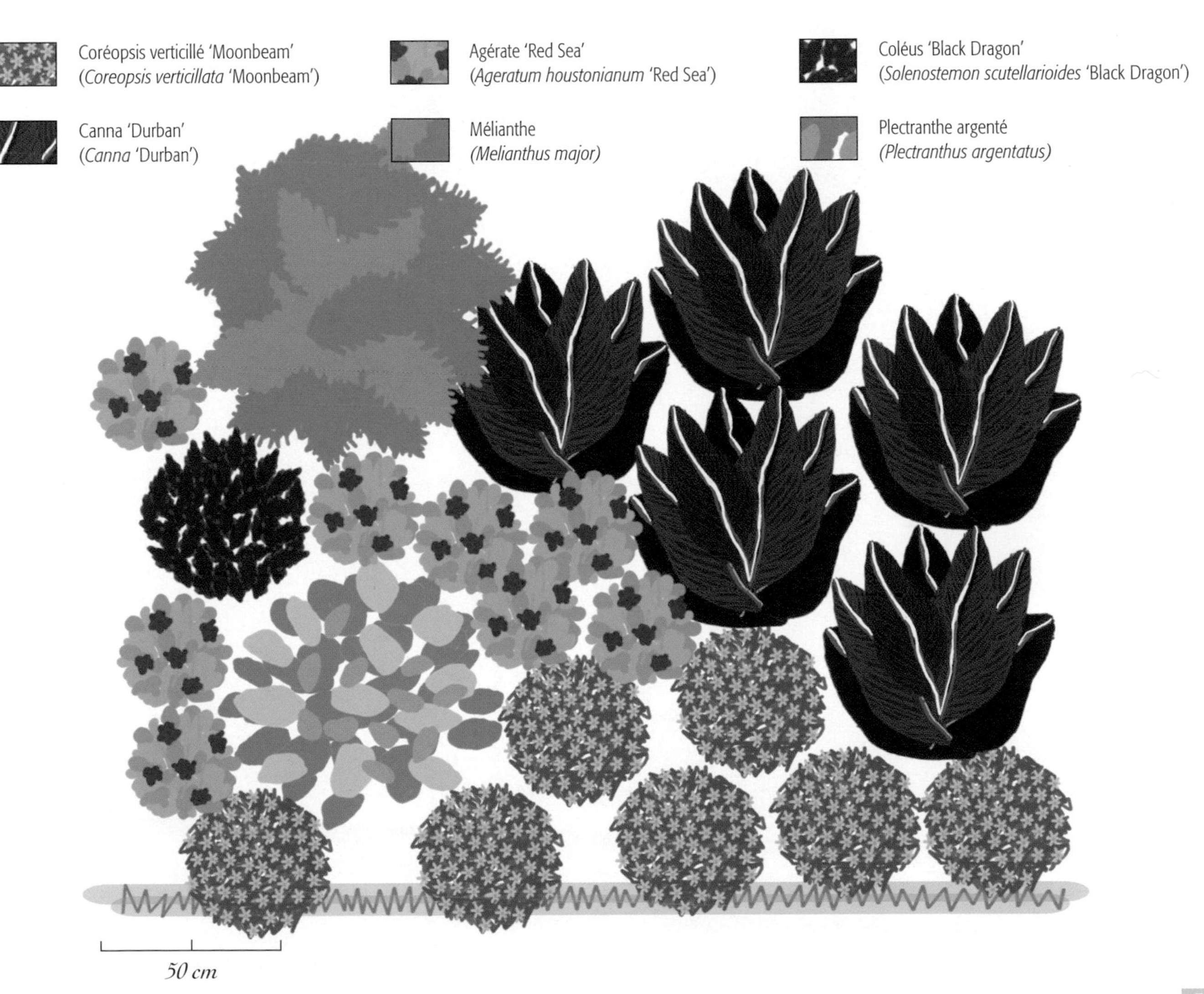

Couvre-sol

Utiles et polyvalents couvre-sol

Les couvre-sol sont des plantes larges et basses qui s'étalent facilement et qui recouvrent densément le sol. Plusieurs végétaux, comme certains arbustes, des conifères, des rosiers, des plantes grimpantes et des plantes vivaces, font partie du groupe des couvre-sol. Je ne m'intéresserai ici qu'aux vivaces.

Les vivaces couvre-sol sont des plantes fort utiles et particulièrement polyvalentes. Vous pouvez les utiliser avantageusement dans les endroits où l'établissement d'une pelouse n'est pas possible : à l'ombre dense, aux endroits où elles seront en compétition avec les racines des arbres, dans un sol très sec et pauvre, dans un sol trop humide ou sur un terrain où il y a une forte dénivellation.

Contrôle des herbes indésirables

Les vivaces couvre-sol possèdent la propriété de contrôler la pousse d'herbes indésirables. Cependant, comme la plupart de ces plantes prennent tout de même quelques années avant de former un tapis dense, assurez-vous de placer un paillis à leur base afin d'éviter qu'elles soient envahies par les mauvaises herbes.

Décoratifs

Les couvre-sol ne sont pas uniquement destinés à remplacer le gazon. Grâce à leurs floraisons et à leurs feuillages aux formes, aux textures et aux couleurs les plus diverses, ils possèdent également une grande valeur ornementale. De plus, les vivaces couvre-sol interviennent dans la structure d'un aménagement paysager. Ce sont bien souvent ces plantes qui assurent l'intégration de certaines constructions au reste du jardin. Elles apportent beaucoup d'unité dans un jardin, puisqu'elles forment un lien visuel entre les diverses parties qui le composent. En fait, la plupart des couvre-sol atténuent les différences de formes et de couleurs de certaines plantes et diminuent ainsi l'effet de contraste qui existe entre elles.

Je propose ici quelques-unes des vivaces couvre-sol qui me semblent les plus attrayantes et les plus productives.

Au printemps, les fleurs bleu violacé foncé du bugle rampant 'Bronze Beauty' (*Ajuga reptans* 'Bronze Beauty') sont plus visibles grâce au feuillage gris de l'armoise de Steller 'Silver Brocade' (*Artemisia stelleriana* 'Silver Brocade'). Ces deux plantes possèdent une agressivité assez semblable, ce qui évite que, tôt ou tard, l'une étouffe l'autre.

Le feuillage gris pâle de l'armoise de Steller 'Silver Brocade' (*Artemisia stelleriana* 'Silver Brocade') forme un puissant contraste avec le feuillage pourpre et les fleurs roses de l'orpin 'Vera Jameson' (*Sedum* 'Vera Jameson').

Chaleur, sécheresse et soleil

Armoise de Steller 'Silver Brocade' (*Artemisia stelleriana* 'Silver Brocade'), ZONE 3

Si vous voulez recouvrir rapidement un sol sableux situé en plein soleil, je suggère fortement d'utiliser l'armoise de Steller 'Silver Brocade'. C'est une vivace au magnifique feuillage gris très découpé qui atteint rarement plus de 15 cm de hauteur. Endurante et adaptable, elle s'accommode aussi des sols argileux et résiste très bien aux sels de déglaçage (voir p. 47).

Aubriète *(Aubrieta* x *cultorum),* ZONE 4 (certains cultivars sont possiblement rustiques en ZONE 3)

Les divers cultivars d'aubriètes, qui font à peine 15 cm de hauteur, forment des tapis denses qui s'implantent facilement dans les sols rocailleux. Bien que ces vivaces aiment bénéficier d'une certaine fraîcheur, elles apprécient également les sols secs des rocailles et poussent même dans les interstices laissés entre les pierres des murets. Leur floraison éclatante, semblable à celle de leurs proches parentes les arabettes *(Arabis caucasica),* a lieu au printemps, de la fin d'avril parfois jusqu'à la mi-juin. Durant cette période, les aubriètes sont complètement couvertes de fleurs roses, rouges, bleues ou mauves, selon les variétés.

À cause de leur floraison vive et très colorée, les arabettes *(Arabis caucasica)* et les aubriètes (*Aubrieta* x *cultorum*) ne donnent pas toujours un effet réussi en compagnie de vivaces qui ont un aspect plus naturel. Elles peuvent cependant former de belles associations avec certaines plantes bulbeuses à floraison printanière.

Œillet à delta *(Dianthus deltoides)*, ZONE 3 et œillet bleuâtre *(D. gratianopolitanus)*, ZONE 3

Les œillets bas et rampants tels que *D. deltoides* et *D. gratianopolitanus* conviennent aux sols sableux et caillouteux. Ce sont cependant pour la plupart des plantes assez adaptables pouvant aussi constituer d'excellents couvre-sol à disposer à la base des rosiers, dans une terre à jardin brune bien drainée. Parmi tous les cultivars proposés, je suggère *D. deltoides* 'Leuchtfunk' (syn. 'Flashing Light'), aux fleurs rouge violacé qui s'élèvent à environ 15 cm de hauteur, ainsi que *D. gratianopolitanus* 'Tiny Rubies', aux fleurs doubles de couleur rose. Je recommande également *D. gratianopolitanus* 'Feuerhexe' (syn. 'Fire Witch'), dont les fleurs sont d'un rose magenta très vif, une variété introduite au Canada tout récemment.

Orpin de Kamtchatka *(Sedum kamtschaticum)*, ZONE 3

Pour recouvrir la surface d'un sol sec en peu de temps, vous pouvez également utiliser certaines espèces et variétés d'orpins. Selon moi, l'espèce la plus efficace est l'orpin de Kamtchatka qui croît à une vitesse impressionnante. Sans pour autant être envahissante, cette plante recouvre rapidement le sol, formant ainsi un tapis presque impénétrable par la plupart des herbes indésirables. Cet orpin atteint au plus 20 cm de hauteur et produit une multitude de fleurs jaunes de la fin de juin au début d'août. Dans la majorité des jardineries et des pépinières, vous

Parce que ces plantes ont des exigences similaires, les œillets rampants poussent très bien aux côtés des graminées basses. Cet arrangement est composé de l'œillet à delta 'Leuchtfunk' (*Dianthus deltoides* 'Leuchtfunk', syn. 'Flashing Light') et de la fétuque bleue *(Festuca glauca)*.

ASTUCIEUX

LE JARDINIER

Un recouvrement rapide

Pour obtenir un recouvrement du sol plus rapide, vous pouvez planter les vivaces couvre-sol un peu plus rapprochées les unes des autres que ce qui est suggéré dans les catalogues ou sur l'étiquette qui les accompagne. De cette façon, les plants se toucheront après une ou deux années seulement. Cette technique est particulièrement intéressante pour l'implantation d'un couvre-sol dans des conditions difficiles. Le tableau suivant vous donne les distances de plantation de plusieurs vivaces couvre-sol décrites dans ces pages.

TABLEAU 1
Distances de plantation des vivaces couvre-sol

Nom latin	Nom français	Plantation longue durée	Recouvrement rapide
Ajuga reptans 'Atropurpurea'	Bugle rampant 'Atropurpurea'	30 cm	20 cm
Ajuga reptans 'Burgundy Glow'	Bugle rampant 'Burgundy Glow'	25 cm	15 cm
Ajuga reptans 'Catlin's Giant'	Bugle rampant 'Catlin's Giant'	40 cm	25 cm
Artemisia stelleriana 'Silver Brocade'	Armoise de Steller 'Silver Brocade'	50 cm	35 cm
Asarum canadense	Gingembre sauvage	30 cm	20 cm
Asarum caudatum	Gingembre de Colombie-Britannique	30 cm	20 cm
Asarum europaeum	Gingembre européen	20 cm	15 cm
Asarum shuttleworthii	Gingembre de Shuttleworth	25 cm	15 cm
Asarum splendens 'Select'	Gingembre 'Select'	30 cm	20 cm
Aubrieta x *cultorum* et cultivars	Aubriète et cultivars	40 cm	25 cm
Convallaria majalis	Muguet	30 cm	25 cm
Dianthus deltoides et cultivars	Œillet à delta et cultivars	40 cm	25 cm
Dianthus gratianopolitanus et cultivars	Œillet bleuâtre et cultivars	30 cm	20 cm
Epimedium x *rubrum*	Épimède rouge	30 cm	20 cm
Epimedium x *youngianum* et cultivars	Épimède de Young et cultivars	30 cm	20 cm
Lamiastrum galeobdolon 'Herman's Pride'	Lamier galéobdolon 'Herman's Pride'	35 cm	25 cm
Lamiastrum galeobdolon 'Variegatum'	Lamier galéobdolon 'Variegatum'	50 cm	35 cm
Lamium maculatum et cultivars	Lamier maculé et cultivars	40 cm	25 cm
Lysimachia nummularia et cultivar	Lysimaque rampante et cultivar	50 cm	35 cm
Pachysandra terminalis et cultivars	Pachysandre et cultivars	30 cm	15 cm
Persicaria affinis et cultivars	Renouée du Népal et cultivar	50 cm	35 cm
Sedum kamtschaticum et cultivar	Orpin de Kamtchatka et cultivars	40 cm	25 cm
Sedum reflexum et cultivars	Orpin réfléchi et cultivars	30 cm	20 cm
Sedum spurium et cultivars	Orpin du Caucase et cultivars	40 cm	25 cm
Sedum stoloniferum	Orpin stolonifère	35 cm	25 cm
Thymus pseudolanuginosus	Thym laineux	40 cm	25 cm
Thymus serpyllum et cultivars	Thym serpolet et cultivars	40 cm	25 cm
Veronica austriaca subsp. *teucrium* et cvs	Véronique germandrée et cultivars	45 cm	30 cm
Veronica prostrata 'Heavenly Blue'	Véronique prostrée 'Heavenly Blue'	30 cm	20 cm

pouvez aussi trouver le cultivar 'Variegatum', dont le feuillage vert est finement bordé de crème.

Plusieurs autres espèces telles que *S. reflexum*, *S. spurium* et *S. stoloniferum*, par exemple, peuvent également être de bons couvre-sol. Faites cependant attention, puisque certains orpins comme *S. acre* et *S. album* sont très envahissants. Ils ne sont pas du tout à leur place dans les aménagements où l'espace est restreint (voir p. 345).

Thym serpolet
***(Thymus serpyllum)*, ZONE 3**

Je considère le thym serpolet comme l'un des meilleurs couvre-sol pour les emplacements ensoleillés et chauds. Il s'adapte à plusieurs types de sols, même très pauvres, à condition qu'ils soient bien drainés. Puisqu'il supporte aisément le piétinement, vous pouvez l'installer sans crainte entre les pierres qui composent un sentier. En plus d'avoir un feuillage très aromatique, cette plante se couvre complètement de fleurs rose lilacé vers la fin du printemps et au début de l'été. On trouve plusieurs cultivars sur le marché. 'Coccineus' arbore des fleurs rose plus foncé que l'espèce, tandis que 'Lime' possède un feuillage vert très tendre et des fleurs rose pâle. Je propose également de faire l'essai du singulier thym laineux *(T. pseudolanuginosus)*, qui forme un feuillage vert bleuté très duveteux.

Même en fleurs, le thym serpolet *(Thymus serpyllum)* met en valeur les plantes sous lesquelles il pousse. Dans cette scène, il fait ressortir toute la beauté et la grâce du feuillage d'*Hakonechloa macra*, une graminée encore peu connue au Canada.

Véronique germandrée *(Veronica austriaca* subsp. *teucrium)*, ZONE 3 et véronique prostrée *(Veronica prostrata)*, ZONE 4

Les véroniques basses constituent de bons couvre-sol. Bien qu'elles poussent facilement dans les sols graveleux et secs exposés au soleil, leur vigueur est habituellement supérieure si vous les plantez dans une terre à jardin brune plus riche et fraîche. *V. prostrata* atteint environ 15 cm de hauteur et s'étend sur une largeur d'un peu plus de 30 cm. Le cultivar 'Heavenly Blue', aux fleurs bleu pâle qui apparaissent vers la fin du printemps, est plus facile à dénicher que l'espèce sur le marché. Faites également l'essai de *V. austriaca* subsp. *teucrium* 'Crater

ASTUCIEUX

LE JARDINIER

Un couvre-sol plus vaste

Il est très simple de propager les vivaces tapissantes dont les tiges émettent des racines, telles que la petite pervenche *(Vinca minor)*, la lysimaque rampante *(Lysimachia nummularia)* et de nombreux orpins *(Sedum)*, ou qui prennent de l'expansion grâce à des stolons, comme c'est le cas du bugle rampant *(Ajuga reptans)*. Vous devez d'abord sélectionner un jeune plant ou une section de tige bien enracinée. Coupez le stolon ou le rameau qui rattache le rejeton à la plante-mère. Ensuite, à l'aide d'une truelle, vous devez l'extraire du sol en vous assurant de conserver un peu de terre autour des racines et le replanter où vous voulez obtenir un nouveau couvre-sol.

Lake Blue', un cultivar aux fleurs bleu profond qui éclosent durant plusieurs semaines en juin et en juillet. D'une hauteur de 30 cm, le feuillage de cette plante peut s'étaler sur 45 cm de diamètre (voir p. 363).

Très adaptables

Bugle rampant *(Ajuga reptans)*, zone 3

C'est un spectacle impressionnant que d'observer un grand massif de bugle rampant exhibant ses fleurs bleues au printemps. Facile à cultiver et très polyvalent, c'est assurément le couvre-sol le plus utilisé dans nos jardins. Le bugle rampant s'adapte à presque toutes les situations ; il s'accommode aussi bien des milieux humides et ensoleillés que des sols passagèrement secs situés près des arbres. De nombreux cultivars, aux caractéristiques les plus diverses sont issus de cette espèce. Mes préférés sont 'Atropurpurea', aux feuilles pourpres, et 'Catlin's Giant', qui porte des feuilles vertes teintées de pourpre aux dimensions imposantes. J'aime aussi le curieux feuillage vert teinté de pourpre, de rose et de crème de 'Burgundy Glow'.

Lysimaque rampante *(Lysimachia nummularia)*, zone 3

La lysimaque rampante est une vivace qui s'épanouit à merveille dans les sols riches et humides qu'on trouve aux abords des bassins. En fait, elle est si heureuse dans un tel environnement que ses tiges poussent même à la surface de l'eau. Cette plante couvre-sol, qui apprécie autant le soleil que l'ombre, peut également s'accommoder de la présence d'arbres au feuillage léger et d'un sol à peine frais. Elle possède de petites feuilles rondes de couleur verte et porte plusieurs fleurs jaunes vers la fin du printemps et au début de l'été. Pour sa part, le cultivar 'Aurea' a un feuillage jaune moins résistant au soleil ; pour éviter qu'il ne sèche et ne blanchisse, placez-le à la mi-ombre ou à l'ombre légère (voir p. 251).

Renouée du Népal *(Persicaria affinis*, syn. *Polygonum affine)*, zone 3

La renouée du Népal est une vivace couvre-sol particulièrement efficace et très florifère qui mérite sans doute d'être utilisée davantage. Son feuillage très dense atteint à peine 10 cm de hauteur, tandis que ses fleurs, qui sont disposées en petits épis étroits, atteignent tout au plus 25 cm de hauteur. Ses fleurs roses apparaissent presque sans arrêt de la fin de juin à la fin de septembre. Ce couvre-sol s'implante rapidement dans une bonne terre à jardin brune bien drainée. Cette plante est parfois un peu envahissante, mais elle se contrôle relativement bien. La renouée du Népal peut également s'adapter aux terres pauvres et rocailleuses aussi bien qu'aux sols plus humides (voir p. 289).

Ombre dense

Muguet *(Convallaria majalis)*, ZONE 1

Le muguet est une petite vivace d'environ 20 cm de hauteur qui forme un couvre-sol très dense, quasi impénétrable par les herbes indésirables, dans presque toutes les situations. Il a une croissance maximale dans des endroits où l'ombre est légère ou même moyenne, en sol riche et frais. Par ailleurs, il pousse relativement bien à l'ombre dense en sol sec, mais sa floraison est alors moins abondante. Exposé au plein soleil, son feuillage a quelquefois tendance à brûler si le sol n'est pas maintenu humide. Si votre muguet a tendance à envahir vos plates-bandes, il est très facile de le confiner en le ceinturant d'une bordure de plastique ou de métal enfoncée dans le sol. Cette plante produit de jolies fleurs blanches très odorantes en forme de clochettes et qui s'épanouissent vers la fin de mai. On trouve sur le marché, quoique assez rarement, un superbe muguet à fleurs roses *(C. majalis* var. *rosea)*. Attention ! Les fruits rouges ainsi que toutes les autres parties du muguet sont toxiques.

Épimède rouge *(Epimedium x rubrum)*, zone 4 et épimède de Young *(E. x youngianum)*, ZONE 4

Plusieurs espèces et cultivars d'épimèdes forment de superbes couvre-sol touffus qui laissent rarement place aux mauvaises herbes. Ces vivaces, qui font habituellement 30 cm de largeur et de hauteur, s'implantent facilement dans les endroits ombragés où le sol est riche, frais et légèrement acide. Une fois établis, certains épimèdes peuvent tolérer les pires conditions : sol sec et ombre dense, sous des conifères, par exemple.

Au printemps, les nouvelles feuilles d'*E.* x *rubrum* sont presque entièrement teintées de rouge ; seules les nervures restent vertes. Durant l'été, le feuillage perd sa pigmentation rouge pour devenir uniformément vert. Plus tard, au début de l'automne, il devient rouge bronze. Cette plante produit aussi, vers la fin de mai et au début de juin, de jolies petites fleurs retombantes aux sépales rouges et aux pétales blanc jaunâtre. *E.* x *youngianum* arbore un feuillage en forme de cœur un peu allongé et de couleur verte qui prend une teinte rouge foncé à l'automne. Les cultivars offerts sur le marché ont une floraison assez tardive, qui survient habituellement en juin et parfois au début de juillet. 'Milky Way', 'Niveum' et 'Yenomato' possèdent des fleurs blanches, tandis que chez 'Roseum', la floraison est rose violacé. 'Capella', qui donne des fleurs d'un beau rose pâle, a été introduite aux États-Unis en 1985.

Ce mariage entre le muguet *(Convallaria majalis)* et le lamier maculé 'Silbergroschen' (*Lamium maculatum* 'Silbergroschen', syn. 'Beacon Silver') possède une allure très naturelle puisqu'il y a pénétration d'une espèce dans l'autre sans démarcation nette entre elles.

L'épimède rouge *(Epimedium x rubrum)* reste attrayant pendant près de sept mois grâce à ses fleurs et surtout à son magnifique feuillage vert bordé de rouge.

Lamier galéobdolon 'Herman's Pride' (*Lamiastrum galeobdolon* 'Herman's Pride').

Lamier galéobdolon *(Lamiastrum galeobdolon*, syn. *Lamium galeobdolon)*, ZONE 3

Le lamier galéobdolon, aussi appelé ortis jaune, est une des rares plantes à pouvoir pousser sous les arbres au feuillage très épais où l'ombre est dense et le sol sec. Après quelques années seulement, ce couvre-sol, qui peut être envahissant lorsque l'ensoleillement est plus important et la compétition racinaire moins intense, forme un tapis d'à peu près 30 cm de hauteur dense et impénétrable par les mauvaises herbes. De plus, il produit de jolies fleurs jaunes en mai et en juin. Vous pouvez également trouver sur le marché le cultivar 'Variegatum', au feuillage vert marqué d'un V de couleur grise, ainsi que le cultivar 'Herman's Pride', aux feuilles grises dont les nervures sont vertes. Ce dernier recouvre le sol moins rapidement, car il ne s'enracine pas aux nœuds, mais pousse plutôt en touffes compactes.

Lamier maculé *(Lamium maculatum)*, ZONE 3

La plupart des variétés de lamiers maculés recouvrent rapidement le sol et s'accommodent relativement bien de l'ombre dense. Toutefois, lorsque le sol est sec et colonisé par les racines des arbres, elles produisent un peu moins bien que le lamier galéobdolon. Les divers cultivars arborent généralement un feuillage panaché de gris qui apporte beaucoup de luminosité aux coins les plus sombres des jardins d'ombre. Chez 'Silbergroschen' (syn. 'Beacon Silver') et 'White Nancy', les feuilles sont presque entièrement grises avec une fine marge verte. Ces deux variétés possèdent respectivement des fleurs roses et des fleurs blanches. Pour sa part, 'Chequers' forme un feuillage vert traversé d'une bande grise. Ses fleurs sont rose très pâle. 'Golden Anniversary', nouvellement introduit sur le marché, possède un feuillage vert panaché de gris et de jaune.

Pachysandre *(Pachysandra terminalis)*, ZONE 4

Le pachysandre est une autre plante bien adaptée à l'ombre dense et sèche. Atteignant environ 25 cm de hauteur, son feuillage disposé en verticilles au bout des tiges forme un couvre-sol touffu. À cause de sa croissance lente, cette vivace peut mettre plusieurs années avant de recouvrir complètement le sol. Durant l'hiver, son feuillage persistant doit être bien protégé du vent afin d'éviter qu'il soit endommagé. Pour favoriser l'accumulation de neige, accompagnez le pachysandre de conifères comme le microbiota *(Microbiota decussata)* ou les ifs *(Taxus)*. Vous trouverez dans les jardineries et les pépinières deux variétés au feuillage vert bordé de blanc, soit 'Silver Edge' et 'Variegata'.

Le pachysandre 'Variegata' (*Pachysandra terminalis* 'Variegata') en compagnie du microbiota *(Microbiota decussata)*, un conifère qui tolère bien l'ombre.

Un étrange gingembre

Le gingembre sauvage *(Asarum canadense),* qui est une plante indigène des forêts feuillues de l'est de l'Amérique du Nord, a le goût du gingembre asiatique *(Zingiber officinalis)* et en possède les propriétés. Aussi appelée asaret du Canada, cette vivace un peu particulière produit une curieuse fleur solitaire brune insérée à la jonction des pétioles des deux seules feuilles qu'elle possède. Pour bien observer les fleurs, il faut donc écarter ses feuilles vertes et veloutées en forme de cœur. Le gingembre sauvage, qui est rustique jusqu'en zone 3, atteint au maximum 20 cm de hauteur et, en sol riche et frais, il se propage rapidement pour former un excellent couvre-sol. Il s'implante bien à l'ombre dense, au pied des érables. Il peut également pousser sous un ensoleillement partiel pourvu que le sol reste toujours bien frais. Comme toutes les autres espèces, le gingembre sauvage doit recevoir environ 2,5 cm d'épaisseur de compost à sa base tous les ans.

Le feuillage du gingembre sauvage *(Asarum canadense)* s'harmonise subtilement avec celui des fougères.

Gingembre de Shuttleworth *(Asarum shuttleworthii).*

Pour sa part, le gingembre européen *(A. europaeum)* constitue également un bon couvre-sol, mais aux dimensions plus restreintes. Son joli feuillage vert foncé luisant et réniforme atteint au plus 10 cm de hauteur. Bien qu'il préfère l'ombre légère ou moyenne, il possède comme son cousin nord-américain la merveilleuse qualité de pouvoir tolérer l'ombre dense si le sol est toujours frais. En revanche, comme cette vivace rustique en zone 4 possède un feuillage persistant, il est important qu'un épais couvert de neige la protège des vents hivernaux. Dans les régions où la couverture de neige est mince et inconstante, je vous recommande de la recouvrir de feuilles mortes bien déchiquetées avant l'arrivée de l'hiver.

Le gingembre européen *(Asarum europaeum)* accompagne à merveille les cultivars de hostas de petite taille, comme ce hosta 'Linda Lindsey' (*Hosta* 'Linda Lindsey').

Gingembre 'Select' (*Asarum splendens* 'Select').

Trois autres espèces de gingembre me fascinent. *A. shuttleworthii* forme une plante aux grandes feuilles vertes cireuses marquées d'originaux dessins vert pâle. Natif du sud-est des États-Unis, ce gingembre est rustique en zone 5, possiblement en zone 4. Avec son feuillage luisant en forme de cœur, *A. caudatum* est un bon couvre-sol. Il possède des fleurs rouges très attrayantes constituées de trois longs appendices situés à l'extrémité du calice. Enfin, *A. splendens* 'Select' arbore un superbe feuillage triangulaire vert foncé. Les feuilles sont marquées de taches grises disposées en ligne de chaque côté de la nervure centrale. Cette plante originaire de Chine est souvent zonée 6 dans certains catalogues de pépinières spécialisées, mais avec un bon couvert de neige ou un paillis, elle pousse relativement bien en zone 5. Associé à la fougère peinte (*Athyrium nipponicum* 'Pictum') et à l'astilbe de Chine 'Pumila' (*Astilbe chinensis* 'Pumila'), *A. splendens* 'Select' révèle toute la splendeur de son feuillage.

Crocosmia
Intenses crocosmias

Toutes les espèces de crocosmias, aussi appelés montbrétias, proviennent de l'Afrique du Sud. Avec leurs élégantes fleurs aux couleurs chaudes, semblables à celles des freesias, ces plantes singulières apportent une énergie et un dynamisme uniques aux aménagements. 'Lucifer', à la floraison rouge vif, est le cultivar le plus réputé et le plus facile à touver sur le marché horticole nord-américain. Je suis complètement fou de cette variété à floraison hâtive, dont les fleurs éclosent habituellement en juillet et en août, et qui atteint approximativement 1 m de hauteur, parfois un peu plus. J'aime aussi les grandes fleurs orange du cultivar 'Emily McKenzie', qui s'épanouissent en août, sur des tiges de 70 cm de hauteur.

Plantes bulbeuses

Tous les cultivars de crocosmias exigent le plein soleil ou la mi-ombre. Ils doivent être plantés dans un sol frais et particulièrement bien drainé. En terre argileuse, afin d'éviter toute accumulation d'eau, je propose d'ajouter un tiers de compost et un tiers de gravier fin à un tiers du sol existant. Si le sol extrait de la fosse de plantation est trop lourd ou de mauvaise qualité, il est préférable de le remplacer par une bonne terre à jardin brune. N'oubliez pas non plus d'ajouter une petite poignée d'os moulus dans chaque trou de plantation.

Une association d'une intensité inégalée entre le crocosmia 'Lucifer' (*Crocosmia* 'Lucifer'), les hémérocalles 'Thornbird' (*Hemerocallis* 'Thornbird'), et 'Ebony and Ivory' ('Ebony and Ivory'), la monarde 'Cambridge Scarlet' (*Monarda didyma* 'Cambridge Scarlet') et l'élyme *(Leymus secalinus)*.

Bien qu'ils soient principalement vendus en pots, les crocosmias font partie du groupe des plantes bulbeuses. Assurez-vous de planter les cormus — un organe de réserve semblable à un bulbe — à au moins 15 à 20 cm sous la surface du sol. En zone 5, ces plantes peuvent être laissées en terre pour l'hiver à condition de disposer un paillis de feuilles mortes déchiquetées à leur pied. Dans les régions plus froides, il est préférable de sortir les cormus de terre pour les hiverner dans un endroit frais où la température ne descend pas sous le point de congélation.

Associations gagnantes

Les crocosmias forment des arrangements empreints d'une grande puissance lorsqu'ils sont associés à des plantes à fleurs orange et jaunes comme les divers cultivars de camomilles des teinturiers *(Anthemis)*, de coréopsis verticillés *(Coreopsis verticillata)*, de rudbeckias *(Rudbeckia)* ainsi que certaines variétés de cannas *(Canna)* et d'hémérocalles *(Hemerocallis)*. Les fleurs de ces vivaces forment un étonnant contraste lorsqu'elles sont disposées près de feuillages pourpres comme celui du physocarpe 'Diabolo' (*Physocarpus opulifolius* 'Diabolo') ou celui de la persicaire 'Red Dragon' (*Persicaria microcephala* 'Red Dragon'). Pour un arrangement des plus spectaculaires, associez *Crocosmia* 'Emily McKenzie', aux fleurs orange, avec *Dahlia* 'Bishop of Llandaff' qui possède un feuillage pourpre et des fleurs rouges.

Le darméra *(Darmera peltata)* est une plante des plus spectaculaires qui doit occuper une place de choix dans un aménagement.

Darmera

Impressionnant darméra

Le darméra *(Darmera peltata)* est originaire des côtes de la Californie et de l'Oregon, aux États-Unis. On le trouve habituellement en montagne sur les rives des ruisseaux qui sillonnent les forêts conifériennes. Les feuilles du darméra prennent souvent des dimensions impressionnantes ; elles font parfois jusqu'à 60 cm de diamètre. Le pétiole, qui peut atteindre près de 1 m de hauteur, est attaché au centre de la feuille. Curieusement, les fleurs du darméra éclosent tôt au printemps, dès avril, avant l'apparition des feuilles. Ces fleurs roses, regroupées en masses sphériques, sont disposées au bout de hampes d'une hauteur d'environ 50 cm. Le darméra est rustique en zone 4.

Près d'un bassin

Le darméra affectionne les sols riches et humides. Il est parfaitement à son aise à la mi-ombre ou à l'ombre légère, à proximité d'un bassin. Chaque printemps, n'oubliez pas d'épandre environ 3,5 cm d'épaisseur de compost à sa base afin de maintenir le sol bien riche.

Associations gagnantes

Le darméra apprécie la présence des astilbes *(Astilbe)*, de la barbe-de-bouc *(Aruncus dioicus)*, des cierges d'argent *(Cimicifuga)* et de certaines fougères telles que la matteuccie fougère-à-l'autruche *(Matteuccia struthiopteris)* et l'osmonde royale *(Osmunda regalis)*. Il est également très intéressant de marier le darméra à des plantes à fleurs rouges comme *Fuchsia* 'Gartenmeister Bonstedt' et *Fuchsia* 'Mary'. Sur son feuillage, les fleurs aux coloris chauds ressortent davantage et créent un effet très vibrant.

Un tableau empreint de calme où la népéta de Sibérie *(Nepeta sibirica)* se marie subtilement au pied-d'alouette 'Blue Fountains' (*Delphinium* 'Blue Fountains').

Delphinium
Pieds-d'alouette princiers

Les pieds-d'alouette sont des vivaces spectaculaires qui confèrent toujours beaucoup de noblesse et d'opulence aux aménagements paysagers. Pendant longtemps, ces grandes plantes ont surtout été utilisées dans des arrangements à caractère champêtre. Aujourd'hui, avec l'arrivée de nouveaux coloris et de variétés plus basses, les pieds-d'alouette peuvent également être intégrés aux jardins d'allure plus moderne.

Premiers hybrides

Delphinium elatum, une plante aux fleurs bleues qui atteint jusqu'à 2 m de hauteur, est à l'origine de la plupart des hybrides qu'on trouve aujourd'hui sur le marché horticole. Cette vivace pousse à l'état sauvage en Europe, des Pyrénées jusqu'au massif montagneux du Caucase, ainsi qu'en Sibérie et en Chine. Elle a probablement été introduite dans les jardins européens vers 1597. Les hybridations faites à partir de cette espèce n'ont cependant commencé que vers la fin du XIXe siècle, en France et surtout en Angleterre.

D. x *belladonna* fut l'un des premiers hybrides obtenus par les horticulteurs. Il est issu d'un croisement entre *D. elatum* et *D. grandiflorum*. À partir de 1857, l'Anglais Kelways, le Hollandais Ruys et le Français Lemoine ont procédé à de nombreux travaux d'hybridation qui ont mené à la création d'une foule de magnifiques cultivars tels que 'Lamartine' et 'Moerheimii', toujours vendus dans les jardineries et les pépinières. Les hybrides de *D.* x *belladonna* ont la particularité d'apprécier un ensoleillement soutenu et un peu plus de chaleur que les autres pieds-d'alouette. Parmi les hybrides de grande taille, la majorité de ces variétés sont les plus petites; elles font entre 70 cm et 1,50 m. Leur floraison, qui survient en juin et en juillet, effectue très souvent une remontée en fin de saison. En effectuant la taille des fleurs fanées, vous obtiendrez une autre floraison assez abondante en août et en septembre. Je vous recommande les

Nom latin: *Delphinium.*
Nom commun: pied-d'alouette.
Famille: renonculacées.
Feuillage: feuilles palmées et découpées en plusieurs lobes dentés.
Floraison: chaque fleur possède cinq sépales pétaloïdes, parfois plus. Le sépale du haut est souvent terminé par un éperon. Au centre de la fleur se trouvent les pétales, beaucoup plus petits et habituellement de couleur blanche ou noire. Au nombre de deux, quatre ou six, les pétales forment ce qu'on appelle la mouche. Les fleurs sont disposées en longs épis. Selon les espèces et les cultivars, la floraison est blanche, jaune, rose, rouge, violette ou bleue.
Période de floraison: fin du printemps, été et automne.
Exposition: soleil.
Sol: riche, frais et bien drainé.
Rusticité: à partir de la zone 2.

Pied-d'alouette 'West End Blue'
(*Delphinium* x *belladonna* 'West End Blue').

RENSEIGNÉ LE JARDINIER

La culture des pieds-d'alouette

La culture des pieds-d'alouette hybrides peut parfois être décevante. Ce sont pour la plupart des vivaces très résistantes au froid, mais qui tolèrent mal les chaudes nuits d'été. La majorité des hybrides ont une vie assez courte ; certains cultivars doivent même être remplacés après deux ou trois ans seulement. Par ailleurs, plusieurs de ces plantes fleurissent dans les semaines qui suivent leur germination.

Si on leur prodigue des soins adéquats, les pieds-d'alouette peuvent tout de même donner beaucoup de satisfaction. Plantez-les dans un sol riche en humus, toujours frais et situé en plein soleil. Pour maintenir une certaine humidité dans le sol, je recommande de disposer un paillis organique d'une épaisseur d'environ 5 à 7,5 cm à la base de vos pieds-d'alouette. En plein été, assurez-vous de leur donner environ 2,5 cm d'eau par semaine, en un seul apport.

Les hybrides de pieds-d'alouette sont tous extrêmement voraces. Épandez annuellement 2,5 cm d'épaisseur de compost à leur base. Vous pouvez même augmenter l'apport à 3,5 cm pour les cultivars de grandes dimensions. De plus, une fertilisation riche en phosphore et en potassium favorise nettement leur floraison. Tous les deux ans, appliquez 90 ml (trois poignées) d'os moulus et 30 ml (une poignée) de sulfate de potassium et de magnésium (Sul-Po-Mag) par plant. Chaque été, durant les mois de mai et de juin, vous pouvez même asperger les feuilles à deux ou trois reprises d'un mélange d'algues liquides et d'eau afin d'obtenir une floraison de meilleure qualité.

Les hybrides de pieds-d'alouette sont très sensibles aux maladies fongiques. Leur feuillage peut jaunir ou brunir à la suite de l'attaque d'un champignon, sans que cela leur soit pour autant fatal. Vous pouvez utiliser un fongicide à base de soufre pour guérir les plants atteints.

cultivars 'Casa Blanca', aux fleurs blanches portées par des tiges de 1,50 m, et 'West End Blue', un tout nouvel hybride qui produit une douce floraison bleu clair durant tout l'été jusqu'au mois d'octobre. Puisqu'il n'atteint guère plus de 1 m de hauteur, 'West End Blue' ne nécessite aucun tuteurage. La plupart des hybrides de *D.* x *belladonna* sont rustiques en zone 2.

Créations récentes

Certains cultivars obtenus au XXe siècle sont classés dans le groupe des hybrides Pacific. Plusieurs plantes appartenant à ce groupe ont été obtenues par l'Américain Frank Reinelt. Ces grandes vivaces qui font près de 2 m sont les plus faciles à trouver sur le marché nord-américain. Leur faiblesse ? Leurs tiges sont souvent molles et ont tendance à se coucher au sol. Il est donc presque toujours nécessaire de les tuteurer. De façon générale, ces variétés sont reproduites assez fidèlement par semis. Il peut tout de même arriver qu'il y ait une légère variation dans la couleur des fleurs. Je trouve les hybrides européens beaucoup plus intéressants que les hybrides Pacific. Malheureusement, ils sont plutôt difficiles à trouver sur le marché nord-américain. Cela est probablement dû au fait qu'ils sont généralement propagés par bouture ou par division. À la suite de divers travaux effectués à Wisley, le jardin de la Royal Horticultural Society d'Angleterre, plusieurs hybrides aux coloris inattendus ont été obtenus. Au début des années 1990, presque 40 ans après le début des recherches, des pieds-d'alouette aux fleurs jaunes, pêche, abricot, saumon et roses ont enfin été mis sur le marché. Peut-être aurons-nous un jour la chance de trouver ces plantes au Canada.

D'autres cultivars obtenus par le célèbre hybrideur allemand Karl Foerster sont encore plus productifs et plus sains que les variétés américaines et anglaises. La majorité de ces plantes ont un port stable et sont assez résistantes aux maladies fongiques. Parmi tous ces cultivars, je tiens à mentionner 'Junior', aux fleurs bleu clair avec une mouche blanche, et 'Merlin', dont les fleurs bleu pâle sont aussi garnies d'une mouche blanche.

Je propose tout de même de faire l'essai de certaines variétés appartenant au groupe des hybrides Pacific. 'Astolat' et 'Guinevere' sont des cultivars très originaux. Le premier produit de surprenantes fleurs roses teintées de mauve, alors que le second possède des fleurs bleu pâle dont

Pied-d'alouette 'Guinevere' (*Delphinium* 'Guinevere').

Quand le tuteurage est la seule solution

Comme bien d'autres plantes vivaces, les grands hybrides de pieds-d'alouette se cassent facilement et s'écrasent au sol sous l'effet du vent et de la pluie. Afin d'éviter ce problème, vous devez absolument les tuteurer. La première qualité d'un bon tuteur est de ne pas être visible et de se confondre avec le feuillage. Le tuteurage peut se faire selon plusieurs méthodes ; en voici deux qui figurent parmi les plus simples et les plus efficaces.

La première technique convient aux très grandes vivaces telles que les pieds-d'alouette *(Delphinium),* les digitales *(Digitalis)* et certains grands rudbeckias *(Rudbeckia)*. Vous devez tuteurer ces vivaces quelques semaines avant le début de leur floraison. Pour chacune des tiges florales, placez un tuteur et, à environ 15 à 20 cm sous la hauteur présumée de la fleur, fixez une attache. Personnellement, j'utilise une mince bande de bas nylon que j'enlace autour de la tige en formant un 8. Ce petit truc évite à la tige d'être trop serrée. Utilisez des tuteurs discrets, de couleur verte ou noire, et minces mais faits de matériaux solides.

Bien qu'elle convienne parfaitement à certaines des grandes vivaces mentionnées plus haut, cette deuxième technique concerne surtout les plantes un peu plus basses et plus touffues telles que les achillées *(Achillea),* les asters de la Nouvelle-Angleterre *(Aster novae-angliae),* certaines grandes campanules *(Campanula),* la centaurée des montagnes *(Centaurea montana)* ainsi que les divers cultivars de pivoines *(Paeonia)* à fleurs doubles. Autour de ces plantes, disposez trois ou quatre piquets et assurez-vous de les ancrer assez profondément dans le sol (au moins à 30 cm de profondeur). Reliez ensuite ces piquets avec des cordes de nylon résistantes, une première à environ 30 à 40 cm du sol et une seconde à 15 à 20 cm sous la hauteur présumée des fleurs. Durant les semaines suivantes, orientez toutes les tiges rebelles à l'intérieur de ces cordes.

Certaines vivaces qui ont tendance à s'affaisser peuvent être plantées en présence de vivaces solides ou d'arbustes qui les soutiendront. Cela vous évitera d'avoir à les tuteurer. Enfin, il est très important de ne pas surfertiliser vos vivaces et de vous assurer qu'elles sont parfaitement adaptées au milieu où vous les plantez, afin d'éviter qu'elles n'aient des tiges trop longues et molles.

certains sépales sont teintés de lilas. Quant à 'Black Knight', aux fleurs bleu violacé avec une mouche noire, et 'King Arthur', aux superbes fleurs d'un riche bleu violacé avec une mouche blanche, ils ont une allure très noble.

Il existe également des cultivars particulièrement vigoureux classés sous les hybrides Magic Fountains et qui sont très semblables aux hybrides Pacific. Ils possèdent cependant des tiges plus solides qui n'atteignent pas plus de 1 m de hauteur.

Des fleurs jusqu'en octobre

D. grandiflorum, originaire de Sibérie, de Mongolie, de Chine et du Japon, est une petite espèce qui fait environ 60 cm de hauteur. Il a donné naissance à quelques variétés fort attrayantes et faciles à trouver sur le marché. D'allure peu formelle, 'Blue Butterfly', qui possède des fleurs d'un bleu très intense, atteint 30 cm de hauteur. 'Blue Elf' arbore quant à lui des fleurs d'un bleu un peu plus foncé et atteint des dimensions légèrement plus grandes que 'Blue Butterfly'. Plantés au jardin vers la fin d'avril, ces deux cultivars commencent à fleurir en juin et continue jusqu'à la mi-octobre. Malheureusement, il faut traiter ces plantes comme des annuelles puisqu'elles ne reviennent pas toujours le printemps suivant. À partir de la fin de l'été, ne taillez pas les fleurs fanées pour que les semences puissent se former et tomber au sol. De cette façon, vous serez certains d'obtenir de nouveaux plants l'été qui suit.

Associations gagnantes

Les grands pieds-d'alouette s'intègrent bien aux plantations romantiques composées de céphalaires géantes *(Cephalaria gigantea)*, de lis *(Lilium)*, de rosiers *(Rosa)* et de molènes *(Verbascum)*. Les hybrides aux dimensions plus restreintes peuvent former de beaux arrangements avec les achillées *(Achillea)*, les cultivars d'hémérocalles *(Hemerocallis)* à fleurs jaunes ou orange et la nepeta 'Six Hills Giant' (*Nepeta* x *faassenii* 'Six Hills Giant'). Afin qu'ils soient bien perçus par l'œil de l'observateur, les cultivars de pieds-d'alouette aux fleurs bleu violacé doivent idéalement être placés devant des plantes au feuillage jaune comme le physocarpe 'Golden Nugget' (*Physocarpus opulifolius* 'Golden Nugget').

Deux plantes très florifères qui forment un superbe contraste: le pied-d'alouette à grandes fleurs 'Blue Elf' (*Delphinium grandiflorum* 'Blue Elf') et l'achillée 'Anthea' (*Achillea* 'Anthea').

Pied-d'alouette 'King Arthur' (*Delphinium* 'King Arthur').

Delphinium

DYNAMISME TRANQUILLE

soleil

Voici une scène très harmonieuse et paisible d'où émane une petite pointe de dynamisme grâce à la présence des fleurs jaune vif de l'achillée 'Moonshine'. Remarquez que les fleurs du penstémon 'Husker Red' font écho à la floraison du pied-d'alouette 'Astolat', ce qui contribue à maintenir l'unité de l'ensemble. Un arrangement facile à entretenir qui donnera de bons résultats s'il bénéficie de plus de six heures d'ensoleillement par jour. Cette plantation a été créée par Gérard Dea.

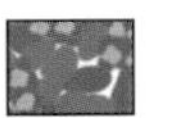

Pied-d'alouette 'Astolat' (*Delphinium* 'Astolat')

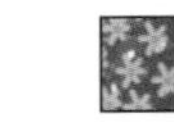

Coréopsis verticillé 'Moonbeam' (*Coreopsis verticillata* 'Moonbeam')

Penstémon 'Husker Red' (*Penstemon digitalis* 'Husker Red')

Népéta 'Six Hills Giant' (*Nepeta* x *faassenii* 'Six Hills Giant')

Achillée 'Moonshine' (*Achillea* 'Moonshine')

Seringat doré (*Philadelphus coronarius* 'Aureus')

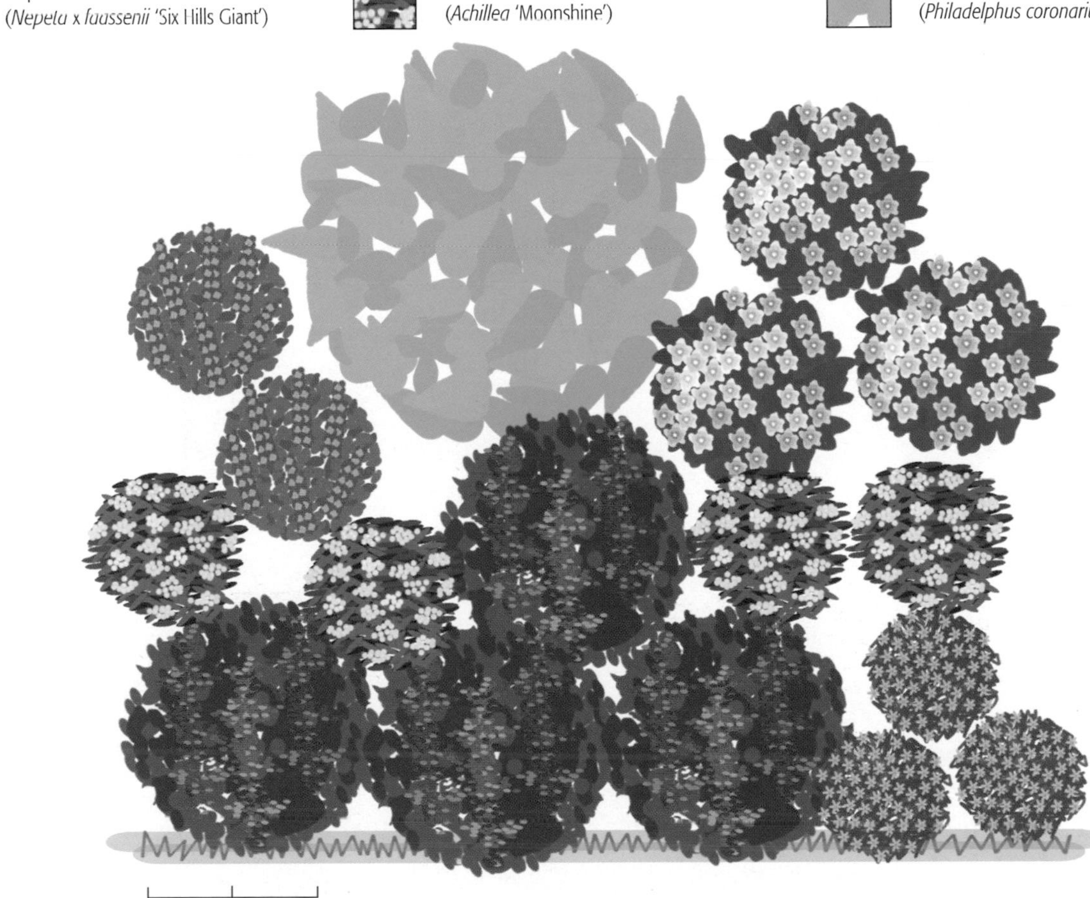

Dicentra
Cœur-saignant

Avec leurs tiges gracieusement arquées qui portent de délicates fleurs, les cœurs-saignants sont des plantes tout à fait charmantes. Leur nom commun a été inspiré par leurs fleurs en forme de cœurs desquels semble s'échapper une goutte de sang formée par les pétales intérieurs. Les cœurs-saignants sont aussi appelés dicentres.

Origine forestière

Le cœur-saignant le plus connu est *Dicentra spectabilis*, une imposante plante vivace qui peut atteindre près de 1 m de hauteur sur autant en largeur. C'est une plante indigène des forêts humides de Corée et du nord de la Chine. Rustique, elle peut pousser jusqu'en zone 2. Sa floraison rose et blanche, qui dure environ quatre semaines, débute vers la fin de mai. Le cultivar 'Alba' arbore de magnifiques fleurs d'un blanc très pur. Comme la plupart des autres cœurs-saignants, cette espèce préfère la mi-ombre ou l'ombre légère et doit bénéficier d'un sol riche et humide. Chaque printemps, vous pouvez lui fournir environ 2,5 cm d'épaisseur de compost.

Le cœur-saignant du Pacifique *(D. Formosa)* est une plante de petite taille originaire des forêts de séquoias de la Californie. Semblable à l'espèce, le populaire cultivar 'Luxuriant' produit une très abondante floraison rose qui s'échelonne de mai à la fin de septembre ou même parfois au début d'octobre. Le feuillage de cette petite plante vivace, qui n'atteint pas plus de 30 cm de hauteur sur autant de largeur, est finement découpé comme celui des fougères, ce qui la rend encore plus attrayante. Ce cœur-saignant doit être planté en sol riche et frais à la mi-ombre ou à l'ombre légère. Dans une terre constamment humide, il tolère cependant un ensoleillement plus soutenu que *D. spectabilis*. Il peut aussi pousser à l'ombre modérée, mais sa floraison est alors moins abondante. Outre 'Luxuriant', plusieurs cultivars rustiques en zone 3 sont offerts sur le marché. Je suggère 'Adrian Bloom' et 'Bountiful', tous deux à fleurs rose foncé, ainsi que 'Zestful', qui forme des fleurs d'un rose très pâle. 'Langtrees'

Cœur-saignant du Pacifique 'Luxuriant' (*Dicentra formosa* 'Luxuriant').

Nom latin : *Dicentra.*

Nom commun : cœur-saignant.

Famille : fumariacées.

Feuillage : feuilles composées très découpées, semblables à celles des fougères.

Floraison : curieuses petites fleurs en forme de cœurs roses ou blanches. Les fleurs sont groupées en épis arqués.

Période de floraison : printemps et été.

Exposition : mi-ombre, ombre légère. Certaines espèces et variétés tolèrent le plein soleil ou l'ombre modérée.

Sol : riche, humide et bien drainé.

Rusticité : à partir de la zone 2.

ASTUCIEUX

LE JARDINIER

Évitez qu'il jaunisse

Exposé au soleil ardent, le feuillage de *D. spectabilis* jaunit et meurt une fois sa floraison complétée. Ce phénomène indique qu'il entre dans une période de dormance et qu'il ne se manifestera probablement qu'au printemps suivant. Il est alors essentiel de rabattre toutes ses tiges au ras du sol et d'installer des plantes annuelles afin de garnir cette trouée. Il est cependant possible d'éviter ce problème en plantant le cœur-saignant dans un endroit frais et partiellement ombragé où il sera bien protégé des chauds rayons du soleil d'après-midi.

Assurez-vous également de maintenir bien humide le sol où plongent ses racines en disposant un paillis organique à sa base.

Les divers cultivars de cœurs-saignants du Pacifique s'associent à merveille avec les petits hostas. Cet arrangement est composé de *Dicentra formosa* 'Langtrees' et de *Hosta* 'Golden Tiara'.

est un cultivar que j'apprécie particulièrement; il arbore des fleurs de couleur crème dont le bas des pétales intérieurs est teinté de rose brunâtre. *D. eximia* possède une allure et des exigences culturales très semblables à son cousin *D. formosa*. Cependant, ses fleurs rose pâle sont plus étroites et les pétales externes sont très retroussés. *D. eximia* et ses cultivars sont des plantes délicates qui prennent un certain temps à s'établir dans les plantations.

Le cœur-saignant à capuchon *(D. cucullaria)* et le cœur-saignant du Canada *(D. canadensis)*, faisant tous deux à peine 30 cm de hauteur, poussent de façon spontanée dans les forêts d'Amérique du Nord. Leurs fleurs blanches s'épanouissent au printemps, en mai. Dans les aménagements, ils s'établissent très bien sous le couvert des arbres dans un sol humide et riche en humus. Une fois leur floraison terminée, ces plantes entrent habituellement en dormance et peuvent alors tolérer un sol plus sec et très ombragé. Assez rares sur le marché, ces deux espèces sont tout de même offertes dans certaines pépinières spécialisées.

Associations gagnantes

D. spectabilis s'harmonise particulièrement bien aux ancolies *(Aquilegia)*, à la valériane grecque *(Polemonium caeruleum)* ainsi qu'aux pigamons *(Thalictrum)*. Pour leur part, les cœurs-saignants de petites dimensions peuvent être intégrés aux plantations ombragées en compagnie du myosotis du Caucase *(Brunnera macrophylla)*, des petits cultivars de hostas *(Hosta)*, du phlox divariqué *(Phlox divaricata)* et des pulmonaires *(Pulmonaria)*.

Cœur-saignant à capuchon *(Dicentra cucullaria)*.

Elles ressemblent aux cœurs-saignants

Les corydales, proches parentes des cœurs-saignants, font également partie de la famille des fumariacées. La corydale jaune *(Corydalis lutea)* est native des Alpes. D'une hauteur d'au plus 30 cm, elle produit de belles fleurs jaunes qui ne cessent d'éclore à partir de mai jusqu'à la fin de septembre. Elle est particulièrement bien adaptée aux sols rocailleux mais toujours frais situés à la mi-ombre ou à l'ombre légère. En outre, elle s'implante facilement entre les pierres des murets. Cette espèce est possiblement rustique jusqu'en zone 3. Les corydales 'Blue Panda' et 'China Blue' (*C. flexuosa* 'Blue Panda' et 'China Blue'), introduites au Canada il y a quelques années, préfèrent les sols légers, riches en humus et humides. Assurez-vous d'installer un paillis à leur base pour maintenir une humidité constante. Elles se plaisent très bien à l'ombre légère ou à l'ombre moyenne. Ces deux corydales produisent de jolies fleurs d'un bleu profond. Leur floraison débute tôt en saison, parfois dès la fin d'avril, et se poursuit jusqu'en juillet. Par la suite, elles entrent généralement en période de dormance et peuvent parfois refleurir un peu au début de l'automne. Bien que ces plantes soient rustiques en zone 4, je recommande de les couvrir d'une couche de feuilles mortes déchiquetées avant l'hiver, surtout dans les régions où le couvert de neige est instable.

Corydale 'Blue Panda' (*Corydalis flexuosa* 'Blue Panda').

La corydale jaune *(Corydalis lutea)* en compagnie du bégonia 'Nonstop Red' (*Begonia* 'Nonstop Red').

Rose poésie

mi-ombre

Le rose est une couleur qui évoque le romantisme. Les roses sont issus du rouge auquel a été ajouté un peu de jaune ou de bleu ainsi qu'une certaine quantité de blanc. Les roses dérivés du rouge vermillon sont chauds et tirent sur le pêche, alors que ceux qui sont obtenus à partir du rouge cramoisi sont plutôt bleutés et froids. Afin d'éviter les associations disparates, assurez-vous d'utiliser ces deux types de roses séparément. Cette douce scène est particulièrement harmonieuse parce que seuls des roses froids la composent. Les fleurs d'un violet très peu saturé de l'ail décoratif viennent donner un peu d'opulence et de profondeur à cet ensemble. Cet arrangement conçu et réalisé par Robert Contant nécessite un endroit situé à la mi-ombre. Assurez-vous que ces plantes soient protégées des rayons ardents du soleil d'après-midi.

Cœur-saignant
(Dicentra spectabilis)

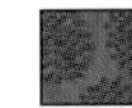
Ail décoratif
(Allium aflatunense)

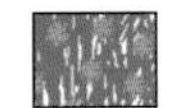
Ciboulette 'Forescate'
(Allium schoenoprasum 'Forescate')

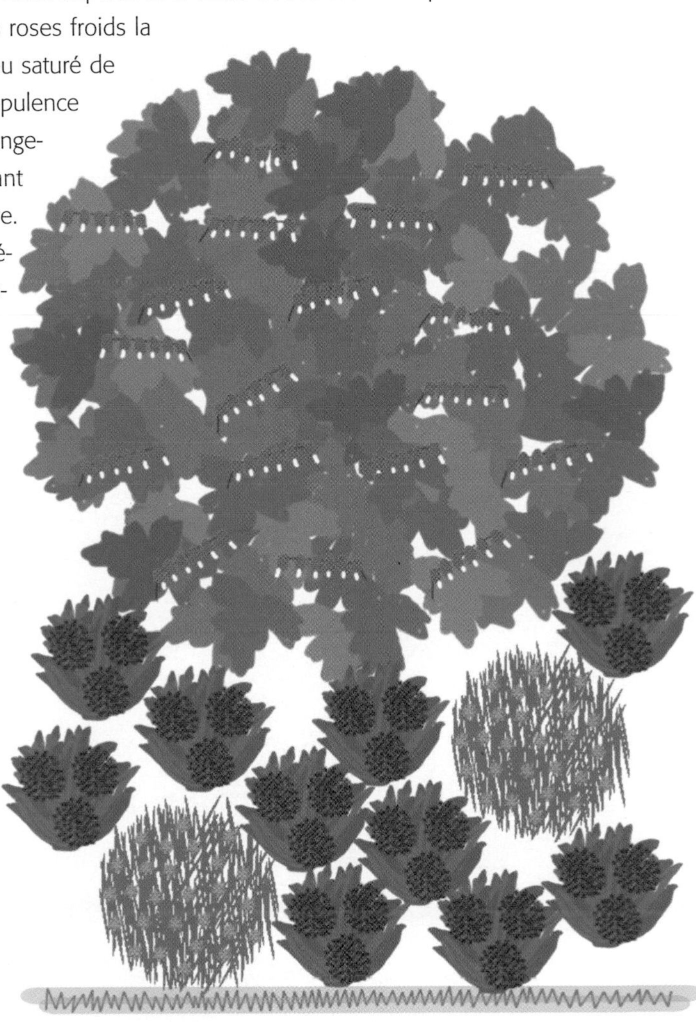

50 cm

Digitale à grandes fleurs *(Digitalis grandiflora).*

Doux mariage entre la digitale jaune *(Digitalis lutea)* et la campanule à feuilles de pêcher 'Alba' (*Campanula persicifolia* 'Alba').

Digitalis

Vivaces ou pas, ces digitales ?

Bien qu'il arrive exceptionnellement que la digitale pourpre *(Digitalis purpurea)* et ses cultivars soient vivaces, il faut plutôt considérer ces plantes comme des bisannuelles. La première année suivant le semis, elles ne forment que du feuillage. La seconde année, elles fleurissent, produisent leurs semences et meurent. Je suggère donc de ne pas couper leurs hampes florales une fois la floraison terminée, pour permettre aux semences de tomber au sol et ainsi assurer leur pérennité. Toutefois, pour obtenir des fleurs tous les ans, vous devrez effectuer un semis chaque printemps. La digitale pourpre est une grande plante qui atteint approximativement 1,50 m de hauteur. Ses fleurs rose légèrement pourpré, qui éclosent en juin et en juillet, sont regroupées en longs épis. Plusieurs cultivars, à floraison blanche, abricot ou rose pâle, sont également offerts sur le marché horticole.

Par ailleurs, certaines autres espèces de digitales peuvent vivre de nombreuses années. La digitale à grandes fleurs *(D. grandiflora)* est beaucoup plus vivace que *D. purpurea*. C'est en juillet et en août qu'éclosent ses grandes fleurs jaunes supportées par des tiges d'environ 1 m. Cette superbe plante donne beaucoup de noblesse aux aménagements. *D.* x *mertonensis*, issue d'un croisement entre *D. purpurea* et *D. grandiflora*, possède de belles fleurs rose pâle. Elle est également vivace, mais peu longévive. De toutes les espèces décrites ici, la digitale jaune *(D. lutea)* est celle qui a la vie la plus longue. Ses fleurs jaunes sont plus petites que celles de *D. grandiflora* et se forment en juin et en juillet. La plupart des digitales vivaces sont rustiques jusqu'en zone 3.

Sol riche

Les digitales poussent bien dans les sols riches, humides et bien drainés. Elles peuvent facilement s'accommoder d'une terre argileuse amendée de compost. Fournissez-leur tous les ans 2,5 cm d'épaisseur de compost. Elles se plaisent en plein soleil et à la mi-ombre, mais elles supportent également l'ombre sous des arbres au feuillage léger ou à la lisière d'un boisé.

Associations gagnantes

Les digitales peuvent former de très beaux aménagements lorsqu'elles sont disposées avec les aconits *(Aconitum)*, la barbe-de-bouc *(Aruncus dioicus)*, les astilbes *(Astilbe)*, les campanules *(Campanula)*, les cierges d'argent *(Cimicifuga)* et les grandes fougères. Vous obtiendrez un arrangement des plus magnifiques en plantant côte à côte *Astilbe chinensis* var. *taquetii* 'Purpurlanze', *Campanula lactiflora* 'Loddon Anna' et *D. grandiflora*.

Echinacea
Fidèle échinacée

L'échinacée est une plante vivace reconnue pour sa fiabilité et sa floraison particulièrement prolongée. Fidèle, elle égaie les jardins chaque été avec ses abondantes fleurs d'allure tout à fait singulière. Sa floraison débute en juillet et ne se termine habituellement qu'à la fin de septembre.

Belle américaine

L'échinacée pourpre *(E. purpurea)* est une vivace rustique en zone 3, qui croît à l'état sauvage dans les prairies des États-Unis. En plus d'avoir certaines propriétés médicinales, cette magnifique plante possède plusieurs qualités ornementales indéniables. En fait, elle n'a pratiquement pas de défaut. Elle fleurit sur une période de presque trois mois et s'adapte à divers environnements sans exiger de soins particuliers. 'Magnus', aux grandes inflorescences dont les pétales retombent peu, est à mon avis le cultivar le plus intéressant et le plus productif. Cette échinacée, d'une hauteur d'environ 80 cm, a d'ailleurs été nommée vivace de l'année 1998, aux États-Unis, par la Perennial Plant Association. La plupart des autres variétés, incluant 'Bravado' et 'Leuchstern' (syn. 'Bright Star'), sont de moindre qualité. Toutefois, deux nouveaux cultivars retiennent mon attention : 'Kim's Knee High', aux pétales très retombants et qui ne fait que 50 cm de hauteur, ainsi que 'Green Heart', au cœur de couleur verte. Quelques variétés à fleurs blanches sont également vendues dans les jardineries et les pépinières. 'Alba' et 'White Swan', toutes deux d'une beauté exceptionnelle, sont les plus faciles à trouver sur le marché.

Nom latin : *Echinacea.*
Nom commun : échinacée.
Famille : composées.
Feuillage : feuilles lancéolées plutôt rugueuses.
Floraison : le cœur des inflorescences, en forme de cône, est constitué d'une multitude de petites fleurs apétalées de couleur rouille-orangé, tandis qu'au pourtour on trouve des fleurs qui possèdent un seul pétale souvent retombant. Selon les espèces et les cultivars, les pétales sont blancs, jaunes ou roses.
Période de floraison : été.
Exposition : soleil, mi-ombre.
Sol : s'adapte à divers types de sols frais et bien drainés.
Rusticité : zone 3.

Rares

D'autres espèces d'échinacées peuvent aussi être intégrées aux aménagements paysagers. *E. pallida,* originaire du centre et de l'ouest des États-Unis, est une vivace peu longévive qui atteint environ 1 m de hauteur. Elle possède une floraison très particulière. Les fleurs situées au pourtour de ses inflorescences possèdent des pétales rose pâle très retombants ; minces et longs,

Une plantation spectaculaire où l'échinacée pourpre 'Magnus' (*Echinacea purpurea* 'Magnus') est associée à la véronique à longues feuilles *(Veronica longifolia)* et à la verveine de Buenos Aires *(Verbena bonariensis),* une annuelle qui s'harmonise très bien à la plupart des vivaces.

RENSEIGNÉ

LE JARDINIER

La culture des échinacées

Les échinacées se cultivent facilement dans une terre à jardin brune fraîche et exposée au soleil. Ces plantes vigoureuses et résistantes s'adaptent également à la mi-ombre ainsi qu'à plusieurs autres types de sols, pourvu qu'ils se drainent adéquatement, surtout en automne et en hiver. Grâce à leurs épaisses racines qui ont la capacité d'emmagasiner l'eau, les échinacées sont extrêmement tolérantes à la sécheresse. Bien que cela ne soit pas absolument nécessaire, les échinacées peuvent recevoir jusqu'à 1 cm d'épaisseur de compost chaque année.

La majorité des espèces et des variétés peuvent être obtenues par semis. La mise en terre des semences doit être faite à l'automne. Les jeunes plants mettent généralement deux ou trois ans à produire leurs premières fleurs. Cependant, en utilisant des graines récoltées sur vos propres plants plutôt que des semences commerciales, vous risquez d'obtenir des rejetons différents des parents. C'est pourquoi il est préférable de tailler les fleurs fanées dès que la floraison est terminée. La multiplication à partir de fragments de racines et le bouturage permettent de propager les cultivars sans qu'il y ait modification de leurs caractéristiques. Bien qu'elle soit facile à exécuter, la division des échinacées donne habituellement des plants plus trapus et un peu moins florifères.

L'échinacée pourpre 'White Swan' (*Echinacea purpurea* 'White Swan') et la liatride en épis 'Floristan Violet' (*Liatris spicata* 'Floristan Violet') forment des arrangements très dynamiques lorsqu'elles sont plantées ensemble.

ils atteignent 10 cm de longueur. *E. paradoxa* ne ressemble pas aux autres espèces d'échinacées ; elle arbore plutôt des fleurs aux pétales jaunes. Comme c'est une plante qui affectionne les sols secs des prairies américaines, elle a tendance à s'écraser au sol si elle est plantée en terre argileuse lourde et humide. Enfin, *E. tennesseensis*, atteignant environ 60 cm de hauteur, est à mon avis une des espèces qui possèdent le meilleur potentiel pour l'horticulture. Très vigoureuse, elle porte des pétales rose vif légèrement recourbés vers le haut.

Echinacea paradoxa.

Echinacea pallida.

Associations gagnantes

Les échinacées s'agencent particulièrement bien aux divers cultivars d'hémérocalles *(Hemerocallis)*, de liatrides en épis *(Liatris spicata)*, de véroniques en épis *(Veronica spicata)*, d'orpins à feuillage pourpre *(Sedum)*, ainsi qu'à certaines annuelles de grandes dimensions telles que la verveine de Buenos Aires *(Verbena bonariensis)* et la nicotine sylvestre *(Nicotiana sylvestris)*. De beaux mariages d'allure très actuelle sont obtenus avec les graminées comme l'achnatherum calamagrostide *(Achnatherum calamagrostis)* et la calamagrostide 'Stricta' (*Calamagrostis* x *acutiflora* 'Stricta').

LE JARDINIER RENSEIGNÉ

En danger d'extinction

Les échinacées sont très populaires à cause de leurs propriétés médicinales. Malheureusement, plusieurs espèces sont maintenant rares ou carrément en voie de disparaître de leur milieu naturel à la suite de prélèvements massifs effectués en vue d'en faire le commerce. Parmi les 34 000 plantes éteintes ou menacées d'extinction qui figurent dans la *Red List of Threatened Plants* publiée en 1998, on trouve quatre espèces d'échinacées, soit *E. simulata, E. paradoxa, E. laevigata* et *E. tennesseensis* qui s'ajoutent à *E. atrorubens* et *E. sanguinea* qui étaient déjà très rares dans la nature.

Je continue cependant de croire que la culture des plantes sauvages d'Amérique du Nord est une pratique à encourager. Dans un avenir rapproché, peut-être que plusieurs espèces éteintes pourront être réintroduites dans la nature grâce aux spécimens cultivés dans certains jardins. Une chose est sûre, il est préférable de ne jamais prélever de plantes indigènes dans la nature. Achetez plutôt des semences ou des plantes en pots dans des pépinières qui les produisent de façon responsable. Informez-vous auprès du pépiniériste de la provenance de ses plants et de ses semences. Si vous le soupçonnez de les prélever dans la nature, ne vous approvisionnez pas à cet endroit.

Echinacea

FORMES ET TEXTURES

soleil, mi-ombre

Il est possible de réaliser des plantations très dynamiques avec peu de couleurs. Cette plate-bande où le blanc domine n'est pas monotone puisqu'on y a agencé des fleurs dont les formes et les textures contrastent fortement. Notez aussi que la présence de rouille et d'orangé dans les fleurs des échinacées pourpres 'Alba' et de l'hortensia à feuilles de chêne fait ressortir les détails des diverses fleurs qui composent cette scène. Ce magnifique aménagement peut être réalisé dans un sol frais et bien drainé situé en plein soleil ou à la mi-ombre. Cette composition a été imaginée par Darrel Apps.

Échinacée pourpre 'Alba'
(Echinacea purpurea 'Alba')

Clématite 'Huldine'
(*Clematis* 'Huldine'),
grimpant dans l'hortensia

Hortensia à feuilles de chêne *(Hydrangea quercifolia)*,
qui peut être remplacé par l'hortensia paniculé 'Kyushu'
(Hydrangea paniculata 'Kyushu')

Hémérocalle 'Lime Frost'
(*Hemerocallis* 'Lime Frost')

Eryngium

Piquants, les panicauts !

Au jardin, les panicauts provoquent de vives réactions. Leur étonnante et spectaculaire floraison ne peut laisser personne indifférent. Avec leurs inflorescences sphériques aux teintes métalliques, ces vivaces ressemblent beaucoup à des chardons. Elles font pourtant partie de la famille de la carotte : les ombellifères.

Géant

La grande majorité des espèces de panicauts sont vivaces, à l'exception du très impressionnant panicaut géant *(E. giganteum)* qui est bisannuel et qui se ressème facilement. Des inflorescences allongées à la base desquelles se trouvent de grandes bractées argentées très découpées donnent une allure tout à fait singulière à cette plante haute d'environ 1 m. Le cultivar 'Silver Ghost' possède des bractées plus divisées que celles de l'espèce. De plus, ces bractées conservent leur couleur argentée plus longtemps une fois l'automne venu. Ce cultivar d'une exceptionnelle beauté a reçu un Award of Garden Merit en 1999.

Bleu intense

Presque tous les panicauts offerts sur le marché horticole nord-américain sont originaires d'Europe et d'Asie. Très vigoureux et rustique en zone 3, *E. planum* est une espèce populaire qui a donné naissance à plusieurs cultivars très performants. 'Flüela', qui atteint environ 1,50 m de hauteur, est la variété la plus haute. 'Bethlehem', qui a été primé récemment d'un Award of Garden Merit, fait 1 m de hauteur et possède de belles fleurs bleu grisâtre. Mon cultivar préféré est sans aucun doute 'Blaukappe', qui atteint au plus 60 cm de hauteur. Toutes les parties de cette plante sont d'un bleu violacé extrêmement intense.

Le panicaut améthyste *(E. amethystinum)*, qui pousse à l'état sauvage en Italie et en Grèce, est une autre espèce que je suggère d'intégrer au jardin. En juillet et en août, cette plante produit de superbes inflorescences bleu violacé entourées de

Nom latin : *Eryngium.*
Nom commun : panicaut.
Famille : ombellifères.
Feuillage : épineux et très découpé. Selon les espèces et les cultivars, les feuilles sont vertes, grises ou bleutées.
Floraison : petites fleurs regroupées en masses sphériques entourées de bractées bleues ou argentées parfois très découpées.
Période de floraison : été.
Exposition : soleil.
Sol : s'adapte bien à divers types de sols bien drainés, même pauvres et caillouteux. Donne toutefois de meilleurs résultats dans une terre à jardin brune un peu sableuse et légère.
Rusticité : à partir de la zone 3.

Dans cet arrangement, les fleurs bleues d'*Eryngium planum* 'Flüela' contrastent magnifiquement avec la floraison de *Macleaya microcarpa* 'Coral Plume'.

minces bractées bleutées, parfois grises. Rustique en zone 3, possiblement même en zone 2, le panicaut améthyste atteint approximativement 80 cm de hauteur. En août, peu d'espèces offrent une floraison aussi abondante que *E.* x *tripartitum*, qui est probablement issu d'un croisement entre *E. planum* et *E. amethystinum*. Très performant, il a d'ailleurs reçu un Award of Garden Merit pour ses qualités ornementales exceptionnelles. Semblable à ses parents, il produit une multitude de belles inflorescences sphériques de couleur bleue entourées de bractées gris bleuté supportées par des tiges faisant 1 m de hauteur.

De toutes les espèces européennes, le panicaut des Alpes *(E. alpinum)* est à mon avis le plus spectaculaire. La floraison de cette vivace peu longévive est à couper le souffle. Ses inflorescences allongées sont entourées d'une multitude de bractées très finement découpées. Leur couleur est cependant assez variable. Certains spécimens peuvent arborer des bractées d'un bleu métallique très profond alors que d'autres sont plutôt d'un gris légèrement teinté de bleu. Plusieurs cultivars ont donc été créés à partir de cette espèce très variable. 'Donard' et 'Blue Star', tous deux rustiques en zone 4, figurent parmi les variétés dont le bleu est le plus intense.

Espèces américaines

Certains panicauts d'allure tout à fait exotique proviennent des Amériques. Malheureusement, la majorité de ces plantes ne

Panicaut à feuilles de yucca *(Eryngium yuccifolium)*.

peuvent être cultivées en pleine terre chez nous. Par ailleurs, le panicaut à feuilles de yucca *(E. yuccifolium)*, rustique en zone 4, convient parfaitement à notre climat. Cette vivace, atteignant parfois un peu plus de 1,20 m, donne un effet spectaculaire au jardin à cause de son feuillage grisâtre rappelant celui de certaines plantes grasses telles que les yuccas. De plus, ses fleurs blanches disposées en masses sphériques lui confèrent encore plus d'originalité. Sa floraison a lieu au cœur de l'été, en juillet et en août. Contrairement à ce qu'on est tenté de croire, le panicaut à feuilles de yucca peut accepter un sol plus humide que la plupart des autres espèces.

Associations gagnantes

Avec leur allure très architecturale, les panicauts conviennent parfaitement aux

LE JARDINIER RENSEIGNÉ

La culture des panicauts

Les panicauts adorent les emplacements ensoleillés et chauds ; ils peuvent même tolérer une certaine sécheresse. Ils s'adaptent bien à divers types de terre sèche ou à peine fraîche bien drainée. Bien qu'ils puissent s'accommoder de sols pauvres et caillouteux, ils ont habituellement un meilleur développement dans une terre à jardin brune légèrement sableuse. En sol argileux et riche, leurs tiges ont tendance à se coucher au sol. Ne leur donnez donc pas plus de 0,5 cm d'épaisseur de compost par année.

Parce que les feuilles de plusieurs espèces et variétés de panicauts se dessèchent une fois leur floraison terminée, je conseille de les planter en compagnie de vivaces ou d'arbustes qui peuvent camoufler leurs parties inesthétiques. Dans certaines situations, des vivaces solides ou des arbustes peuvent également les soutenir très convenablement, ce qui évite d'avoir à les tuteurer.

Les panicauts supportent difficilement d'être dérangés. Je recommande donc de ne pas les transplanter une fois qu'ils sont bien implantés. Comme la plupart des espèces et des cultivars possèdent une souche pivotante, la division est pratiquement impossible. Ces végétaux doivent plutôt être propagés à partir de fragments de racines ou par semis.

Eryngium x tripartitum.

Chardons

Bien que les panicauts ne fassent pas partie de la famille des composées, ils ressemblent tout de même beaucoup aux chardons. Ces derniers, avec leurs fleurs disposées en masses sphériques donnent sensiblement le même effet que les panicauts lorsqu'ils sont installés dans un aménagement paysager. Le chardon bleu *(Echinops ritro),* aussi appelé boule azurée, est probablement le plus connu. Cette plante aux caractéristiques frappantes, qui atteint environ 1 m de hauteur, produit sa spectaculaire floraison bleue durant les mois de juillet et d'août. Pour sa part, *E. exaltatus,* qui fait un peu plus de 1,50 m de hauteur, arbore des fleurs blanc grisâtre. La plupart des espèces d'*Echinops* peuvent résister au climat qui prévaut en zone 3. Ces vivaces s'adaptent aisément à divers types de sols bien drainés, même pauvres et secs, exposés au plein soleil.

Avec ses fleurs magenta qui contrastent magnifiquement sur son feuillage épineux de couleur grise, le chardon écossais *(Onopordum acanthium),* une bisannuelle, provoque un effet des plus saisissants lorsqu'il prend la vedette dans un aménagement. La silhouette complexe de cette plante haute de 3 m sera bien mise en valeur placée devant un gros arbuste au feuillage pourpre tel que *Cotinus coggygria* 'Royal Purple'. Le chardon des ruisseaux 'Atropurpureum' (*Cirsium rivulare* 'Atropurpureum') est une plante vivace qui possède une allure singulière et qui confère beaucoup d'originalité aux plantations. En plus d'arborer un feuillage très découpé, il forme au début de l'été des inflorescences hémisphériques d'un riche rose pourpré portées par des tiges d'environ 1,50 m de hauteur. Cette vivace rustique en zone 4 nécessite un sol humide situé en plein soleil ou à l'ombre légère.

Le chardon bleu 'Circus World' (*Echinops* 'Circus World'), un hybride nouvellement arrivé sur le marché.

Le chardon des ruisseaux 'Atropurpureum' (*Cirsium rivulare* 'Atropurpureum') en compagnie de la grande radiaire *(Astrantia major)* et du lis martagon *(Lilium martagon)*.

aménagements paysagers modernes, où ils méritent d'être bien mis en valeur. Ils créent de puissants contrastes lorsqu'ils sont placés avec des plantes dont les fleurs ont des coloris chauds, comme certains cultivars d'achillées *(Achillea)*, de camomilles des teinturiers *(Anthemis tinctoria)* et d'hémérocalles *(Hemerocallis)*. Les panicauts forment des associations empreintes de beaucoup d'originalité et d'un certain exotisme avec les crocosmias *(Crocosmia)*, les kniphofias *(Kniphofia)* ainsi que certaines graminées.

Panicaut géant *(Eryngium giganteum)* en compagnie d'hémérocalles *(Hemerocallis)*.

Tableau exotique

soleil

Principalement à cause de la présence du panicaut 'Blaukappe' et de la kniphofia 'Primrose Beauty', cette plate-bande est empreinte d'exotisme. Il se dégage de cette association de jaunes et de violets beaucoup d'opulence et de richesse. Les végétaux qui composent cette plantation exigent le plein soleil ainsi qu'une terre à jardin brune légèrement sableuse et parfaitement drainée.

Panicaut 'Blaukappe' (*Eryngium planum* 'Blaukappe')

Kniphofia 'Primrose Beauty' (*Kniphofia* 'Primrose Beauty')

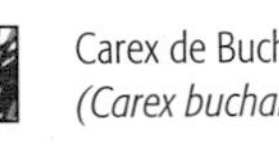
Carex de Buchanan (*Carex buchananii*)

Lavande 'Dilly Dilly' (*Lavandula* x *intermedia* 'Dilly Dilly')

Scabieuse jaune (*Scabiosa ochroleuca*)

Solidaster 'Lemore' (x *Solidaster luteus* 'Lemore')

Lis 'Golden Splendour' (*Lilium* 'Golden Splendour')

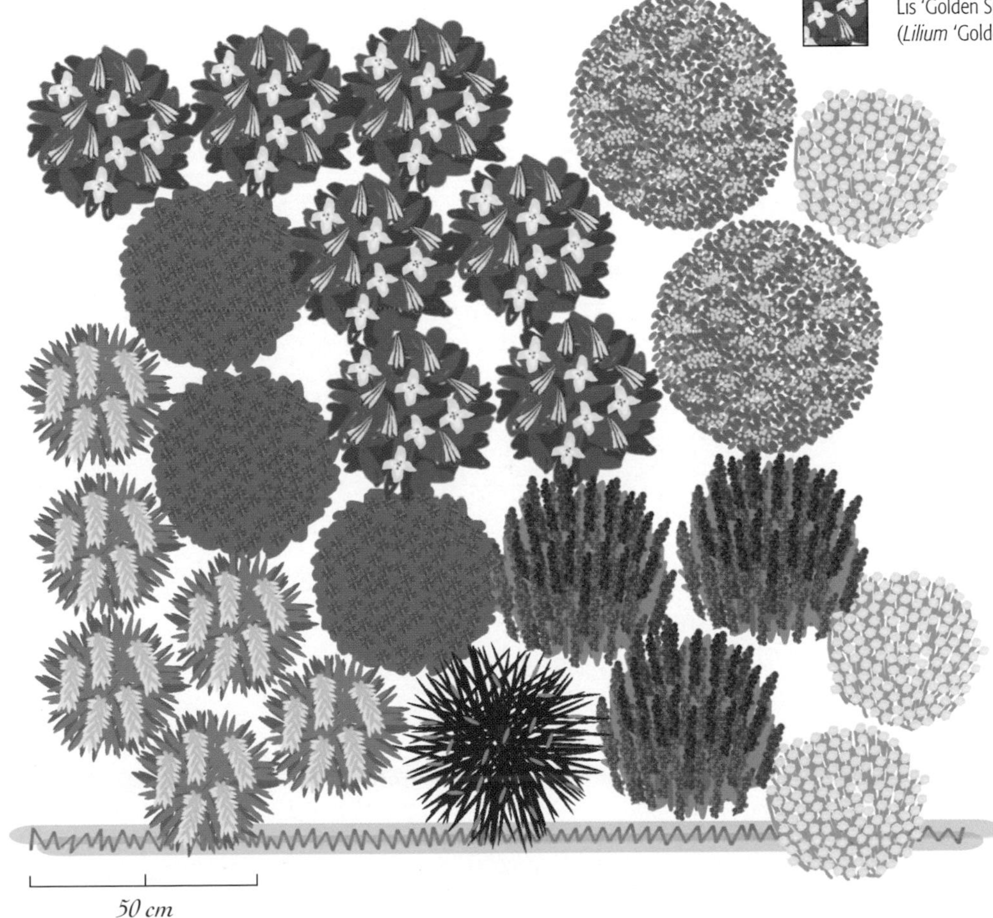

Eupatorium

Épatantes, ces eupatoires !

L'eupatoire maculée *(Eupatorium maculatum)*, rustique jusqu'en zone 1, est une plante qui pousse de façon spontanée dans presque toute l'Amérique du Nord. On la trouve dans des milieux assez divers, mais elle a tout de même une nette préférence pour les endroits humides tels que les rives des lacs et des rivières. En août et en septembre, elle produit de petites fleurs rose pourpré réunies en de larges inflorescences. Ses solides tiges s'élèvent à près de 2 m. Deux cultivars sont habituellement offerts sur le marché : 'Atropurpureum', aux fleurs plus foncées, et 'Gateway', de plus petite taille que l'espèce. Mis à part le fait qu'elle fait parfois jusqu'à 3 m de hauteur, l'eupatoire pourpre *(E. purpureum)* ressemble beaucoup à l'espèce précédente. Quant à l'eupatoire perfoliée *(E. perfoliatum)*, une autre espèce indigène de l'est de l'Amérique du Nord, elle produit des fleurs blanches en juillet et en août. Ses feuilles, groupées par deux et soudées à leur base, sont littéralement transpercées par la tige. Cette vivace atteint une hauteur d'environ 1,50 m.

L'eupatoire 'Chocolate' (*Ageratina altissima* 'Chocolate', syn. *Eupatorium rugosum* 'Chocolate') est dans une classe à part. Elle possède un magnifique feuillage pourpre qui fait à peu près 80 cm de hauteur. En début de saison, ses feuilles sont d'un pourpre très sombre, mais elles prennent une teinte un peu plus verte avec le temps. Sa floraison blanche a lieu en automne, à la fin de septembre et en octobre. Dans les aménagements où je l'ai intégrée, cette plante exceptionnelle apporte une puissance et une intensité sans pareilles. Comme elle a été introduite sur le marché nord-américain depuis peu, sa rusticité n'a pas encore été bien évaluée ; elle peut probablement être cultivée jusqu'en zone 3.

Humidité

Faciles à cultiver, les eupatoires sont très à l'aise dans les sols riches et humides situés aux abords des cours d'eau. Elles peuvent aussi s'accommoder d'une terre à jardin brune plus légère et suffisamment drainée. Bien qu'elles soient peu exigeantes, les eupatoires peuvent recevoir chaque printemps environ 1 cm d'épaisseur de compost. Elles se plaisent au plein soleil et à la mi-ombre, mais tolèrent aussi l'ombre légère.

Eupatoire maculée 'Gateway' (*Eupatorium maculatum* 'Gateway').

L'eupatoire perfoliée *(Eupatorium perfoliatum)* mariée à l'aconit de Carmichael 'Barker' *(Aconitum carmichaelii* 'Barker').

Associations gagnantes

Les eupatoires s'associent parfaitement aux aconits *(Aconitum)*, aux asters de la Nouvelle-Angleterre *(Aster novae-angliae)*, aux galanes *(Chelone)*, aux cierges d'argent *(Cimicifuga)* et à certaines graminées qui se plaisent en sol humide comme la calamagrostide 'Stricta' (*Calamagrostis* x *acutiflora* 'Stricta') ainsi que les divers cultivars de molinies *(Molinia caerulea)* et de panics *(Panicum virgatum)*.

Le feuillage vert pourpré de l'eupatoire 'Chocolate' (*Ageratina altissima* 'Chocolate', syn. *Eupatorium rugosum* 'Chocolate') crée un riche effet en compagnie des fleurs de la verveine 'Temari Violet' (*Verbena* 'Temari Violet'), une annuelle.

Euphorbia

Euphorbes euphorisantes

Le genre *Euphorbia* comprend près de 2000 espèces, dont le représentant le plus connu est sans aucun doute le poinsettia. Bien qu'une grande partie des euphorbes poussent sous les tropiques, quelques espèces sont originaires des régions plus tempérées et peuvent survivre au rude hiver qui prévaut dans l'est du Canada. Aucune autre plante ne possède une allure aussi singulière que les euphorbes. Elles particularisent les aménagements paysagers et leur apportent beaucoup d'originalité.

Sol caillouteux

Dans la nature, plusieurs espèces d'euphorbes, comme *E. cyparissias, E. myrsinites* et *E. polychroma,* poussent dans des terres sèches et caillouteuses souvent situées en terrain montagneux. Ce sont des plantes qui s'adaptent assez bien à divers types de sols, mais elles ont tout de même une préférence pour les terres graveleuses parfaitement drainées et exposées au soleil ou à la mi-ombre.

Grâce à ses rhizomes, l'euphorbe petit-cyprès *(E. cyparissias)* recouvre rapidement les sols pauvres. De ses rhizomes émergent des tiges d'environ 30 cm de hauteur qui ressemblent vaguement à des conifères miniatures. En juin et en juillet, parfois même en août, cette plante se couvre de minuscules fleurs jaune verdâtre entourées de petites bractées jaunes qui prennent une teinte rouge rosé avec le temps. Cette euphorbe survit bien jusqu'en zone 4. L'euphorbe faux-myrte *(E. myrsinites)* possède pour sa part des tiges couchées au sol qui portent des feuilles grises ressemblant à celles de certaines plantes grasses faisant partie du genre *Echeveria*. Cette vivace, probablement rustique en zone 4, produit sa floraison jaune vers la fin du printemps. Finalement, l'euphorbe polychrome *(E. polychroma),* qui s'adapte même à des terres riches et lourdes, est l'espèce dont les fleurs éclosent le plus tôt en saison. Parfois dès le début de mai, cette plante se couvre de petites fleurs entourées de larges bractées d'un lumineux jaune légèrement teinté de vert. De plus, ses feuilles prennent une teinte orangée une fois l'automne venu.

Nom latin : *Euphorbia.*
Nom commun : euphorbe.
Famille : euphorbiacées.
Feuillage : feuilles grises, vertes ou pourpres, selon les espèces et les cultivars.
Floraison : petites fleurs vertes ou jaunes accompagnées de bractées vert jaunâtre, jaunes, orange ou rouges, selon les espèces et les cultivars.
Période de floraison : printemps et été.
Exposition : soleil et mi-ombre. Certaines espèces et variétés peuvent tolérer l'ombre légère, parfois même moyenne.
Sol : s'adapte à divers types de sols bien drainés.
Rusticité : à partir de la zone 4.

Euphorbe petit-cyprès *(Euphorbia cyparissias)*.

Euphorbe faux-myrte *(Euphorbia myrsinites)*.

L'euphorbe polychrome forme un buisson uniforme et compact qui atteint 40 cm de hauteur.

Tout nouveau

Un superbe cultivar d'euphorbe au feuillage pourpre et nommé 'Purple Leaf' vient d'être introduit. Cette euphorbe fascinante présente de jolies feuilles lancéolées de couleur pourpre panachées d'une fine marge verte. Compacte, cette vivace fait tout au plus 40 cm de hauteur. De plus, elle produit de jolis fruits verts qui contrastent avec les feuilles. Comme les euphorbes présentées précédemment, cette plante pousse aux endroits ensoleillés ou mi-ombragés et s'adapte assez bien à divers types de sols. Sa rusticité n'a pas encore été évaluée, mais il est fort probable qu'elle soit rustique jusqu'en zone 4.

Sous-bois

E. amygdaloides et *E. griffithii* sont deux espèces qui peuvent être intégrées aux jardins d'ombre. Dans de telles conditions, ces végétaux nécessitent une terre riche en humus et toujours fraîche, voire humide. Contrairement à la plupart des autres espèces d'euphorbes, qui préfèrent recevoir du compost aux deux ans seulement, elles peuvent en accepter annuellement jusqu'à 1 cm d'épaisseur à leur base.

Rustique en zone 4, l'euphorbe des bois *(E. amygdaloides)* est une vivace dont les tiges pourpres atteignent 50 cm. En juin et en juillet, elle se couvre de fleurs et de bractées jaune verdâtre qui donnent une douce fraîcheur aux plantations. Peu longévive, cette plante se ressème facilement même à l'ombre moyenne. On peut trouver sur le marché le cultivar 'Rubra', aux feuilles pourpres, ainsi que *E. amygdaloides* var. *robbiae,* aux tiges vertes qui atteignent environ 60 cm de hauteur. Ces deux plantes sont moins rustiques que l'espèce ; elles survivent en zone 5b avec un paillis et un bon couvert de neige.

L'euphorbe de Griffith *(E. griffithii),* qui provient de la région de l'Himalaya, croît bien à la mi-ombre ou à l'ombre légère dans les sols riches, humides mais bien

L'euphorbe 'Purple Leaf' (*Euphorbia* 'Purple Leaf') et le chou décoratif 'Nagoya Red' (*Brassica oleracea* 'Nagoya Red') produisent ensemble un mélange de couleurs absolument surprenant.

Euphorbe des bois (*Euphorbia amygdaloides* var. *robbiae*).

drainés et acides, en compagnie des fougères et des rhododendrons. Ses tiges pourpres atteignent près de 80 cm et portent, vers la fin du printemps et au début de l'été, de superbes bractées de couleur orange. Cette plante est à la limite de sa rusticité en zone 4. Dans les régions où le couvert de neige n'est pas constant, il est absolument essentiel de recouvrir ses racines d'un épais paillis de feuilles mortes déchiquetées. On trouve deux cultivars sur le marché horticole : 'Dixter', qui affiche des nervures teintées de pourpre, et 'Fireglow'.

Associations gagnantes

Les euphorbes adaptées aux sols caillouteux telles que *E. cyparissias* et *E. myrsinites* conviennent aux rocailles où elles peuvent côtoyer diverses plantes couvre-sol. Les végétaux aux fleurs bleues ou violettes comme certains cultivars d'aubriètes *(Aubrieta* x *cultorum)*, de géraniums vivaces *(Geranium)* et de phlox mousses *(Phlox subulata)*, ainsi que les népétas *(Nepeta)*, ressortent davantage s'ils sont placés près d'*E. polychroma*. Les espèces de sous-bois comme *E. amygdaloides* se combinent bien aux plantes d'ombre comme les épimèdes *(Epimedium)*, les sceaux-de-Salomon *(Polygonatum)* et certains géraniums *(Geranium)*. Pour ce qui est d'*E. griffithii,* elle s'associe aux astilbes *(Astilbe)*, aux fougères, aux ligulaires *(Ligularia)* ainsi qu'aux rhododendrons *(Rhododendron)*.

Euphorbia

Contraste

soleil, mi-ombre

Le blanc est probablement la couleur la plus claire qui soit, alors que le pourpre, qui résulte d'un mélange de rouge foncé et de violet, est une des plus sombres et des plus denses. Dans cet arrangement d'allure très actuelle, en plus de créer un puissant contraste, le blanc de l'orpin 'Frosty Morn' fait ressortir le feuillage pourpre de l'euphorbe 'Purple Leaf', lui évitant ainsi de se confondre avec l'ensemble. Cet aménagement a été planifié et réalisé par Lise Lacouture et Michel-André Otis, du Jardin botanique de Montréal.

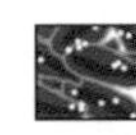 Euphorbe 'Purple Leaf' (*Euphorbia* 'Purple Leaf')

Orpin 'Frosty Morn' (*Sedum* 'Frosty Morn')

 Achnatherum calamagrostide (*Achnatherum calamagrostis*, syn. *Stipa calamagrostis*)

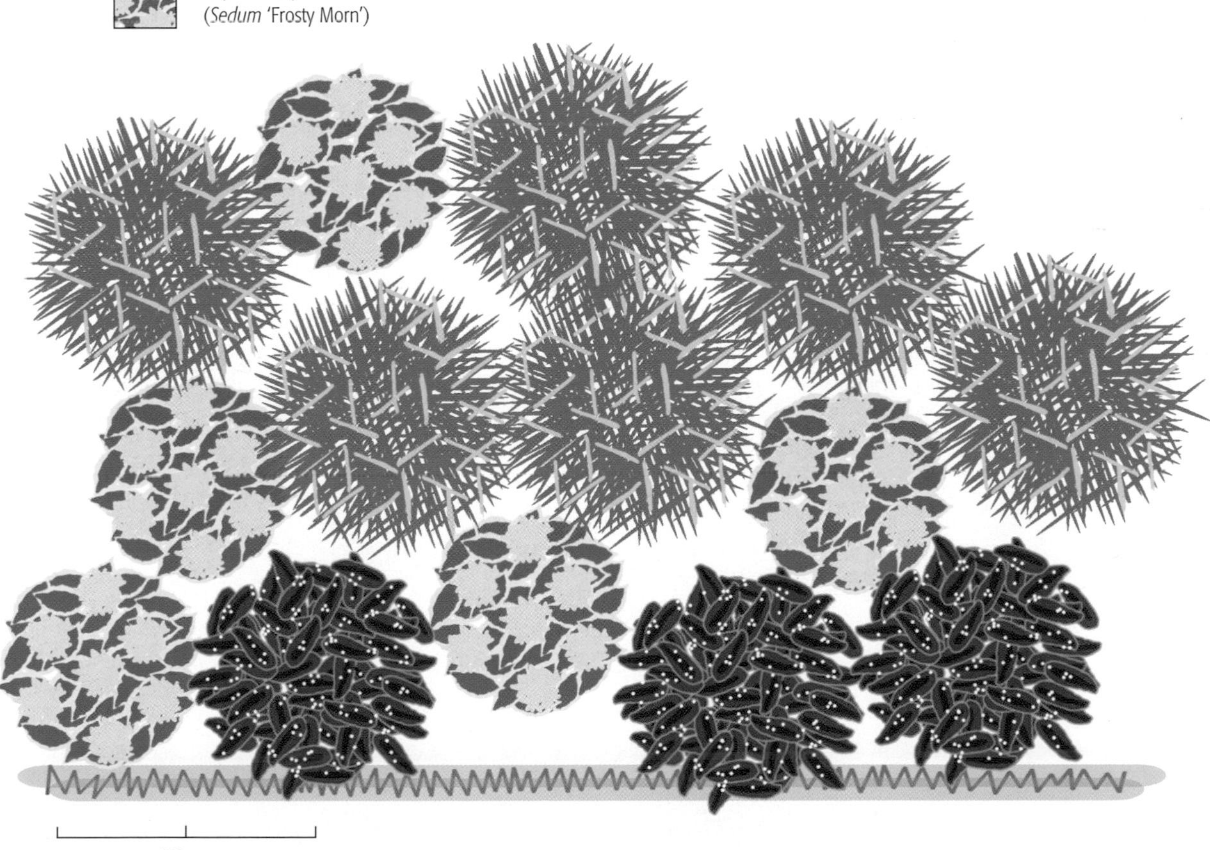

50 cm

Filipendula

Distinguées filipendules

Avec leur feuillage découpé et leurs spectaculaires fleurs, les filipendules ressemblent à s'y méprendre aux astilbes. Comme ces dernières, elles confèrent aux aménagements une légèreté et une grâce sans pareilles. En fait, leur seule présence dans un jardin suffit à créer une atmosphère romantique.

Reine-des-prés

F. ulmaria, appelée communément reine-des-prés, est une espèce originaire d'Europe et d'Asie qui porte de superbes fleurs blanches au bout de tiges qui atteignent parfois un peu plus de 1,50 m. Sa floraison, qui dure plusieurs semaines, se produit habituellement en juillet et au début d'août. En Amérique du Nord, il arrive que cette plante s'échappe des cultures et s'implante dans la nature. Dans la région de Québec, il m'est arrivé de voir d'immenses et magnifiques colonies de reines-des-prés en compagnie de lis du Canada *(Lilium canadense)*. Plusieurs cultivars fort intéressants sont proposés sur le marché horticole. Il y a le fameux 'Flore Pleno', aux petites fleurs doubles de couleur blanche, 'Aurea', qui arbore un feuillage jaune, et 'Variegata', aux feuilles vertes panachées de jaune. Tous ces cultivars sont rustiques en zone 3, peut-être même en zone 2.

Fleurs roses

Avec ses 2,50 m de hauteur, la filipendule rouge *(F. rubra)* est probablement l'espèce la plus imposante. En juillet et en août, elle produit de superbes fleurs rose pâle. Le cultivar 'Venusta' (syn. 'Magnifica') est plus petit, faisant approximativement 1,80 m, et possède une floraison d'un rose un peu plus saturé. La filipendule à feuilles palmées *(F. palmata),* originaire de Chine, du Japon, de Mongolie et de Sibérie, atteint pour sa part environ 1 m de hauteur. Quelques cultivars, probablement rustiques en zone 2, sont vendus dans les jardineries et les pépinières. Mon préféré est sans aucun doute 'Elegantissima', qui possède des tiges de 90 cm au bout desquelles s'épanouissent de merveilleuses fleurs d'un rose pourpré particulièrement intense. 'Digita Nana', également aux fleurs rose foncé, est une variété plus basse qui n'atteint que 60 cm de hauteur.

Nom latin : *Filipendula.*
Nom commun : filipendule.
Famille : rosacées.
Feuillage : feuilles composées de plusieurs folioles elliptiques dentées, dont la dernière du bout est souvent palmée et découpée en plusieurs lobes.
Floraison : fleurs minuscules réunies en de multiples corymbes ressemblant à des panicules. Selon les espèces et les cultivars, les fleurs sont blanches ou roses.
Période de floraison : été.
Exposition : soleil, mi-ombre, ombre légère.
Sol : riche et humide.
Rusticité : à partir de la zone 2.

Élégant mariage entre la filipendule à feuilles palmées 'Elegantissima' (*Filipendula palmata* 'Elegantissima') et la grande radiaire *(Astrantia major)*.

Filipendule 'Flore Pleno'
(*Filipendula ulmaria* 'Flore Pleno').

Filipendule 'Variegata' (*Filipendula ulmaria* 'Variegata').

Associations gagnantes

Les filipendules s'associent merveilleusement avec les cierges d'argent *(Cimicifuga)*, les hostas *(Hosta)*, les eupatoires *(Eupatorium)*, les divers cultivars d'iris de Sibérie *(Iris sibirica)* et d'iris du Japon *(I. ensata)*, les ligulaires *(Ligularia)* ainsi que les monardes *(Monarda)*.

RENSEIGNÉ

LE JARDINIER

La culture des filipendules

Les filipendules affectionnent le soleil et la mi-ombre. La majorité de ces plantes acceptent aussi l'ombre légère et peuvent tolérer une sécheresse passagère. Elles nécessitent un sol riche et constamment humide. Vous pouvez les planter sans problème aux abords des bassins et des cours d'eau. Ce sont des plantes exigeantes qui doivent recevoir annuellement 2,5 cm d'épaisseur de compost à leur base.

Les filipendules colonisent rapidement le sol et doivent être divisées à l'automne, tous les trois ou quatre ans, afin d'éviter qu'elles envahissent trop leurs voisines. Les vieilles racines sont parfois suffisamment dures pour qu'il soit nécessaire de les couper avec une scie à élaguer.

À cause de ses dimensions imposantes, la filipendule rouge 'Venusta' (*Filipendula rubra* 'Venusta') doit absolument être disposée à l'arrière des plantations. Dans cet arrangement, elle est accompagnée du très grand pigamon de Rochebrun *(Thalictrum rochebrunianum)*.

ASTUCIEUX

LE JARDINIER

L'arrosage, une tâche difficile

L'arrosage est l'une des tâches les plus complexes à effectuer au jardin. D'abord, sachez que le meilleur moment pour arroser est le matin, au lever du soleil. Si on arrose le soir, l'eau recueillie sur le feuillage de certaines plantes sensibles favorise la prolifération de maladies fongiques durant la nuit. Si on arrose au début de la journée, l'eau est alors disponible au moment où les plantes en ont le plus besoin, lorsqu'elles font beaucoup de photosynthèse au milieu de la journée.

Durant les mois de juillet et d'août, la plupart des vivaces situées dans les plates-bandes exposées au plein soleil nécessitent environ 2,5 cm d'eau par semaine. Au printemps et à l'automne, vous pouvez diminuer les arrosages afin de tenir compte des pluies habituellement plus abondantes. Les vivaces alpines et celles qui sont bien adaptées aux sols secs et sableux se contentent de la pluie, sauf durant les semaines qui suivent leur plantation alors qu'elles demandent un peu plus d'eau. Par ailleurs, si vos végétaux sont situés à l'ombre, vous devez leur fournir au minimum 3,5 cm d'eau par semaine. Les plantes poussant en milieu ombragé doivent être davantage arrosées parce qu'elles sont en compétition avec les racines des arbres pour l'absorption de l'eau.

Afin de donner la dose adéquate à vos plantes, vous n'avez qu'à placer sous le jet de votre arrosoir un contenant vide que vous aurez préalablement gradué à l'aide d'une règle et d'un crayon à encre indélébile. Lorsque l'eau atteint la marque de 2,5 ou 3,5 cm, cessez d'arroser. Pour que vos plantes forment des racines profondes et ramifiées, il est préférable d'arroser une seule fois par semaine ou deux, au plus, en période de canicule. Si vous arrosez un peu tous les jours, vos plantes formeront des racines superficielles et seront ainsi moins résistantes à la sécheresse et aux autres situations stressantes.

Afin de ne pas mouiller le feuillage des plantes sensibles comme les phlox des jardins *(Phlox paniculata)* et d'éviter ainsi la prolifération de maladies fongiques, vous pouvez choisir d'installer un tuyau poreux pour effectuer l'arrosage d'une plate-bande. Ce tuyau, habituellement fabriqué à partir de matériaux recyclés, est criblé de minuscules trous qui laissent passer l'eau.

L'installation d'un tel tuyau est fort simple. D'abord, raccordez-le à un tuyau d'arrosage qui se rend de la plate-bande au robinet et installez-le ensuite sur la surface du sol de façon qu'il serpente entre les végétaux qui composent la plantation. N'oubliez pas que ce tuyau irrigue la terre sur une largeur d'environ 60 cm (30 cm de chaque côté). Une fois l'installation terminée, il ne vous reste qu'à le camoufler avec une couche de paillis organique. Pour donner une dose équivalant à 2,5 cm, vous devez généralement laisser l'eau couler pendant un peu plus d'une heure. Cependant, pour donner la quantité d'eau parfaitement adéquate, lors de votre premier arrosage, vérifiez l'humidité tous les quarts d'heure en plongeant votre doigt dans le sol. Lorsque la terre qui est située à une distance de 30 cm du tuyau est humide jusqu'à une profondeur de 10 cm, vous pouvez fermer le robinet. Si la pression est trop forte, fixez un réducteur de pression au robinet pour éviter d'endommager le tuyau.

Symphonie romantique

soleil, mi-ombre

Les plantations comprenant uniquement des fleurs blanches et roses aux teintes pâles sont empreintes de beaucoup de douceur et de légèreté. Cet aménagement composé de la filipendule rouge 'Venusta', de l'astilbe 'Professor van der Wielen' et de la mauve 'Fastigiata' dégage une atmosphère poétique et romantique. Une plantation imaginée et réalisée par Lorraine Bourgeois et François Perreault qui nécessite un sol riche situé au soleil ou à la mi-ombre.

 Filipendule rouge 'Venusta' (*Filipendula rubra* 'Venusta')

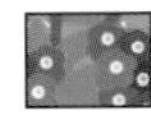 Sidalcée 'Party Girl' (*Sidalcea* 'Party Girl')

 Astilbe 'Professor van der Wielen' (*Astilbe* 'Professor van der Wielen' [*Thunbergii* Hybride])

 Iris de Sibérie 'Salem Witch' (*Iris sibirica* 'Salem Witch')

Mauve 'Fastigiata' (*Malva alcea* 'Fastigiata')

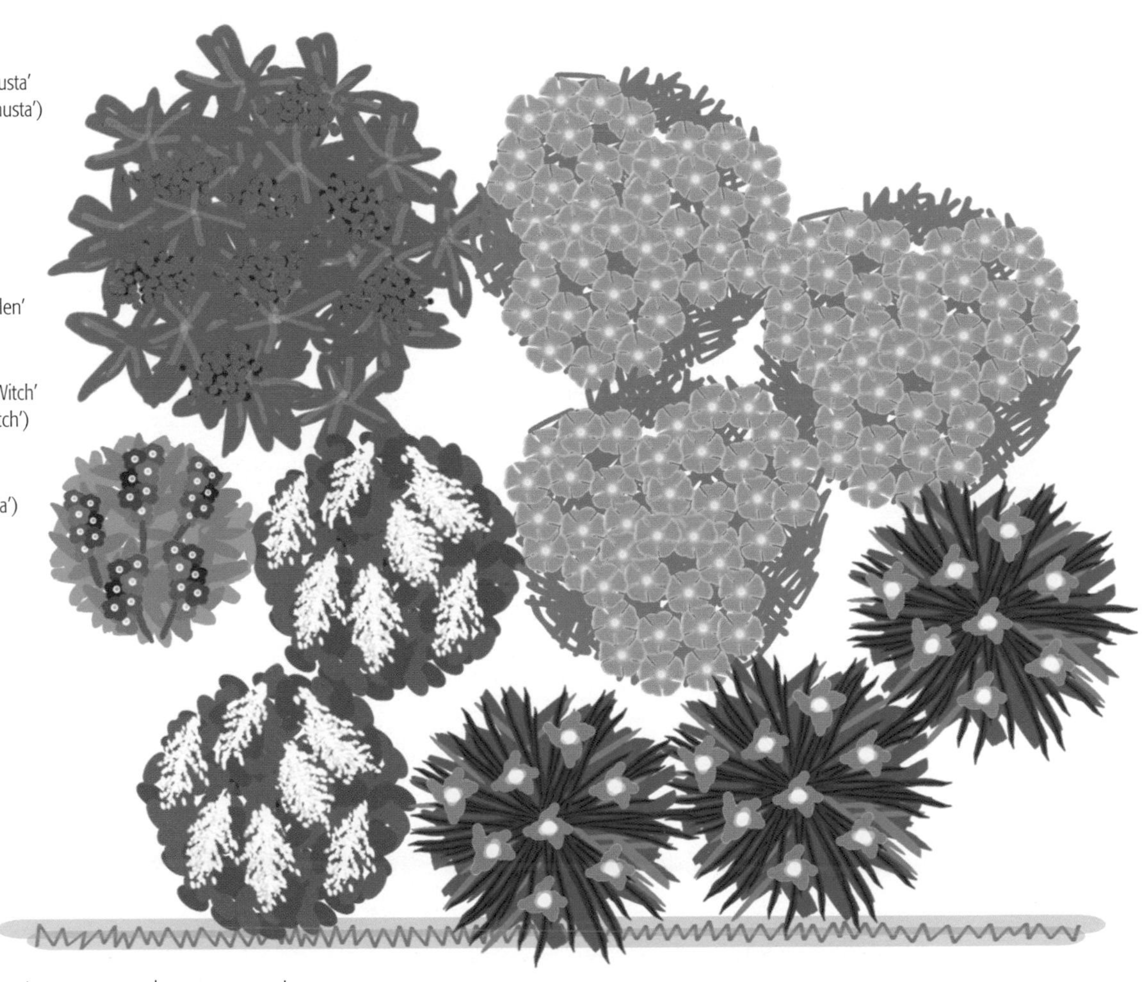

50 cm

Geranium
Géraniums très vivaces

Il règne une grande confusion entre les géraniums vivaces et les géraniums utilisés comme fleurs annuelles. Les géraniums vivaces sont les seuls à faire partie du genre *Geranium* alors que les géraniums cultivés comme annuelles appartiennent au genre *Pelargonium*. Ce malentendu remonte au XVIIIe siècle lorsque Carl von Linné, père de la taxonomie moderne, proposa une nouvelle méthode de classification des plantes encore en usage aujourd'hui. Dans ce système, chaque plante possède deux noms latins : un nom de genre qui détermine le groupe auquel elle appartient et un nom d'espèce qui la caractérise directement. En 1738, on suggéra que les géraniums et les pélargoniums soient classés dans deux groupes différents. Linné refusa cette proposition et les classa tous deux sous le genre *Geranium*. Ce nom est resté collé aux pélargoniums très populaires à cette époque, surtout avec l'introduction de nouvelles espèces provenant de l'Afrique du Sud, au moment où peu de vrais géraniums étaient offerts.

Nom latin : *Geranium.*
Nom commun : géranium.
Famille : géraniacées.
Feuillage : feuilles palmées fortement découpées en plusieurs lobes. Le feuillage est habituellement vert, mais chez certains cultivars, il est panaché de jaune, entièrement vert-jaune ou pourpre. Il peut aussi être marqué de taches de couleur bronze, pourpre ou même noire.
Floraison : fleurs simples composées de cinq pétales ou doubles. Selon les espèces et les cultivars, la couleur des fleurs varie du blanc au pourpre en passant par toutes les teintes de rose, de magenta, de violet, de lavande et de bleu.
Période de floraison : fin du printemps et été.
Exposition : soleil, mi-ombre, ombre légère. Quelques espèces et cultivars tolèrent l'ombre moyenne et même dense.
Sol : terre à jardin brune bien drainée.
Rusticité : à partir de la zone 3.

Petits, mais tolérants à la sécheresse

Plusieurs géraniums vivaces de petites dimensions conviennent parfaitement aux sols secs exposés au plein soleil. Le plus populaire est sans contredit le géranium sanguin (*G. sanguineum*) originaire d'Europe et rustique en zone 3. J'adore cette plante presque parfaite qui fait environ 30 cm de hauteur sur un peu plus en largeur. Ses fleurs d'un vif rose foncé s'épanouissent en juin et en juillet. Une fois cette première floraison passée, vous pouvez effectuer une légère taille afin de favoriser la formation de nouvelles fleurs en août et au début de septembre. Je vous suggère de faire l'essai de *G. sanguineum* var. *striatum* (syn. *G. sanguineum* var. *lancastriense*), dont les fleurs d'un rose très pâle sont magnifiquement veinées de rose plus foncé. Les cultivars 'Album', aux fleurs blanches, et 'Alan Bloom', dont la floraison rose est particulièrement abondante et prolongée, sont également de bons choix.

Une petite collection de géraniums vivaces comprenant *G.* x *cantabrigiense* 'Biokovo', *G.* 'Johnson's Blue', *G. macrorrhizum* 'Bevan's Variety' et *G. sanguineum*.

Le géranium sanguin *(Geranium sanguineum)* s'adapte aussi aux terres humifères, mais bien drainées, situées à la mi-ombre ou à l'ombre légère. Dans cette plantation ombragée, il accompagne quelques fougères ainsi que la sanguinaire du Canada *(Sanguinaria canadensis)*.

J'apprécie beaucoup le géranium 'Ballerina' (*G. cinereum* 'Ballerina'), qui provient d'un croisement entre *G. cinereum* var. *cinereum*, et *G. cinereum* var. *subcaulescens* réalisé chez Bloom's Nurseries, en Angleterre. Cette vivace, qui fait 15 cm de hauteur sur 40 cm de largeur, convient parfaitement aux sols secs et sableux, ou même graveleux, des rocailles. Elle peut toutefois être implantée dans une terre à jardin brune, à condition qu'elle ne soit pas trop riche et qu'elle se draine parfaitement. Le géranium 'Ballerina' forme un feuillage vert grisâtre très dense au-dessus duquel s'épanouissent, au début de l'été, de jolies fleurs rose pâle veinées de pourpre dont le centre est presque noir. Ce cultivar est rustique jusqu'en zone 3.

Certaines espèces sont si petites qu'elles peuvent être disposées dans des auges en compagnie de plantes alpines. Le géranium de Dalmatie *(G. dalmaticum)*, originaire de la région de l'ex-Yougoslavie et d'Albanie, atteint à peine 15 cm de hauteur. Il forme un dense coussin de feuilles vertes finement bordées de rouge. Ses fleurs rose pâle apparaissent au milieu de l'été. Le géranium de Farrer *(G. farreri)* est une autre espèce miniature. Ses fleurs rose pâle aux anthères presque noires sont portées par des tiges qui atteignent un peu plus de 10 cm. Plantez ces deux géraniums au soleil dans un terreau composé d'une partie de terre sableuse mélangée à une partie de compost et une partie de gravier fin.

Une nouvelle variété appelée 'Chocolate Candy' a fait son apparition sur le marché nord-américain il y a quelques années. Placée dans une rocaille ou une plate-bande au sol très bien drainé, cette plante basse forme un étonnant feuillage pourpre qui atteint environ 15 cm de hauteur sur 30 cm de largeur. Durant tout l'été, elle forme de petites fleurs d'un rose très pâle qui contrastent de façon saisissante avec son feuillage foncé. Bien qu'elle soit prolongée, la floraison est toutefois peu abondante. Étant donné que 'Chocolate Candy' est à la limite de sa rusticité en zone 5, je recommande de le couvrir d'un paillis de feuilles mortes déchiquetées avant l'hiver.

Bleu profond

De tous les géraniums à fleurs bleues, le cultivar 'Johnson's Blue', issu d'un croisement entre *G. himalayense* et *G. pratense,* est selon moi le plus beau. Il est tout simplement hallucinant lorsque, vers la fin du printemps et au début de l'été, il se couvre de fleurs bleues très légèrement teintées de mauve. Une fois sa floraison terminée, je suggère de tailler ses fleurs fanées ; vous obtiendrez ainsi une plante arborant un beau feuillage touffu d'une hauteur d'environ 50 cm. Le géranium 'Johnson's Blue' est très adaptable. Il pousse bien dans une terre à jardin brune bien drainée et située en plein soleil, mais peut aussi s'accommoder d'un sol sec où l'ombre est légère. Ce cultivar est rustique en zone 3.

Le géranium de l'Himalaya *(G. himalayense),* un des parents du cultivar 'Johnson's Blue', possède aussi des fleurs bleues teintées de mauve qui font jusqu'à 6 cm de diamètre. Grâce à ses rhizomes, cette plante d'une hauteur de 40 cm recouvre densément le sol. 'Gravetye', un cultivar compact, produit des fleurs plus grandes que l'espèce, tandis que 'Plenum' (syn. 'Birch Double') possède de spectaculaires fleurs doubles.

Le géranium des prés *(G. pratense)* est probablement l'espèce dont les dimensions

ASTUCIEUX LE JARDINIER

Éliminez les fleurs fanées

Une fois la floraison des géraniums terminée, je conseille de tailler les fleurs fanées à l'aide de cisailles. En plus de donner un aspect plus esthétique aux plants, cette opération empêche les semences de certaines espèces et variétés d'atteindre leur maturité et de se ressemer un peu partout. Chez d'autres géraniums, comme *G. sanguineum*, la taille encourage une seconde floraison assez intense qui se prolonge parfois jusqu'en septembre.

Géranium 'Chocolate Candy' (*Geranium* 'Chocolate Candy').

Géranium magnifique *(Geranium x magnificum)*.

Le géranium 'Johnson's Blue' (*Geranium* 'Johnson's Blue') en compagnie du hosta 'Halcyon' (*Hosta* 'Halcyon').

sont les plus imposantes. Cette plante originaire d'Europe atteint parfois plus de 1 m de hauteur. C'est en juillet qu'éclosent ses belles fleurs d'un bleu légèrement violacé. Il est à peu près impossible de trouver cette espèce dans les jardineries et les pépinières. Cependant, plusieurs cultivars rustiques en zone 4, comme 'Mrs Kendall Clark' et 'Silver Queen', sont offerts sur le marché horticole. Attention ! les diverses variétés de géraniums des prés produisent des quantités phénoménales de semences. Pour éviter une propagation effrénée de ces plantes, il est préférable de tailler leurs fleurs dès qu'elles sont fanées. Habituellement, une telle taille favorise aussi la sortie de nouvelles fleurs en septembre.

Je suis fasciné par le géranium magnifique *(G.* x *magnificum)* qui est issu d'un croisement entre *G. ibericum* et *G. platypetalum*. Ce cultivar est parfaitement à son aise à la mi-ombre ou à l'ombre légère dans une terre légèrement humifère et bien drainée. Il tolère également les sols secs. Généralement vers la fin de juin et en juillet, il produit quantité d'incroyables fleurs d'un riche bleu violacé veiné de violet très foncé. Il atteint environ 60 cm de hauteur et est rustique en zone 5, possiblement en zone 4.

Très semblable au précédent mais de plus petite taille, 'Philippe Vapelle' est un cultivar récemment obtenu d'une hybridation de *G. renardii* x *G. platypetalum*. Au début de l'été, durant plusieurs semaines, cette superbe plante produit des fleurs d'un bleu moyen veiné de violet dont les pétales sont curieusement tronqués. Bien que sa rusticité soit encore inconnue dans l'est du Canada, il est fort probable que ce cultivar puisse être cultivé jusqu'en zone 4.

Floraison prolongée

Le géranium 'Patricia' (*G.* 'Patricia'), issu d'un croisement entre *G. endressii* et *G. psilostemon,* possède une floraison des plus longues. Pendant près de quatre mois, cette plante produit des fleurs d'un très intense rose magenta au cœur noir. Les fleurs commencent à s'épanouir vers la fin de juin et continuent jusqu'au début d'octobre. Ce géranium rustique en zone 5, peut-être en zone 4, atteint environ 70 cm de hauteur sur autant de largeur.

Le géranium 'Ann Folkard' est issu d'une hybridation de *G. procurrens* x *G. psilostemon* réalisée en Angleterre en 1973. C'est un cultivar d'une exceptionnelle beauté et dont les fleurs rose magenta contrastent vivement avec son feuillage jaune verdâtre qui atteint environ 40 cm de hauteur. Ses fleurs apparaissent de façon continue de juin jusqu'aux premières gelées automnales. Sans être envahissant, ce géranium forme de longues tiges qui s'insinuent dans les plantes voisines, ce qui donne une allure très naturelle aux aménagements. 'Ann Folkard' est rustique en zone 4, mais vous devez le couvrir d'une épaisse couche de feuilles mortes déchiquetées dans les régions où le couvert de neige est faible et inconstant.

Le géranium 'Sue Crug' a été introduit au Canada en 2000 et est probablement rustique en zone 4. Du début de juin à la

LE JARDINIER RENSEIGNÉ

La culture des géraniums

Résistants aux attaques des insectes et des maladies, les géraniums sont des plantes faciles à cultiver qui s'adaptent assez bien à plusieurs types de sols. Certains, comme *G. palustre* et *G. pratense,* poussent en sol humide, mais jamais détrempé. À l'inverse, *G. sanguineum* tolère les sols secs des rocailles et *G. cinereum* s'adapte même aux terres sableuses et graveleuses. Toutefois, la plupart des espèces et des variétés ont une croissance et un développement adéquats lorsqu'elles sont plantées dans une bonne terre à jardin brune bien drainée. Comme les géraniums ne sont pas des vivaces très exigeantes, ne leur apportez pas trop de compost. Vous pouvez tout de même leur fournir une dose annuelle de 1 cm d'épaisseur. Lorsqu'ils sont soumis à une forte compétition racinaire, *G. macrorrhizum*, *G. nodosum* et *G. phaeum* doivent recevoir chaque printemps jusqu'à 2,5 cm d'épaisseur de compost.

Les géraniums peuvent pousser sous différentes conditions d'ensoleillement. Bien qu'ils soient considérés comme des plantes de soleil, plusieurs d'entre eux aiment mieux la mi-ombre. Cependant, beaucoup d'espèces et de cultivars apprécient les situations très ensoleillées. Les plus résistants au soleil ardent sont *G. endressi* et *G. sanguineum*. En revanche, certains géraniums poussent à l'ombre. Plusieurs s'accommodent sans problème d'une ombre légère et quelques-uns, tels que *G. macrorrhizum*, *G. nodosum* et *G. phaeum,* peuvent croître sous une ombre moyenne, voire dense dans le cas des deux dernières espèces.

La grande majorité des espèces et des cultivars peuvent passer de nombreuses années au même endroit sans être divisés. Si elle est nécessaire, la division doit être effectuée tôt au printemps ou à l'automne. Vous pouvez également propager plusieurs espèces et certaines variétés par semis.

Géranium 'Philippe Vapelle' (*Geranium* 'Philippe Vapelle').

Géranium 'Sue Crug' (*Geranium* 'Sue Crug').

fin d'août, ce cultivar produit des fleurs rose foncé veinées de noir. La base des pétales et le cœur des fleurs sont complètement noirs. Cette plante atteint une hauteur d'environ 40 cm.

Ombre

Quelques espèces et cultivars de géraniums poussent à l'ombre. Plusieurs s'adaptent facilement à l'ombre légère et quelques-uns peuvent croître à l'ombre moyenne ou même dense. Le géranium à gros rhizome *(G. macrorrhizum)* est une des meilleures espèces à utiliser sous le couvert des arbres, à l'ombre moyenne. Son épais feuillage découpé qui s'élève à 30 cm recouvre densément le sol et devient vite impénétrable par les herbes indésirables. Ne craignant pas la compétition des racines des arbres, il tolère même les sols temporairement secs. Le cultivar le plus facile à trouver est 'Ingwersen's Variety', qui produit au début de l'été une floraison blanche légèrement rosée, apportant une certaine luminosité dans les endroits les plus sombres d'un jardin. Cette plante se marie particulièrement bien aux pulmonaires *(Pulmonaria)*. Personnellement, je préfère 'Bevan's Variety', un géranium qui arbore de belles fleurs d'un rose très foncé. 'Variegatum' est également fort intéressant

Les fleurs magenta du géranium 'Ann Folkard' (*Geranium* 'Ann Folkard') et la floraison dorée du trolle 'Golden Queen' (*Trollius chinensis* 'Golden Queen') s'associent en un mariage absolument saisissant et singulier.

Les géraniums adaptés à l'ombre, comme ce géranium noueux *(Geranium nodosum)*, sont de bons compagnons pour les astilbes *(Astilbe)*.

avec son feuillage vert moyen irrégulièrement panaché de vert pâle, de vert foncé et de jaune. Cette variété est cependant moins vigoureuse que les autres; elle nécessite au moins cinq heures d'ensoleillement et un sol riche et humide. Tous les cultivars de géraniums à gros rhizome sont rustiques en zone 3.

Le géranium noueux *(G. nodosum)* est particulièrement performant en sol sec, à l'ombre dense sous le couvert d'arbres au feuillage épais. Ses petites fleurs rose pâle striées de violet éclosent sur une période s'étalant de la fin de juin à la fin d'août, parfois même au début de septembre. D'une hauteur d'environ 50 cm, ce géranium possède des feuilles très caractéristiques divisées en trois ou cinq lobes.

Quelques cultivars de *G.* x *oxonianum,* rustiques en zone 4, poussent parfaitement bien à l'ombre légère ou même moyenne, dans certains cas. Parmi toutes les variétés offertes, je recommande sans hésiter 'Claridge Druce', qui constitue un excellent couvre-sol sur un terrain sec situé sous le couvert des arbres, là où peu de plantes réussissent à s'installer. Sans compétition racinaire, il peut toutefois être envahissant. Haut d'environ 50 cm, 'Claridge Druce' produit sur une période particulièrement prolongée une abondance de larges fleurs rose foncé veinées de pourpre. J'affectionne également le cultivar 'A.T. Johnson', aux fleurs rose pâle veinées de pourpre, qui forme également un très bon couvre-sol. 'Pearl Boland', une variété nouvellement introduite sur le marché horticole canadien, produit de superbes fleurs roses veinées de pourpre dont le centre est presque blanc. Avec le temps, les pétales blanchissent complètement en conservant leurs veines pourpres.

Le géranium à fleurs noires *(G. phaeum)* tolère également l'ombre dense et sèche. Très original, il possède des tiges qui font au plus 80 cm et qui portent de curieuses petites fleurs de couleur brun foncé presque noire. Ce géranium s'associe de façon très surprenante avec les fleurs rouges de la lobélie du cardinal *(Lobelia cardinalis)* et les fleurs vertes de la nicotine de Langsdorff *(Nicotiana langsdorffii)*. Plusieurs cultivars rustiques en zone 4 sont proposés sur le marché. 'Album' a des fleurs blanches qui illuminent magnifiquement les coins sombres, alors que 'Lily Lovell' est une variété aux fleurs plus grandes, colorées d'un riche violet légèrement pourpré. Pour leur part, 'Samobor' possède des feuilles vertes étrangement maculées de noir et 'Variegatum' arbore un étonnant feuillage vert panaché de crème et de rouge.

Associations gagnantes

Les géraniums se marient bien à plusieurs plantes qui affectionnent les sols bien drainés comme les achillées *(Achillea)*, les hémérocalles *(Hemerocallis)*, les népétas *(Nepeta)*, les penstémons *(Penstemon)* et les scabieuses *(Scabiosa)*. Les géraniums comme *G.* 'Ann Folkard' et *G. sanguineum*, dont les fleurs sont d'un rose saturé, s'associent de façon étonnante aux plantes à feuilles pourpres comme certaines heuchères *(Heuchera)* et quelques orpins *(Sedum)*. Les géraniums aux fleurs bleues forment un contraste plein de fraîcheur avec les fleurs jaunes des achillées *(Achillea)*, des alchémilles *(Alchemilla)* et des euphorbes *(Euphorbia)* ainsi qu'avec le feuillage jaune de certaines spirées *(Spiraea)*. Pour ce qui est des géraniums de grandes dimensions, dont *G. pratense*, ils se marient parfaitement aux aconits *(Aconitum)*, aux grandes campanules *(Campanula)*, aux pieds-d'alouette *(Delphinium)* ainsi qu'aux rosiers *(Rosa)*.

Géranium 'Pearl Boland' (*Geranium* 'Pearl Boland').

Intensité

soleil, mi-ombre

Le rose accompagne difficilement les couleurs chaudes, comme l'orange. Il en résulte habituellement un contraste assez décevant. Toutefois, un effet fort agréable est créé par le mariage de l'orange ou du jaune à du rose magenta très saturé. Il se produit un choc de couleurs saisissant qui confère aux plantations un dynamisme presque théâtral. Dans cet arrangement, la présence du feuillage jaillissant d'une graminée, le vulpin des prés 'Aureomarginatus', et des iris 'Prairie Sunset', donne encore plus de mouvement à l'ensemble. Cet aménagement, que j'ai conçu et réalisé, doit être disposé en plein soleil ou à la mi-ombre dans une terre brune bien drainée.

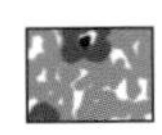
Géranium 'Ann Folkard'
(*Geranium* 'Ann Folkard')

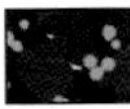

Heuchère 'Purple Petticoats'
(*Heuchera* 'Purple Petticoats')

Vulpin des prés 'Aureomarginatus'
(*Alopecurus pratensis* 'Aureomarginatus')

Iris des jardins 'Prairie Sunset'
(*Iris* 'Prairie Sunset')

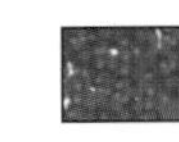
Véronique 'Sunny Border Blue'
(*Veronica* 'Sunny Border Blue')

Achillée 'Terracotta'
(*Achillea* 'Terracotta')

Trolle 'Golden Queen'
(*Trollius chinensis* 'Golden Queen')

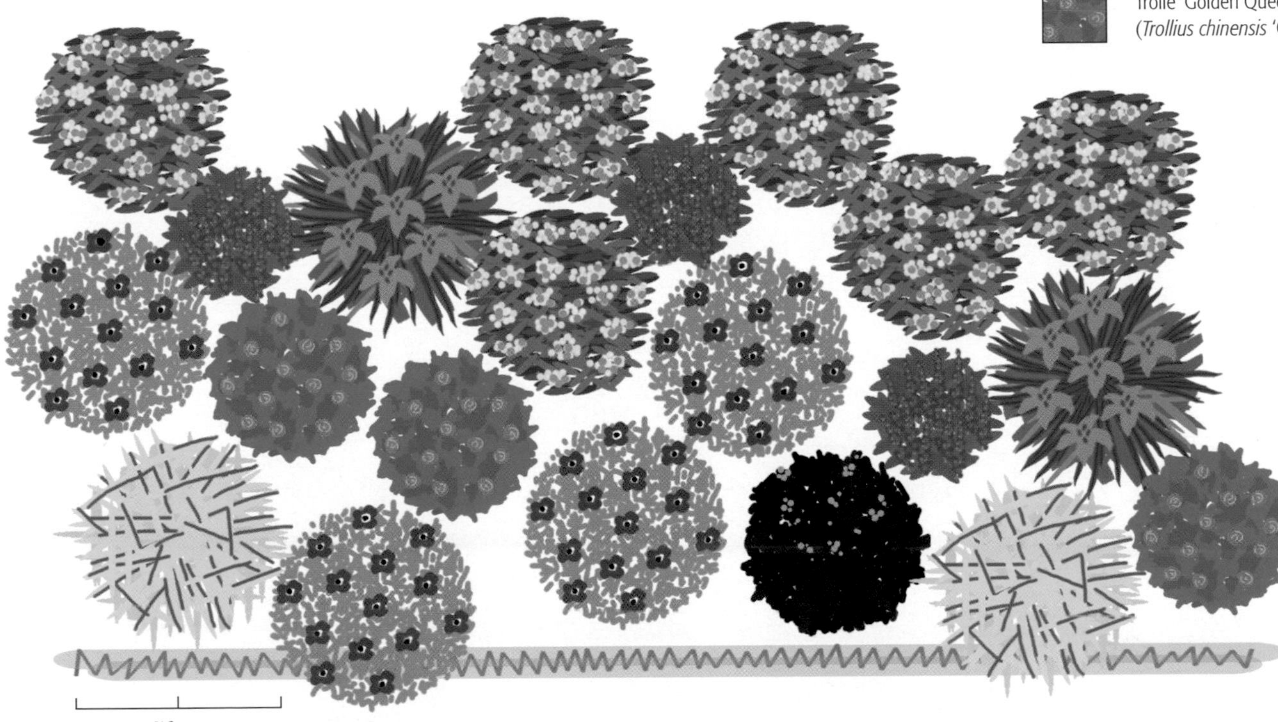

Helenium
Hélénies automnales

L'hélénie 'Kanaria' (*Helenium* 'Kanaria') mariée à l'eupatoire maculée 'Gateway' (*Eupatorium maculatum* 'Gateway').

Lorsqu'ils exhibent leur chaude floraison, les hybrides d'hélénies sont tout à fait spectaculaires. Outre quelques variétés hâtives, leurs fleurs jaunes ou rouge brunâtre éclosent habituellement à partir de la mi-août jusqu'en octobre. La plupart des cultivars d'hélénies vendus sur le marché sont issus de croisements réalisés à partir d'espèces nord-américaines qui poussent spontanément dans les prairies humides, principalement *Helenium autumnale* et *H. bigelovii*. Le grand hybrideur allemand Karl Foerster a créé quelques cultivars fort intéressants dont les fleurs sont plus grandes, qui se tiennent mieux et qui résistent à une certaine sécheresse. Parmi ceux-ci, 'Kanaria' est à mon avis un des plus performants et des plus attrayants. Il produit des fleurs d'un jaune très clair et atteint approximativement 1 m de hauteur. Je suggère également 'Kupfersprudel' (syn. 'Copper Spray'), aux fleurs orange cuivré, 'Pumilum Magnificum', une plante à floraison hâtive qui fait 80 cm de hauteur, et 'Rubinzwerg', dont les fleurs rouges s'agencent merveilleusement bien à celles de la pérovskie (*Perovskia atriplicifolia*). 'Pipsqueak' est un nouveau cultivar introduit par Blooms Nurseries, d'Angleterre, qui devrait faire son apparition au Canada d'ici quelques années. Cette hélénie naine, qui n'atteint guère plus de 35 cm de hauteur, possède de belles fleurs jaune très pâle au cœur brun.

Hélénie 'Rubinzwerg' (*Helenium* 'Rubinzwerg').

Culture facile

Faciles à cultiver, tous les cultivars d'hélénies poussent bien dans une bonne terre à jardin brune fraîche ou humide et bien ensoleillée. Ces plantes s'accommodent des sols lourds et argileux à condition qu'ils soient bien amendés avec du compost. Vous pouvez fournir 1 cm d'épaisseur de compost aux hélénies chaque année. Bien que quelques hybrides puissent tolérer une certaine sécheresse, il est préférable d'arroser copieusement ces vivaces durant les périodes chaudes et sèches du milieu de l'été.

Les grands cultivars d'hélénies nécessitent presque toujours un tuteur. En juin cependant, vous pouvez les rabattre de moitié afin qu'ils forment un plus grand nombre de tiges, ce qui améliore leur stabilité et évite bien souvent le tuteurage. La floraison sera toutefois retardée de quelques semaines.

Associations gagnantes

Les divers cultivars d'hélénies s'associent bien aux aconits *(Aconitum)* à floraison tardive, aux asters de la Nouvelle-Angleterre *(Aster novae-angliae)*, aux eupatoires *(Eupatorium)*, à l'héliopsis *(Heliopsis helianthoides* var. *scabra)*, aux rudbeckias *(Rudbeckia)*, aux grands orpins *(Sedum)* et à certaines graminées.

Heliopsis
Du soleil dans les plates-bandes

L'héliopsis *(Heliopsis helianthoides* var. *scabra)* est une plante originaire d'Amérique du Nord. Le cultivar le plus connu est sans doute 'Sommersonne' (syn. 'Summer Sun'). D'une hauteur d'environ 1,20 m et d'une largeur de 60 cm, cette vivace produit des fleurs qui ont l'apparence de petits tournesols tantôt doubles, tantôt simples. Son abondante floraison se déroule de juillet à la fin de septembre. D'autres variétés, assez semblables à 'Sommersonne', sont plus rares mais parfois offertes sur le marché nord-américain. 'Karat' arbore des fleurs simples de couleur jaune, tandis que 'Goldgefieder' (syn. 'Golden Plume') possède de grandes fleurs doubles. Tout récemment, un cultivar nommé 'Lorraine Sunshine' a été introduit sur le marché canadien. C'est un héliopsis très singulier qui ne fait que 60 cm de hauteur et qui possède un feuillage blanc crème dont les nervures sont d'un vert très foncé.

Terre bien drainée

Les héliopsis sont parfaitement à leur aise dans une bonne terre à jardin brune, bien drainée et située en plein soleil. Chaque année, vous pouvez épandre environ 1 cm d'épaisseur de compost à leur base. Tous les cultivars d'héliopsis peuvent tolérer un manque d'eau temporaire. Cependant, il est préférable de ne pas laisser ces plantes se dessécher trop longtemps afin d'éviter qu'elles soient attaquées par l'oïdium, un champignon qui cause l'apparition d'un feutre blanc grisâtre à la surface des feuilles. Si, vers la fin de la saison, cette maladie affecte vos plants, vous devez couper et jeter aux ordures toutes les parties atteintes. Une taille régulière des fleurs fanées permet d'obtenir une floraison plus abondante et d'une plus longue durée.

Associations gagnantes

Les héliopsis produisent de magnifiques contrastes avec les aconits *(Aconitum)*, les pieds-d'alouette *(Delphinium)*, les grands cultivars de liatrides en épis *(Liatris spicata)*, la pérovskie *(Perovskia atriplicifolia)* et la véronique à longues feuilles *(Veronica longifolia)*. Ils forment des mariages étonnants avec les grands orpins *(Sedum)* à feuillage pourpre ainsi qu'avec certaines graminées. Les annuelles, comme les divers cultivars de cosmos soufrés *(Cosmos sulphureus)*, certaines variétés de sauges tendres *(Salvia)* de grandes dimensions, le tournesol mexicain *(Tithonia rotundifolia)* ainsi que la verveine de Buenos Aires *(Verbena bonariensis)*, constituent aussi de très bonnes compagnes pour les héliopsis.

Les fleurs jaune vif de l'héliopsis 'Karat' (*Heliopsis helianthoides* var. *scabra* 'Karat') offrent un joyeux contraste lorsqu'elles sont plantées à proximité des fleurs bleu violacé du pied-d'alouette 'Blue Dawn' (*Delphinium* 'Blue Dawn').

Hemerocallis

Plus que parfaites, ces hémérocalles !

Les hémérocalles sont des plantes vivaces extrêmement populaires auprès des jardiniers pour leurs qualités exceptionnelles. Ce sont des végétaux qui s'adaptent facilement à plusieurs types d'environnements, qui sont très peu attaqués par les maladies et les insectes, et qui offrent une floraison des plus spectaculaires. Selon l'American Daylily Society, il y aurait aujourd'hui près de 50 000 cultivars homologués dont une infime partie seulement est proposée dans les pépinières.

La fameuse hémérocalle fauve (*Hemerocallis fulva*).

Originaires d'Asie

Le très ancien genre *Hemerocallis*, qui est probablement originaire de Chine et du Japon, est divisé en une quinzaine d'espèces. Certaines, comme *H. citrina, H. dumortieri, H. lilio-asphodelus* (syn. *H. flava*), *H. fulva, H. middendorffii* et *H. minor*, sont parfois utilisées dans les aménagements paysagers. Dans l'est du Canada, c'est l'hémérocalle fauve *(H. fulva)*, aux fleurs orangées, qui est la plus connue. Cette plante, originaire d'Asie, est cultivée dans plusieurs de nos jardins et s'en est échappée pour pousser à l'état sauvage le long des routes et dans les champs.

Nom latin : *Hemerocallis.*

Nom commun : hémérocalle, lis d'un jour.

Famille : liliacées.

Feuillage : feuilles linéaires très longues et retombantes.

Floraison : grandes fleurs composées de six tépales. Selon les cultivars, les fleurs sont blanches, jaunes, orange, roses, rouges, pourpres, mauves ou violettes. Plusieurs cultivars sont bicolores ou même tricolores. Chaque fleur ne dure pas plus d'une journée.

Période de floraison : fin du printemps et été.

Exposition : soleil, mi-ombre.

Sol : s'adapte bien à plusieurs types de sols.

Rusticité : à partir de la zone 2.

Superbe floraison

À partir des traditionnelles hémérocalles aux fleurs jaunes et orange, les hybrideurs ont produit une gamme impressionnante de blancs, de roses, de rouges, de pourpres, de mauves et de violets. Certains cultivars sont bicolores ou même tricolores, arborant des marges ou un cœur contrastant avec le reste de la fleur. Il n'y a pas encore de floraisons bleues sur le marché, mais les hybrideurs y travaillent avec ardeur.

Hémérocalle 'Dallas Spider Time' (*Hemerocallis* 'Dallas Spider Time').

La forme des fleurs est aussi très variable. Certains cultivars possèdent des fleurs tubulaires, circulaires ou triangulaires alors que d'autres ont plutôt la forme d'une étoile. Depuis quelques années, les hybrideurs cherchent surtout à créer des fleurs dont la marge des pétales est fortement ondulée. Quelques cultivars

RENSEIGNÉ

LE JARDINIER

La culture des hémérocalles

Les hémérocalles affectionnent les sols riches et frais. Cependant, la plupart des cultivars peuvent très bien s'adapter à des sols argileux et humides ou légèrement sableux et plus secs. Les hémérocalles peuvent également pousser sous différentes conditions d'ensoleillement ; elles préfèrent le plein soleil, mais peuvent aussi bien fleurir à la mi-ombre. Certains cultivars tolèrent même une ombre légère mais, évidemment, la floraison est alors moins abondante. Bien que ces plantes ne nécessitent à peu près pas de soins pour croître et fleurir adéquatement, vous pouvez tout de même leur apporter 1 cm d'épaisseur de compost chaque printemps. Les hémérocalles sont rarement envahies par les maladies et les insectes.

Certains cultivars d'hémérocalles de petite taille et très florifères, comme 'Made to Order', conviennent bien à la culture en pots.

comme 'Kwanso', 'Meringue Mirage' et 'Siloam Double Classic' ont des fleurs doubles, alors que d'autres, comme 'Dallas Spider Time' et 'Kindly Light', possèdent des fleurs aux pétales étroits qui rappellent vaguement des araignées. La dimension varie aussi beaucoup ; les plus petites fleurs, comme celles du cultivar 'Eenie Weenie', atteignent à peine 4 cm de diamètre tandis que celles de certains hybrides tétraploïdes peuvent faire jusqu'à 18 cm.

La durée de la période de floraison des hémérocalles varie généralement de deux à six semaines. Il est cependant possible de trouver dans les jardineries et les pépinières plusieurs hémérocalles dont la floraison est remontante ou même continue, dans certains cas. Les variétés 'Bitsy', 'Happy Returns', 'Rosy Returns' et 'Stella de Oro' fleurissent abondamment à la fin de juin et en juillet et, par la suite, continuent à produire une plus petite quantité de fleurs parfois jusqu'au début d'octobre.

Pas toutes rustiques

Bien que la majorité des hémérocalles soient rustiques jusqu'en zone 3, et même parfois en zone 2, ce ne sont pas tous les cultivars qui conviennent aux climats nordiques. Si vous achetez des hémérocalles dans une pépinière des États-Unis ou du sud de l'Ontario, je vous recommande d'éviter les variétés à feuillage persistant qui survivent difficilement au-delà des zones de rusticité 6 et 7. Dans les catalogues, vous verrez l'abréviation Ev, qui signifie *evergreen*, à côté du nom de ces cultivars. Choisissez plutôt les hémérocalles à feuillage caduc identifiées par l'abréviation Dor *(dormant)* ou celles à feuillage semi-persistant accompagnées de l'abréviation Sev *(semi-evergreen)*.

La très populaire hémérocalle 'Stella de Oro' (*Hemerocallis* 'Stella de Oro') forme un joli contraste avec la népéta 'Blue Wonder' (*Nepeta* x *faassenii* 'Blue Wonder').

Mes préférées

Je suis fou des hémérocalles. Pour un paysagiste comme moi, des plantes aux formes, aux textures et aux couleurs aussi diversifiées ne peuvent que favoriser la création d'aménagements originaux. Parmi tous les cultivars existants, je préfère ceux qui arborent des fleurs d'un orange très saturé comme 'Krakatoa Lava', une plante tout simplement fabuleuse qui atteint jusqu'à 1 m de hauteur. J'apprécie également les hémérocalles dont la floraison est d'un orange moins intense, comme 'Bertie Ferris', aux petites fleurs de couleur abricot, et 'Mini Pearl', un cultivar introduit par Jablonski en 1982 et dont la floraison saumonée s'élève à environ 40 cm de hauteur.

Je suis fasciné par les fleurs rouges et pourpres. Je ne peux résister à 'Vintage Bordeaux' qui possède un cœur vert contrastant de façon saisissante avec ses tépales dont la couleur rappelle les meilleurs vins français. 'Midnight Oil', créé par Darrel Apps, est une autre variété qui me fait craquer avec ses fleurs d'un pourpre presque noir. Parmi les cultivars à fleurs rouges, mes favoris sont 'Chicago Firecracker', aux grandes fleurs qui atteignent 14 cm de diamètre, et 'Pardon Me', une petite plante qui fait 45 cm de hauteur et dont la floraison est remontante.

Les cultivars d'hémérocalles à fleurs blanches ont aussi ma faveur. 'Starched White' est de loin la variété que je préfère. Cette hémérocalle produit de magnifiques fleurs blanches dont la base des tépales est légèrement marquée de jaune et de vert. Je suggère aussi de faire l'essai du populaire cultivar 'Joan Senior' qui atteint environ 60 cm de hauteur.

Associations gagnantes

Les hémérocalles s'harmonisent avec une foule de végétaux ornementaux. Les variétés à floraison jaune, orange ou rouge s'associent particulièrement bien aux plantes à fleurs bleues ou violettes comme certains géraniums vivaces *(Geranium)*, les panicauts *(Eryngium)*, la pérovskie *(Perovskia atriplicifolia)*, les népétas *(Nepeta)* et les sauges *(Salvia)*. Quant aux cultivars à fleurs pourpres, ils apportent beaucoup d'intensité aux plantations composées de plantes dont les fleurs sont de couleur crème ou jaune telles que les achillées *(Achillea)*, la grande radiaire 'Alba' (*Astrantia major* 'Alba'), la valériane rouge 'Albus' (*Centranthus ruber* 'Albus') ainsi que certaines espèces et cultivars de lysimaques *(Lysimachia)*. Finalement, les hémérocalles aux teintes pâles s'intègrent bien aux plantations d'allure romantique. Les cultivars à fleurs blanches, roses ou mauves accompagnent à merveille les campanules *(Campanula)*, les pieds-d'alouette *(Delphinium)*, les salicaires *(Lythrum salicaria)* et les véroniques *(Veronica)*.

Hémérocalle 'Vintage Bordeaux' (*Hemerocallis* 'Vintage Bordeaux').

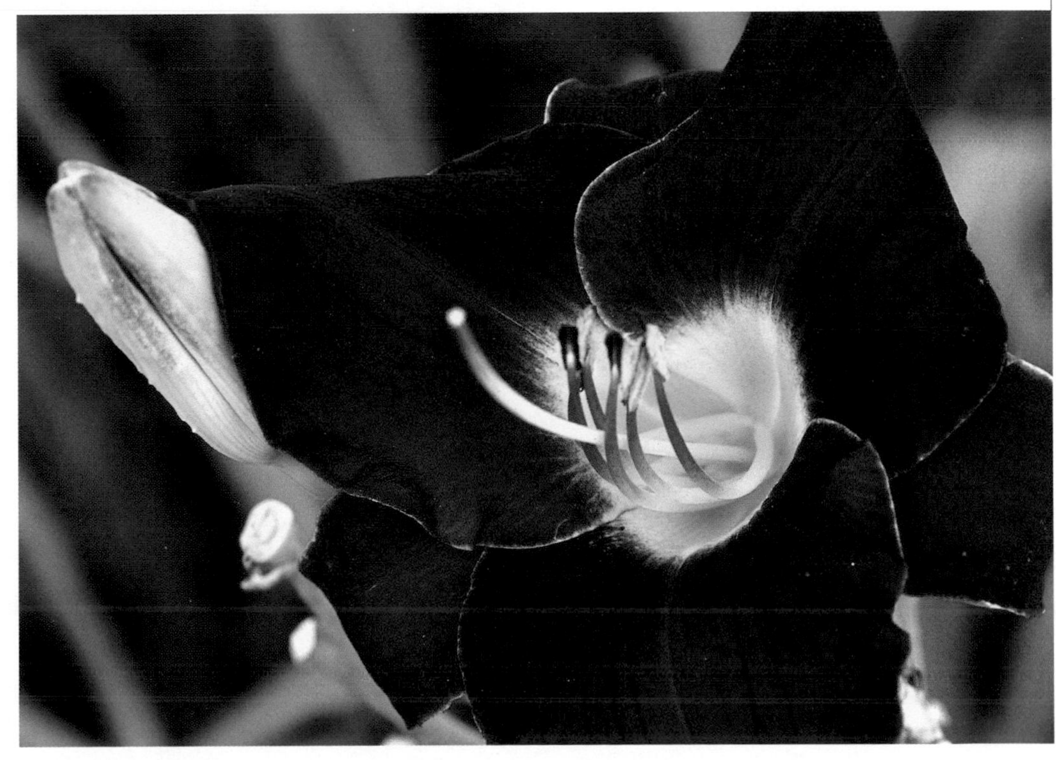

RENSEIGNÉ

LE JARDINIER

Tétraploïde ?

Les espèces ainsi qu'une grande partie des cultivars d'hémérocalles possèdent un bagage génétique composé de 22 chromosomes. Le terme tétraploïde désigne certains hybrides dont le nombre de chromosomes a été doublé à l'aide d'une substance appelée colchicine. Ces plantes sont donc composées de 44 chromosomes. À première vue, les hémérocalles tétraploïdes ne sont guère différentes des autres. Toutefois, les meilleurs cultivars sont des vivaces plus vigoureuses au feuillage et aux tiges particulièrement robustes. Leurs fleurs sont plus larges et ont des coloris habituellement très intenses. Certaines hémérocalles tétraploïdes aux caractéristiques exceptionnelles constituent des plantes de choix pour l'hybridation et la création de nouvelles variétés.

Hémérocalle 'Pardon Me' (*Hemerocallis* 'Pardon Me').

Hémérocalle 'Mini Pearl' (*Hemerocallis* 'Mini Pearl').

Hémérocalle 'Starched White' (*Hemerocallis* 'Starched White').

MOMENT MAGIQUE

soleil, mi-ombre

L'orange est une des couleurs qui captent le plus l'attention. Parce qu'il réagit violemment au contact des autres couleurs, il est assez difficile de l'utiliser dans un aménagement. Toutefois, lorsqu'il est judicieusement associé à du bleu ou à du violet, il apporte une joyeuse exubérance aux plantations. Vous pouvez modérer l'intensité de ce contraste en privilégiant des tons insaturés d'orange comme le saumon, l'abricot, le cuivré ou l'ivoire. Dans cet arrangement, les fleurs saumonées de l'hémérocalle 'Peggy Bass' apportent juste l'énergie qu'il faut. Les végétaux qui composent cette plate-bande créée par Darrel Apps doivent être plantés dans une bonne terre à jardin brune exposée au plein soleil ou à la mi-ombre.

 Hémérocalle 'Special Moments' (*Hemerocallis* 'Special Moments')

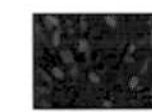 Agapanthe 'Blue Danube' (*Agapanthus* 'Blue Danube')

 Hémérocalle 'Peggy Bass' (*Hemerocallis* 'Peggy Bass')

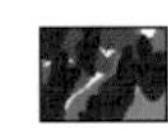 Salicaire 'Robert' (*Lythrum salicaria* 'Robert')

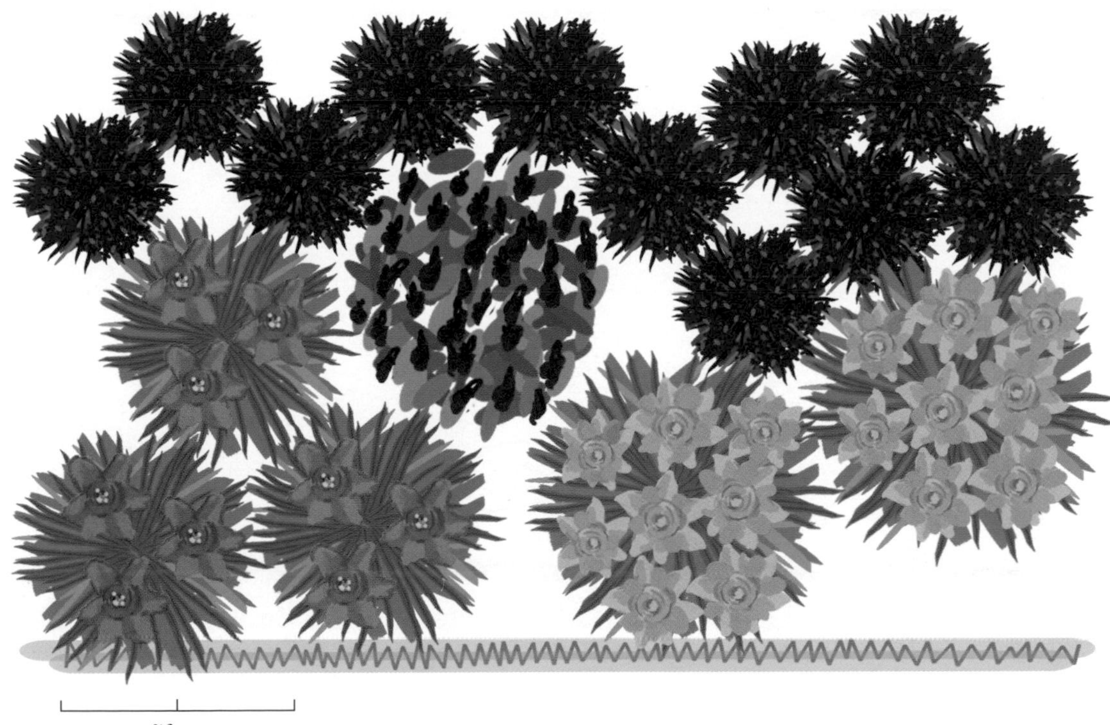

Hemerocallis

Intense

soleil, mi-ombre

Le pourpre confère un dynamisme très particulier aux aménagements paysagers. Cette couleur dense et très puissante contribue à rendre l'atmosphère des jardins intense, voire mystérieuse. Par ailleurs, pour éviter de produire un effet mélancolique ou carrément déprimant, il est préférable d'utiliser les plantes aux fleurs et aux feuilles pourpres en petite quantité, et de les placer devant des végétaux aux teintes lumineuses comme le crème et le jaune. Cet aménagement imaginé par Darrel Apps, propriétaire de la Woodside Nursery, en Pennsylvanie, doit être installé dans un endroit ensoleillé ou mi-ombragé.

Hémérocalle 'Remus'
(*Hemerocallis* 'Remus')

Hémérocalle 'When Fortune Smiles'
(*Hemerocallis* 'When Fortune Smiles')

Hémérocalle 'Lady of Fortune'
(*Hemerocallis* 'Lady of Fortune')

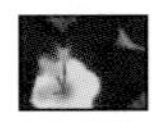
Hémérocalle 'Jungle Beauty'
(*Hemerocallis* 'Jungle Beauty')

Eupatoire 'Chocolate'
(*Ageratina altissima* 'Chocolate')

50 cm

Heuchera
Hallucinantes heuchères

Traditionnellement, les heuchères étaient appréciées pour leurs jolies fleurs rouges, roses ou blanches qui s'épanouissent durant de nombreuses semaines à la fin du printemps et en été. Depuis l'arrivée d'une multitude de nouveaux cultivars sur le marché horticole nord-américain, on les cultive surtout pour l'impressionnante variété de couleurs et de formes qu'offrent leurs feuillages.

Petites indigènes

Quelques espèces d'heuchères poussent à l'état indigène en Amérique du Nord. *H. micrantha* et *H. americana* poussent aux États-Unis et sont à l'origine de plusieurs cultivars récemment introduits. En Arizona, au Nouveau-Mexique et au Mexique, on trouve l'heuchère sanguine *(H. sanguinea)* qui est souvent plantée dans les aménagements paysagers de l'est du Canada. Cette plante, rustique jusqu'en zone 3, produit de jolies petites fleurs rouges qui apparaissent sans arrêt de juin à août.

Feuilles pourpres

Il y a quelques années seulement, 'Palace Purple' était encore le seul cultivar d'heuchère à feuilles pourpres offert sur le marché. Tout récemment, une foule de nouvelles variétés aux feuillages plus psychédéliques les uns que les autres ont fait leur apparition en Amérique du Nord. La plupart de ces vivaces sont rustiques en zone 4. Parmi celles-ci, 'Purple Petticoats' m'apparaît un des cultivars les plus originaux. Le dessus de ses feuilles est pourpre foncé, les marges sont très ondulées et souvent retournées, laissant voir le dessous qui est de couleur bourgogne. Faites également l'essai de 'Regal Robe' dont les feuilles pourpres semblent être recouvertes d'une fine bruine argentée. Sans compter ses fleurs blanches, le feuillage atteint environ 30 cm de hauteur sur près de 60 cm de largeur. 'Velvet Night' est probablement le cultivar qui possède les plus grandes feuilles ; elles peuvent atteindre jusqu'à 18 cm de largeur. Son feuillage velouté presque noir est subtilement recouvert de gris

Nom latin : *Heuchera.*
Nom commun : heuchère.
Famille : saxifragacées.
Feuillage : feuilles palmées légèrement lobées et souvent ondulées. Le feuillage est vert, pourpre, bronze ou gris, le plus souvent composé de plusieurs de ces couleurs.
Floraison : petites fleurs blanches, roses ou rouges réunies en longues panicules ou en grappes.
Période de floraison : fin du printemps et été.
Exposition : soleil, mi-ombre, ombre légère. Plusieurs cultivars tolèrent également l'ombre moyenne.
Sol : riche, frais et bien drainé.
Rusticité : à partir de la zone 3.

L'heuchère 'Snow Angel' (*Heuchera* 'Snow Angel') plantée en compagnie du coléus 'Wizard Golden' (*Solenostemon scutellarioides* 'Wizard Golden').

RENSEIGNÉ

LE JARDINIER

La culture des heuchères

Les heuchères peuvent croître sous différentes conditions d'ensoleillement; la plupart des variétés poussent bien au soleil, si le sol est toujours humide, ou à la mi-ombre. Celles qui possèdent un feuillage panaché doivent être protégées des rayons du soleil de l'après-midi afin d'éviter qu'elles se décolorent. Certains cultivars, surtout ceux issus d'*H. americana* et d'*H. micrantha,* peuvent facilement s'accommoder d'une ombre légère ou même moyenne, dans certains cas. Les heuchères préfèrent généralement les sols riches, frais et bien drainés. Les hybrides issus d'*H. sanguinea* prospèrent aussi assez bien dans les rocailles légèrement ombragées en sol toujours frais. Vous devez leur fournir du compost chaque année, environ 2,5 cm d'épaisseur.

Le feuillage étonnant d'*Heuchera* 'Purple Petticoats' contraste fortement avec les feuilles vertes panachées de blanc de *Plectranthus forsteri* 'Variegatus', une plante traitée comme une annuelle.

et de mauve. J'affectionne particulièrement l'heuchère 'Stormy Seas' dont le nom poétique décrit si bien la ténébreuse beauté. Les parties comprises entre les nervures de ses feuilles sont grises, tandis que les nervures sont vertes, parfois teintées de pourpre; le dessous des feuilles est bourgogne. Les marges des feuilles sont très ondulées. Finalement, 'Palace Passion' possède un feuillage pourpre lustré et arbore à la fin du printemps et au début de l'été de jolies fleurs roses délicatement disposées sur des tiges d'environ 60 cm de hauteur.

Panachées de gris

Certains cultivars d'heuchères possèdent un feuillage vert panaché de gris. 'Mint Julep' et 'Oakington Jewel' sont des variétés qui atteignent environ 30 cm de hauteur et qui forment des feuilles vert moyen dont les nervures sont vert foncé. Avec le temps, les parties comprises entre les nervures se teintent légèrement de gris. Par ailleurs, chez l'heuchère 'Eco Improved', une de mes préférées, le feuillage atteint environ 40 cm de hauteur et est presque entièrement gris. Seules les nervures sont pourpres, alors que les marges sont d'un gris un peu plus foncé. Les petits cultivars 'Snow Storm' et 'Splish Splash', rustiques en zone 3, arborent quant à eux des feuilles jaunes finement tachetées de vert. Pour sa part, 'Snow Angel' produit un feuillage vert irrégulièrement marqué de crème. Vers la fin du printemps et au début de l'été, cette heuchère forme également de jolies fleurs roses portées par des hampes qui atteignent approximativement 30 cm de hauteur.

Associations gagnantes

Les heuchères s'intègrent facilement à la plupart des aménagements. Elles s'agencent bien aux divers cultivars de cœurs-saignants du Pacifique *(Dicentra formosa),* aux géraniums vivaces *(Geranium),* aux hostas *(Hosta)* ainsi qu'aux pulmonaires *(Pulmonaria)*. Les variétés d'heuchères à feuilles pourpres forment de jolis contrastes lorsqu'elles sont plantées à proximité de végétaux aux feuilles jaunes comme l'hakonéchloa 'Aureola' (*Hakonechloa macra* 'Aureola'), le vulpin des prés 'Aureomarginatus' (*Alopecurus pratensis* 'Aureomarginatus') et certains hostas *(Hosta)*. Les fleurs violacées comme celles de l'astilbe de Chine 'Visions' (*Astilbe chinensis* 'Visions') produisent un effet absolument saisissant lorsqu'elles accompagnent les feuilles pourpres de certaines heuchères.

RENSEIGNÉ

LE JARDINIER

Des heuchères au feuillage sain et touffu

A. Avec les années, les heuchères ont tendance à former des tiges dures et lignifiées qui ne forment des feuilles qu'à leur extrémité. Les plants produisent alors un feuillage épars et leur centre se dégarnit rapidement. Afin d'éviter ce problème, je recommande de diviser vos heuchères tous les trois ou quatre ans. Vous pouvez effectuer cette opération durant l'automne, avant la mi-octobre, ou au printemps, en avril et en mai.

B. Avant d'entreprendre la division d'une heuchère, vous devez d'abord la cerner avec une pelle-bêche bien aiguisée afin de l'extraire du sol facilement tout en conservant une bonne motte de terre. Vous devez ensuite couper la plante en morceaux composés de deux ou trois tiges seulement. Replantez ces rejetons sans tarder en prenant soin d'enfouir sous terre les parties des tiges qui sont lignifiées jusqu'à l'endroit où sont fixées les premières feuilles.

C et D. Lorsque les tiges sont lignifiées sur plus de 15 cm de longueur, vous pouvez tailler les extrémités et les piquer dans le sol afin d'obtenir de nouveaux plants. Pour effectuer cette opération, vous n'avez qu'à couper les tiges à 2 ou 3 cm sous les dernières feuilles. Plantez les bouts de tiges de manière que la base des pétioles des feuilles soit au même niveau que la surface du sol.

Heuchère 'Eco Improved' (*Heuchera* 'Eco Improved').

Heuchère 'Palace Passion' (*Heuchera* 'Palace Passion').

Elles sont très semblables aux heuchères

Les tiarelles *(Tiarella)* et les heuchèrelles (x *Heucherella*) sont des plantes vivaces qui ressemblent énormément aux heuchères. La tiarelle cordifoliée *(T. cordifolia),* qui peut être observée dans les forêts de l'est de l'Amérique du Nord, est une petite plante vigoureuse qui recouvre aisément les sols riches et frais dans des endroits où l'ombre est modérée ou même dense. En plus de posséder un joli feuillage, elle forme au printemps, vers la fin de mai et en juin, de petites fleurs blanches réunies en grappes bien dressées. De nombreux cultivars issus de cette tiarelle, pour la plupart rustiques en zone 3, sont maintenant vendus dans les jardineries et les pépinières. 'Skeleton Key' possède un joli feuillage vert profondément lobé dont la partie centrale est d'un violet très foncé, presque noir. Avec ses feuilles très découpées, 'Cygnet' est la variété la plus surprenante. Cette tiarelle atteint environ 35 cm de hauteur sur 45 cm de largeur. 'Heronswood Mist', un cultivar introduit tout récemment, possède des feuilles jaunes finement tachetées de vert.

Les divers cultivars d'heuchèrelles (x *Heucherella*) sont le résultat d'hybridations entre les genres *Heuchera* et *Tiarella*. La variété 'Bridget Bloom', hybridée par Alan Bloom, est issue d'un croisement entre *H.* x *brizoides* et *T. cordifolia*. Cette plante combine le feuillage typique des tiarelles et les fleurs roses des heuchères. 'Burnished Bronze' et 'Silver Streak' viennent tous deux de faire leur apparition sur le marché horticole. Le cultivar 'Burnished Bronze' possède un singulier feuillage de couleur bronze teinté de pourpre à certains endroits. Ses feuilles très découpées ont une texture particulièrement lustrée qui reflète la lumière. Pour sa part, 'Silver Streak' arbore un magnifique feuillage gris dont les nervures sont pourprées. Portées par des hampes d'environ 40 cm de hauteur, les fleurs en boutons sont d'un joli rose pourpré; elles tournent au blanc lorsqu'elles éclosent.

Tiarelle 'Heronswood Mist' (*Tiarella* 'Heronswood Mist').

Heuchèrelle 'Burnished Bronze' (x *Heucherella* 'Burnished Bronze').

Tiarelle 'Skeleton Key' (*Tiarella* 'Skeleton Key').

Le feuillage sombre de l'heuchèrelle 'Silver Streak' (x *Heucherella* 'Silver Streak') et les fleurs rouge foncé de la verveine 'Aztec Red' (*Verbena* 'Aztec Red') forment un ensemble empreint d'une grande puissance.

Jour et nuit

soleil, mi-ombre

Neutre, le gris sert principalement à faire ressortir les autres couleurs. Il donne habituellement plus d'intensité aux teintes pastel. Les feuillages gris accompagnent donc très bien les plantes aux fleurs blanches, roses et bleues. Je crois cependant que le gris est à son meilleur lorsqu'il forme un contraste puissant avec le pourpre, comme c'est le cas dans cette plate-bande. Cet aménagement créé par Hélène Vaillancourt et Gaétan Deschênes doit être installé dans un endroit ensoleillé ou mi-ombragé.

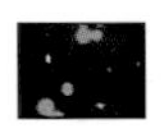
Heuchère 'Chocolate Veil'
(*Heuchera* 'Chocolate Veil')

Plectranthe argenté
(*Plectranthus argentatus*)

Talinum
(*Talinum paniculatum*)

Coléus 'Haines'
(*Solenostemon scutellarioides* 'Haines')

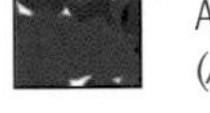
Astilbe 'Amethyst'
(*Astilbe* x *arendsii* 'Amethyst')

Armoise 'Silver Queen'
(*Artemisia ludoviciana* 'Silver Queen')

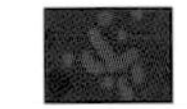
Cierge d'argent 'Brunette'
(*Cimicifuga* 'Brunette', syn. *Actaea* 'Brunette')

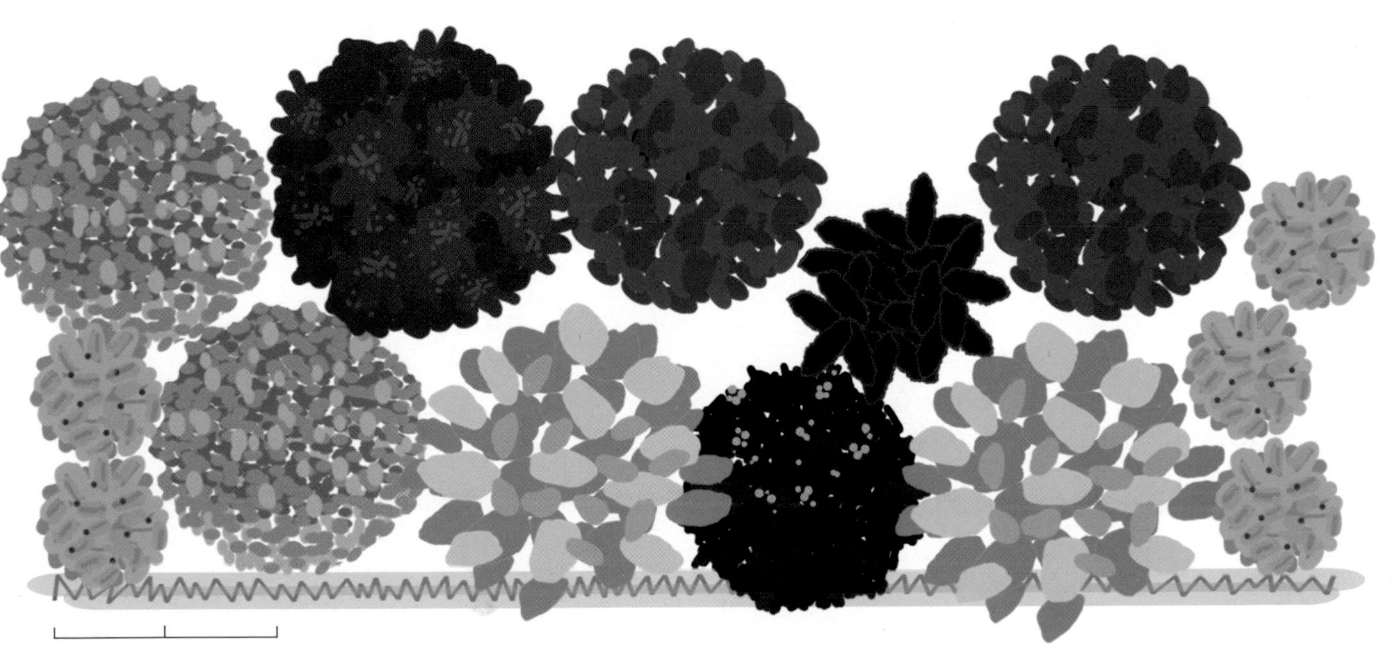

Hosta
Nobles hostas

Les hostas figurent parmi les plantes les plus vendues en Amérique du Nord. Bien que leur floraison soit jolie et abondante, elle ne constitue pas leur principal attrait. La beauté des formes, des textures et des coloris des feuillages des hostas, ainsi que la luxuriance et l'exotisme qu'ils confèrent aux aménagements, ont plus largement contribué à leur popularité. Les hostas sont des plantes fantastiques qui offrent un attrait constant au jardin durant plus de cinq mois.

Giboshi

Le genre *Hosta*, aussi appelé *Giboshi* en japonais, comprend un peu plus d'une quarantaine d'espèces. Bien que certaines proviennent de Chine et de Corée, la majorité des espèces de hostas sont originaires du Japon. En milieu naturel, ces végétaux prévilégient les endroits où le sol reste constamment humide comme l'orée des forêts de feuillus, où on les trouve fréquemment. Ils affectionnent aussi les sols longeant les cours d'eau ou même les escarpements rocheux situés près de chutes. Les hostas poussent parfois au soleil dans les prairies humides, où ils bénéficient d'un peu d'ombrage grâce aux graminées qui les accompagnent. Plusieurs hostas tels que *H. plantaginea* et *H. ventricosa* sont cultivés en Asie depuis des centaines d'années. Quelques espèces probablement issues d'hybridations ne se trouvent pas dans la nature, mais seulement dans les jardins. Comme la culture des hostas en Asie a une très longue histoire, leur classification est un peu confuse.

Nom latin : *Hosta.*
Nom commun : hosta.
Famille : liliacées.
Feuillage : les feuilles sont habituellement ovées ou cordées. Plusieurs cultivars possèdent également un feuillage lancéolé ou linéaire. Les feuilles sont de couleur bleu verdâtre, glauque, verte, jaune verdâtre ou jaune. Une grande partie des hostas ont un feuillage panaché de jaune ou de blanc.
Floraison : fleurs blanches, lavande, mauves ou violettes regroupées en grappes.
Période de floraison : fin du printemps et été.
Exposition : mi-ombre, ombre légère et ombre moyenne. Plusieurs cultivars poussent également bien en plein soleil.
Sol : frais et bien drainé.
Rusticité : zone 3.

Grande diversité

Les cultivars de hostas varient beaucoup en hauteur. On trouve des cultivars nains qui n'atteignent que 5 cm de hauteur alors que certains autres, beaucoup plus gros, peuvent parfois atteindre jusqu'à 1 m. N'oubliez pas que lorsqu'on donne les mensurations d'un hosta dans un document, il s'agit des dimensions du feuillage sans les fleurs ; la hauteur de la plante en floraison est rarement prise en considération.

Un superbe tableau où se combinent subtilement les feuillages de *Hosta* 'Blue Arrow', *H.* 'Fortunei Hyacinthina' et *H. sieboldiana* 'Frances Williams' ainsi que celui des fougères *Athyrium nipponicum* 'Pictum' et *A. thelypteroides*.

LE JARDINIER RENSEIGNÉ

La culture des hostas

La popularité des hostas est entre autres attribuable à leur culture très facile. Bien que ces vivaces soient peu exigeantes et très adaptables, elles produiront mieux si vous leur fournissez un sol riche ayant une bonne capacité de rétention d'eau et d'éléments nutritifs. Plantez vos hostas dans un terreau composé d'une moitié de terre à jardin brune ordinaire ou de sol existant s'il est de bonne qualité, et d'une moitié de compost. Vous pouvez ensuite épandre du compost à leur pied tous les ans. Cela devient carrément indispensable lorsque les hostas sont directement en compétition avec les racines des arbres. Vous devez faire un apport annuel d'environ 2,5 cm d'épaisseur.

Les hostas ne poussent pas de façon adéquate lorsque l'ombre est trop dense et le sol, trop sec, comme sous des conifères. Cependant, j'ai réussi à cultiver des hostas sous des arbres au feuillage très épais comme l'érable argenté *(Acer saccharinum)* et l'érable de Norvège *(A. platanoides)*. Bien entendu, ces plantes n'ont pas eu une croissance aussi importante que si elles avaient été disposées à l'ombre légère, à la mi-ombre ou même en plein soleil dans le cas de certains cultivars. En situation très ombragée, les plants ont généralement une floraison moins abondante et forment des feuilles plus grosses, mais moins nombreuses. Lorsque la lumière est plus intense, les hostas produisent une floraison plus abondante et un nombre supérieur de feuilles aux dimensions plus restreintes.

De façon générale, les cultivars de hostas qui possèdent un feuillage bleuté se portent mieux dans les endroits frais et ombragés. Leur coloration demeure alors plus prononcée que s'ils sont placés en plein soleil. En revanche, les cultivars au feuillage vert, jaune ou chartreuse acceptent beaucoup plus de lumière directe. Les hostas aux feuilles jaunes peuvent prendre une teinte verdâtre s'ils sont installés dans un site trop ombragé. À l'opposé, trop de soleil délave et même, dans certains cas, brûle les feuillages aux coloris pâles. Plantez donc ces hostas dans un endroit protégé des chauds rayons du soleil du début d'après-midi et où le sol reste constamment humide.

Hosta 'Blue Angel' (*Hosta* 'Blue Angel').

Les hostas présentent une variété impressionnante de formes, de textures et de couleurs de feuillages. On trouve des feuilles en lanière (linéaires), en forme de lance (lancéolées), en forme d'œuf (ovées), en forme de cœur (cordées) ou arrondies. Quant à leur texture, elle peut être rugueuse, gaufrée ou très lisse. Cela dit, la coloration des feuilles est probablement l'attrait le plus important des hostas.

Verts

Plusieurs hostas possèdent un feuillage complètement vert. Les espèces qu'on trouve dans la nature font généralement partie de ce groupe. Je suggère de faire l'essai du très joli *H. ventricosa* originaire de Chine. Ce hosta, qui fait environ 60 cm de hauteur, forme d'étonnantes feuilles cordées d'un vert foncé et luisant. À partir de cette espèce, Mary Chastain, horticultrice américaine de renom, a créé plusieurs cultivars dont 'Lakeside Black Satin' qui arbore un feuillage très foncé et particulièrement luisant. Vous devez également vous procurer le spectaculaire *H. montana* f. *macrophylla* qui possède d'immenses feuilles très allongées pouvant atteindre jusqu'à 45 cm de longueur. Si vous n'arrivez pas à dénicher ce hosta gigantesque qui fait près de 1,40 m de largeur, vous pouvez vous rabattre sur les cultivars 'Jade Cascade' et 'Niagara Falls' qui lui ressemblent.

Bleutés

Les variétés qui font partie du groupe des feuillages bleutés possèdent des colorations qui vont du vert grisâtre au vert bleuté en passant par le glauque. Ce type de feuillage confère beaucoup de calme et de paix aux aménagements. *H. sieboldiana* 'Elegans' a été introduit par Georg Arends en 1905. Il a été un des premiers cultivars au feuillage de couleur vert bleuté offerts sur le marché horticole nord-américain. Bien que plusieurs variétés à feuilles bleutées aient été créées depuis, 'Elegans' reste à mon avis un des plus beaux hostas. Il possède d'immenses feuilles gaufrées qui atteignent jusqu'à 30 cm de largeur sur un peu plus en longueur. Il prend toute son ampleur et sa beauté après une dizaine d'années; il peut alors atteindre environ 75 cm de hauteur sur 1,30 m de largeur. Ses fleurs sont blanches et dépassent à peine le feuillage. Plusieurs variétés, telles que 'Big Daddy', 'Big Mama', 'Blue Mammoth', 'Gray Cole' et 'Ryan's Big One', lui ressemblent énormément. D'une hauteur ne dépassant guère 40 cm, *H.* 'Tokudama' peut être considéré comme une version miniature de *H. sieboldiana* 'Elegans'. 'Blue Angel' est un autre cultivar au feuillage bleuté de grandes dimensions qui est fort attrayant. Cette plante créée par Paul Aden atteint environ 90 cm de hauteur sur 1,20 m de largeur. Elle possède des feuilles allongées qui ressemblent beaucoup à celles de *H. montana* et qui attirent très peu les limaces.

Plusieurs cultivars de hostas aux feuilles bleutées issus de croisements entre *H.* 'Tardiflora' et *H. sieboldiana* 'Elegans' font partie du groupe Tardiana. 'Halcyon', que j'affectionne particulièrement, est une des plus belles variétés de ce groupe. Ce hosta possède un feuillage plus petit et plus ovale que celui du cultivar 'Elegans' et atteint également des dimensions plus restreintes que ce dernier, seulement 50 cm de hauteur sur environ 95 cm de diamètre. Cependant, 'Halcyon' prend plus de temps à atteindre sa maturité que la plupart des autres cultivars à feuillage bleuté. Il forme des fleurs blanches légèrement teintées de violet qui

Une magnifique scène composée du hosta de Siebold 'Elegans' (*Hosta sieboldiana* 'Elegans'), du lamier maculé 'Chequers' (*Lamium maculatum* 'Chequers') et de la valériane officinale *(Valeriana officinalis)*.

Le feuillage jaune de la lysimaque rampante 'Aurea' (*Lysimachia nummularia* 'Aurea') fait ressortir les feuilles bleutées du hosta 'Tokudama' (*H.* 'Tokudama').

s'épanouissent un peu au-dessus du feuillage. Ce hosta a remporté plusieurs prix dont le fameux Award of Garden Merit, un symbole d'excellence décerné par la Royal Horticultural Society d'Angleterre aux plantes présentant des qualités horticoles exceptionnelles. Plusieurs autres variétés, dont les plus intéressantes sont 'Blue Danube', 'Blue Wedgwood' et 'Hadspen Blue', font partie du groupe Tardiana.

Dorés

Les hostas qui font partie de ce groupe possèdent des feuilles de couleur jaune ou jaune teinté de vert. Mon cultivar préféré est sans aucun doute 'Sum and Substance'. Ce hosta tout simplement merveilleux est probablement le plus gros cultivar à feuilles jaunes ; il atteint à maturité une hauteur de 80 cm et une largeur parfois supérieure à 1,50 m. Pour que son feuillage ne soit pas de couleur jaune verdâtre mais plutôt jaune vif, vous devez le planter dans un endroit recevant au moins quatre à cinq heures de soleil. Contrairement à plusieurs autres cultivars de hostas, les feuilles épaisses et cireuses de 'Sum and Substance' n'attirent pas les limaces. De plus, il produit de jolies fleurs bleu lavande qui s'élèvent légèrement au-dessus de son impressionnant feuillage. 'August Moon' est un autre hosta au feuillage jaune que je trouve particulièrement sé-

Hosta 'August Moon' (*Hosta* 'August Moon').

duisant. Il fait 50 cm de hauteur sur parfois un peu plus de 1 m de diamètre. Bien qu'il soit un des plus vieux cultivars à feuilles jaunes, il demeure encore aujourd'hui l'un des plus performants et des plus attrayants. Je recommande également 'Zounds' dont les imposantes feuilles jaune vif, qui mesurent jusqu'à 28 cm de longueur, sont particulièrement épaisses et gaufrées. Ce hosta, dont la croissance est relativement lente, est issu d'un croisement entre *H.* 'Golden Waffles' et *H.* 'Golden Prayers'. Plusieurs variétés de plus petites dimensions dont 'Gold Drop', 'Hadspen Samphire', 'Little Black Scape' et 'Ultraviolet Light' me plaisent aussi beaucoup. Ces hostas forment de superbes contrastes lorsqu'ils sont mariés aux heuchères *(Heuchera)* à feuilles pourpres.

Hosta 'Halcyon'
(*Hosta* 'Halcyon').

Panachés

Parmi les divers hostas aux feuilles panachées, la grande majorité des cultivars arborent un feuillage au centre foncé avec une marge contrastante de couleur claire. C'est le cas du superbe *H. montana* 'Aureomarginata' dont les feuilles vertes sont bordées d'une large marge jaune qui passe parfois au crème si l'ensoleillement est important. Ce cultivar, qui mesure un peu plus de 1 m de diamètre sur 60 cm de hauteur, est en fait une mutation spontanée de *H. montana*. C'est une plante qui a été découverte dans la nature au pied du mont Takao, situé près de Tokyo, au Japon. Pour sa part, *H.* 'Tokudama Flavocircinalis' possède de magnifiques feuilles gaufrées vert bleuté bordées de jaune. Il ressemble beaucoup à *H. sieboldiana* 'Frances Williams', mais il est plus petit que ce dernier puisqu'il atteint tout au plus 40 cm de hauteur. *H. fluctuans* 'Sagae', un cultivar que vous devez absolument planter dans votre jardin, arbore un feuillage légèrement ondulé au centre vert foncé entouré d'une jolie bordure jaune. À l'ombre moyenne, cette marge reste jaune alors qu'avec un peu plus de soleil, elle prend une teinte blanc crème. Des marques de couleur vert grisâtre se forment à

ASTUCIEUX

LE JARDINIER

Ah ! les limaces !

Tout comme les escargots, les huîtres et les moules, les limaces sont des mollusques. Elles se nourrissent principalement de feuilles en décomposition, mais aussi de feuillage sain et très tendre comme celui des hostas, leurs plantes préférées. Elles s'alimentent surtout durant la nuit, par temps humide, et laissent dans les feuilles une multitude de trous et au sol des traînées de mucus grisâtre.

Afin de prévenir l'apparition des limaces, ne laissez dans les plates-bandes aucun débris sous lesquels elles peuvent se cacher durant le jour. Il est bon d'attirer les oiseaux au jardin, car certaines espèces raffolent de ces gastéropodes ; les canards en sont aussi très friands. Vous pouvez aussi confectionner au pied des hostas une barrière composée de chaux, de terre diatomée ou de silice. Ces matériaux, habituellement vendus dans la plupart des jardineries, sont irritants et empêchent les limaces de s'aventurer jusqu'aux plants. Il faut cependant les renouveler après chaque pluie. Un paillis de feuillage de conifère, comme celui du fameux genévrier 'Mountbatten' (*Juniperus chinensis* 'Mountbatten') qui est très piquant, est également efficace pour tenir les limaces loin des hostas. Une autre technique consiste à enfoncer dans le sol autour des plants une bande de cuivre de 5 cm de largeur en en laissant dépasser la moitié. Le cuivre retient toujours une petite charge électrique ; si la limace s'y colle, elle reçoit une petite décharge qui la fait rebrousser chemin. Peu importe la méthode de lutte que vous choisissez, avant de placer une barrière autour de vos hostas, assurez-vous qu'il n'y a pas déjà des limaces dans les plants ou au niveau du sol entourant leur collet.

la jonction du centre et de la marge. Ce merveilleux hosta, qui atteint environ 60 cm de hauteur, forme également de belles fleurs blanches teintées de bleu lavande. Pour terminer, je vous propose de

Quelques rares hostas possèdent des feuilles bariolées. Le hosta 'Spilt Milk' (*Hosta* 'Spilt Milk'), qui arbore un feuillage vert couvert de fines lignes blanches, en est probablement le meilleur exemple.

Hosta 'Striptease' (*Hosta* 'Striptease').

faire l'essai du cultivar 'Regal Splendor' qui est une mutation du fameux 'Krossa Regal'. Ce hosta, qui atteint parfois un peu plus de 80 cm de hauteur, possède un port érigé très caractéristique. Ses feuilles vert grisâtre finement bordées de blanc crème retombent gracieusement au bout de longs pétioles bien verticaux.

Certains autres hostas ont des feuilles dont la couleur principale est pâle (jaune, jaune verdâtre ou blanc) alors que le pourtour est de couleur plus foncée. Un de mes cultivars favoris est 'Great Expectations' qui est probablement une mutation de *H. sieboldiana* 'Elegans'. Cette extraordinaire vivace possède un feuillage dont le centre jaune pâle est bordé d'une marge vert bleuté qui tourne au vert avec le temps. Malheureusement, ce hosta a un défaut : il a une croissance lente et exige une fertilisation et un arrosage soutenus pour prendre toute son ampleur. Le cultivar 'Tokudama Aureonebulosa', dont le feuillage est coloré à l'inverse du *H.* 'Tokudama Flavocircinalis', est également très joli avec ses feuilles jaune verdâtre bordées de vert bleuté. Il y a peu de temps, j'ai découvert deux cultivars, récemment introduits sur le marché horticole canadien, qui m'ont complètement ébloui. 'Striptease' est un hosta qui possède des feuilles dont le centre vert jaunâtre est entouré de deux larges marges vert foncé. À l'endroit où se touchent ces deux couleurs se trouvent de fines lignes blanches. 'Tattoo', quant à lui, produit un curieux feuillage vert jaunâtre au centre duquel semble avoir été imprimée une forme jaune rappelant parfois une feuille d'érable dont la silhouette est mise en valeur par une mince bande verte.

Fleurs oubliées

Les hostas sont surtout utilisés pour leurs feuillages, si bien que la floraison est rarement considérée lors du choix des cultivars pour la création d'un aménagement; certains horticulteurs vont même jusqu'à couper les fleurs avant qu'elles n'éclosent pour faire profiter leurs plants. Pourtant, les hostas produisent de très jolies fleurs dont les couleurs vont du blanc au violet en passant par les différentes teintes de lilas et de bleu lavande. Chez *H. plantaginea,* la floraison est même plus intéressante que le feuillage. Cette espèce possède des fleurs blanches qui éclosent en fin de journée et qui, durant la nuit, dégagent un parfum très agréable. Les fleurs de *H. plantaginea* sont plus grosses que celles des

Hosta de montagne 'Aureomarginata' (*Hosta montana* 'Aureomarginata') en compagnie de l'astilbe 'Rotlicht' (*Astilbe* x *arendsii* 'Rotlicht', syn. 'Red Light').

Hosta 'Regal Splendor' (*Hosta* 'Regal Splendor').

Hosta 'Honeybells' (*Hosta* 'Honeybells').

autres espèces ; le cultivar 'Aphrodite' possède d'ailleurs de magnifiques fleurs doubles. *H.* 'Honeybells' et *H.* 'Fragrant Bouquet' produisent également des fleurs très odorantes. En sélectionnant judicieusement vos espèces et variétés de hostas, vous pouvez obtenir une floraison continue de juin jusqu'aux gels d'octobre.

Associations gagnantes

Les hostas se marient parfaitement bien aux astilbes *(Astilbe)*. Ils s'associent aussi aux géraniums vivaces *(Geranium)*, aux hémérocalles *(Hemerocallis)* ainsi qu'à certaines autres plantes qui possèdent des feuillages ornementaux comme le brunnéra *(Brunnera macrophylla)*, les gingembres sauvages *(Asarum)*, les divers cultivars d'hakonéchloas *(Hakonechloa macra)*, les heuchères *(Heuchera)*, les pulmonaires *(Pulmonaria)*, les rodgersies *(Rodgersia)*, les tiarelles *(Tiarella)* et la plupart des fougères. Les hostas ont l'avantage d'émerger assez tardivement au printemps. En les plantant en compagnie des bulbes à floraison printanière, vous faites en sorte qu'ils camouflent le feuillage jauni et inesthétique de ces plantes une fois leur floraison terminée. Les hostas peuvent aussi servir à cacher certaines plantes vivaces qui ont tendance à jaunir durant les périodes plus chaudes de l'été comme le cœur-saignant *(Dicentra spectabilis)* et les divers cultivars de pavots orientaux *(Papaver orientale)*.

Hosta 'Hadspen Samphire' et *Heuchera* 'Cathedral Windows'.

RENSEIGNÉ

LE JARDINIER 

Une division plus que simple

A. Rares sont les plantes herbacées qui peuvent rester plus de 30 ans au même endroit sans être divisées et fertilisées. En fait, plus un plant de hosta vieillit, plus son apparence s'améliore. Toutefois, si vous désirez augmenter le nombre de plants de hostas que vous possédez, il est très facile de diviser leur souche pour obtenir plusieurs nouveaux rejetons. Cette opération peut être effectuée au printemps ou durant l'automne, avant la mi-octobre. L'outil idéal pour réaliser la division des hostas est une pelle-bêche, sorte de petite pelle de forme carrée, parfaitement aiguisée. L'aiguisage peut être fait à l'aide d'une meule électrique ou avec une lime passée à plusieurs reprises à un angle d'environ 30 degrés.

B et C. Avant d'entreprendre la division d'un hosta, vous devez d'abord le cerner avec la pelle-bêche. En faisant une profonde tranchée autour du plant à environ 10 cm des tiges, vous pourrez ensuite couper la partie inférieure de la motte de terre et l'extraire aisément du sol. N'hésitez pas à attacher le feuillage avec une corde s'il vous empêche de bien voir ce que vous faites.

D. Vous n'avez ensuite qu'à couper la plante en plusieurs pièces. Chaque morceau doit posséder au moins un ou deux faisceaux de tiges. Replantez les rejetons sans tarder en leur fournissant compost et os moulus et arrosez-les abondamment.

Complexité

mi-ombre, ombre légère, ombre moyenne

Les végétaux au feuillage panaché donnent beaucoup de dynamisme aux plates-bandes et peuvent parfois créer un effet surprenant. Avec son feuillage marginé de blanc, le hosta 'Patriot' permet d'éclairer cet aménagement très réussi, œuvre de Michel-André Otis, situé dans le jardin du sous-bois au Jardin botanique de Montréal. Pour utiliser judicieusement les plantes aux feuilles panachées, il est essentiel de respecter certains principes. D'abord, évitez de ne planter que ce type de végétaux, car en trop grande masse ils donnent un effet peu naturel ; il est préférable d'en intégrer quelques-uns ici et là dans des massifs de plantes à feuillage vert. Si vous tenez à mélanger divers feuillages panachés, il est important que les couleurs et les dessins soient semblables. Plus le feuillage est grand, plus l'effet sera impressionnant. Les petits feuillages panachés permettent de créer un effet plus sobre, moins chargé, donc moins choquant pour l'œil.

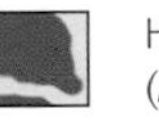
Hosta 'Patriot' (*Hosta* 'Patriot')

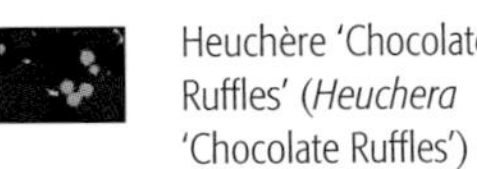
Heuchère 'Chocolate Ruffles' (*Heuchera* 'Chocolate Ruffles')

Hakonéchloa 'Aureola' (*Hakonechloa macra* 'Aureola')

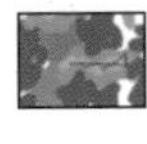
Heuchère 'Eco Improved' (*Heuchera* 'Eco Improved')

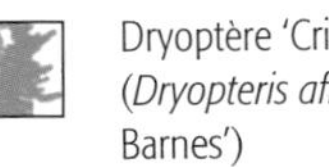
Dryoptère 'Crispa Barnes' (*Dryopteris affinis* 'Crispa Barnes')

Noble élégance

ombre légère, ombre moyenne

Ce spectaculaire tableau est la preuve qu'il est possible de créer des aménagements très dynamiques en n'utilisant que des feuillages. Cette extraordinaire plantation créée par Murielle Ruel demande un sol riche et frais situé à l'ombre légère ou moyenne.

Hosta de Siebold 'Frances Williams' (*Hosta sieboldiana* 'Frances Williams')

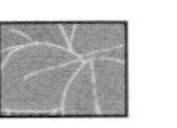
Hosta 'Blue Arrow' (*Hosta* 'Blue Arrow')

Athyrie fougère peinte (*Athyrium nipponicum* 'Pictum')

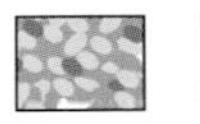
Lysimaque rampante 'Aurea' (*Lysimachia nummularia* 'Aurea')

Hosta 'Tokudama' (*Hosta* 'Tokudama')

Hosta 'August Moon' (*Hosta* 'August Moon')

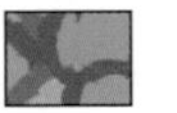
Hosta 'Tokudama Aureonebulosa' (*Hosta* 'Tokudama Aureonebulosa')

Lamier maculé 'White Nancy' (*Lamium maculatum* 'White Nancy')

Hakonéchloa 'Aureola' (*Hakonechloa macra* 'Aureola')

Polystic faux-acrostic (*Polystichum acrostichoides*)

Hosta 'Fortunei Hyacinthina' (*Hosta* 'Fortunei Hyacinthina')

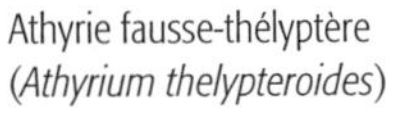
Athyrie fausse-thélyptère (*Athyrium thelypteroides*)

Iris

Des iris tout l'été

Avec leurs fleurs qui possèdent une grâce aérienne, les iris confèrent beaucoup de romantisme et de poésie aux aménagements. Il n'est donc pas étonnant que le nom de ces plantes leur vienne d'Iris, messagère ailée des dieux dans la mythologie grecque et personnification de l'arc-en-ciel. De tout temps, ces vivaces ont séduit les êtres humains ; la beauté éthérée de leur floraison a d'ailleurs été une grande source d'inspiration pour plusieurs peintres impressionnistes, dont Van Gogh et Monet.

Nom latin : *Iris.*

Nom commun : iris.

Famille : iridacées.

Feuillage : longues feuilles linéaires ou ensiformes (en forme de lame d'épée). Quelques cultivars possèdent un feuillage vert panaché de jaune ou de blanc.

Floraison : grandes fleurs composées de trois sépales habituellement retombants et de trois pétales plutôt dressés situés au centre. Chez les iris des jardins, la base des sépales est recouverte d'une bande de poils courts appelée barbe. Les fleurs des diverses espèces et variétés possèdent toutes les couleurs du spectre sauf le rouge pur.

Période de floraison : printemps et été.

Exposition : plein soleil ou mi-ombre. Certaines espèces et variétés tolèrent l'ombre légère.

Sol : tous les iris des jardins nécessitent une terre à jardin brune bien drainée, tandis que les iris des milieux humides se plaisent dans un sol plus riche et humide.

Rusticité : à partir de la zone 1.

Classification très complexe

Après deux siècles, alors que pas moins de neuf types de classification ont été proposés, l'American Iris Society a finalement adopté une méthode définitive pour effectuer le classement des iris. Cette classification établie en 1959 par Lawrence et Rudolph, et modifiée quelques années plus tard par Lenz, est particulièrement complexe. Les multiples cultivars d'iris des jardins, aussi appelés iris barbus, n'y sont pas regroupés selon leur appartenance à une espèce, mais plutôt en fonction de leur taille et du diamètre de leurs fleurs. Voici donc un aperçu de la façon dont les iris des jardins, presque tous rustiques en zones 3 et 4, sont classés.

Iris des jardins nains miniatures

Dans ce groupe, on trouve des espèces et des cultivars d'iris qui atteignent tout au plus 20 cm de hauteur. Leur floraison se produit généralement au début du mois de mai. Je recommande les variétés 'Louise', aux fleurs bleu foncé, et 'Wink', aux fleurs blanches teintées de mauve.

Iris des jardins nains standard

Les fleurs des iris qui appartiennent à cette série s'épanouissent habituellement durant tout le mois de mai. Ces plantes font entre 21 et 40 cm de hauteur. Mes cultivars préférés sont 'Cherry Garden', qui arbore une floraison pourpre pâle, 'Raspberry

Une plantation très lumineuse composée d'*Iris pseudacorus*, d'*I. sibirica* 'Perry's Blue', d'*Hemerocallis lilio-asphodelus* (syn. *H. flava*), de *Hosta* 'Fortunei Albomarginata' et de *Myosotis palustris*.

Jam', aux fleurs violettes dont les sépales sont veinés de pourpre, et 'Pushy', qui forme de spectaculaires fleurs aux sépales bruns dont la base est recouverte d'une barbe bleue.

Iris 'Horned Lace' (*Iris* 'Horned Lace').

Iris des jardins intermédiaires

Au début de juin, c'est aux iris des jardins intermédiaires de fleurir. Les hampes florales des espèces et des cultivars qui font partie de cette série atteignent de 41 à 70 cm de hauteur, tandis que leurs fleurs ont un diamètre de 10 à 12,5 cm. Je propose de faire l'essai du très original cultivar 'O'Cool', qui arbore des fleurs blanches aux sépales marqués de lignes dorées et violettes. Vous devez également vous procurer 'Strawberry Love', aux fleurs roses, qui a reçu un Award of Garden Merit en 1998.

Iris des jardins de grande taille à petites fleurs

On trouve au sein de ce groupe des plantes qui atteignent également de 41 à 70 cm de hauteur, mais dont les fleurs sont de plus petite taille que celles des iris de la catégorie précédente. 'Frosted Velvet', qui possède des pétales blancs légèrement teintés de violet et des sépales violets bordés de blanc, est un des cultivars les plus attrayants de cette catégorie.

RENSEIGNÉ

LE JARDINIER

Des iris qui fleurissent en septembre !

Les iris sont des plantes vivaces dont la spectaculaire floraison est malheureusement bien éphémère. Cependant, en sélectionnant adéquatement diverses espèces et variétés, vous pouvez profiter de la beauté de ces vivaces du printemps jusqu'à l'automne, puisqu'il est maintenant possible de trouver sur le marché horticole quelques cultivars d'iris des jardins rustiques en zone 4 qui fleurissent deux fois durant une même saison. Certaines variétés telles que 'Horned Lace', dont les pétales sont blanc crème légèrement teinté de rose et les sépales d'un mauve lumineux, ainsi que 'Immortality', aux fleurs blanches, peuvent en effet produire une première floraison en juin et une seconde vers la fin d'août et en septembre. Ce phénomène est habituellement observé dans les régions situées dans le sud du Québec et de l'Ontario, lorsque la saison estivale est particulièrement longue et chaude.

Iris 'Black Diamond' (*Iris* 'Black Diamond').

Iris des jardins de bordure

Les iris qui appartiennent à cette série possèdent des dimensions semblables à celles des iris des jardins intermédiaires. Toutefois, plutôt que de fleurir en juin, ils produisent leur floraison au début du mois de juillet. 'Batik', aux fleurs bleu violacé maculées de blanc, et 'Orange Piecrust', introduit tout récemment, figurent parmi les variétés que j'apprécie le plus.

Iris des jardins de grande taille

La plupart des cultivars d'iris des jardins font partie de cette catégorie. Ces plantes atteignent plus de 71 cm de hauteur et arborent des fleurs qui mesurent de 13 à 18 cm de diamètre. La floraison des iris des jardins de grande taille se produit généralement entre la mi-juin et la mi-juillet. Parmi tous les cultivars offerts, je suggère 'Arab Chief', dont les fleurs sont de couleur orange, 'Before the Storm', qui arbore une surprenante floraison noire, 'Black Diamond', aux sépales et aux pétales violet très foncé, 'Deep Space', aux fleurs bleues teintées de mauve, et 'Prairie Sunset', qui possède une magnifique floraison brun orangé.

ASTUCIEUX

LE JARDINIER

Le perceur de l'iris

Le perceur de l'iris s'attaque principalement aux iris des jardins ainsi qu'à certains autres iris à rhizomes. Au printemps, lorsque les nouvelles pousses atteignent environ 15 cm de hauteur, les œufs éclosent et les larves, de gros vers blancs, creusent des galeries dans les feuilles, les tiges et, par la suite, dans les rhizomes. Les tiges et les feuilles ainsi affaiblies jaunissent et tombent généralement au sol. En automne, afin d'éliminer les œufs qui sont pondus par les adultes, de petits papillons gris, coupez le feuillage des iris et détruisez-le. Déterrez et éliminez également les rhizomes infestés. Saupoudrez un peu de soufre sur les rhizomes conservés pour éviter la prolifération de la pourriture.

Iris pseudacorus var. *bastardii.*

RENSEIGNÉ

LE JARDINIER

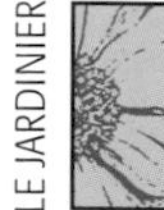

La culture des iris

Les iris des jardins aiment vivre en plein soleil dans une terre à jardin brune fraîche, parfaitement drainée et amendée d'un peu de compost. Afin que leur floraison soit toujours abondante, ces plantes doivent recevoir 1 cm d'épaisseur de compost par année. Comme la partie supérieure de leurs rhizomes doit toujours être exposée à l'air, évitez d'épandre le compost directement au centre des plants ; placez-le plutôt au pourtour de leur feuillage.

Par ailleurs, plusieurs autres iris tels que *I. ensata, I. pseudacorus, I. sibirica* et *I. versicolor* affectionnent les terres riches et humides (même si elles sont légèrement inondées au printemps) situées aux abords des cours d'eau. Toutes ces espèces, qui poussent au soleil comme à l'ombre légère, sont également à leur aise dans les plates-bandes où le sol est toujours humide. Cependant, les divers cultivars d'*I. ensata* préfèrent être plantés dans un sol très humide, voire détrempé, durant toute la saison estivale. Pour leur assurer un apport d'eau constant, vous pouvez installer un tuyau poreux dans la plantation où ils se trouvent. À partir de la fin du mois d'août, cessez les arrosages de manière que le sol où plongent leurs racines soit sec durant l'hiver. Les rhizomes des iris des milieux humides doivent être plantés plus profondément que ceux des iris des jardins ; enfouissez-les à environ 4 cm sous la surface du sol. Je recommande d'épandre chaque printemps une couche de compost d'une épaisseur d'environ 2,5 cm à leur pied.

Bien que les cultivars d'*I. ensata,* d'*I. sibirica* et d'*I. versicolor* s'adaptent tout de même assez bien aux sols neutres, ils éprouvent une certaine difficulté dans les sols basiques de la vallée du Saint-Laurent. Ces plantes apprécient davantage une terre légèrement acide dont le pH varie entre 5,5 et 6,5. Pour diminuer le pH d'une unité, pour passer, par exemple, de 7,5 à 6,5, vous devez appliquer 500 g de soufre par 10 m^2. Il est préférable de ne pas abaisser le pH d'un sol de plus d'une unité par an et de faire plutôt des ajouts échelonnés sur quelques années pour obtenir le taux d'acidité adéquat.

Iris des marais

L'iris des marais *(I. pseudacorus)*, qui pousse de façon spontanée dans certains milieux humides d'Europe, est une espèce de grande taille qui peut faire jusqu'à 1,50 m de hauteur. Cet iris rustique en zone 3 aime tellement les endroits humides que ses racines peuvent même être recouvertes de quelques centimètres d'eau. C'est habituellement vers la mi-juin qu'éclosent ses fleurs d'un jaune très vif dont la base des sépales est marquée de lignes brunes. *I. pseudacorus* var. *bastardii*, une plante plus trapue que l'espèce, possède de superbes fleurs jaune très pâle. Le cultivar 'Variegata' est aussi intéressant pour son feuillage vert panaché de jaune pâle qui devient complètement vert lorsque arrive l'été.

Iris de Sibérie

L'iris de Sibérie *(I. sibirica)* est mon espèce favorite. En plus d'arborer un gracieux feuillage effilé, cette plante merveilleuse possède de belles fleurs bleu violacé habituellement disposées en petits groupes au bout de longues tiges qui font tout au plus 1,20 m de hauteur. La plupart des cultivars, beaucoup plus faciles à trouver sur le marché que l'espèce elle-même, sont rustiques en zone 3 et fleurissent entre la mi-juin et la mi-juillet. Parmi ceux-ci, je suggère de faire l'essai de 'Butter and Sugar', une superbe variété dont les pétales sont blancs et les sépales de couleur jaune pâle, 'Dreaming Spires', aux grandes fleurs bleu violacé, 'Ego', aux fleurs bleues disposées sur des tiges qui font 75 cm de hauteur,

Iris de Sibérie 'Perry's Blue' (*Iris sibirica* 'Perry's Blue').

Iris de Sibérie 'Fourfold White' (*Iris sibirica* 'Fourfold White').

Iris de Sibérie 'Harpswell Velvet'
(*Iris sibirica* 'Harpswell Velvet').

'Fourfold White', qui possède de jolies fleurs blanches dont la base des sépales est teintée de jaune, 'Harpswell Velvet', qui fait environ 90 cm de hauteur et qui arbore des fleurs violettes, 'Perry's Blue', dont la douce floraison de couleur bleu pâle légèrement teintée de mauve est portée par des tiges qui atteignent 1,20 m de hauteur, ainsi que 'Shaker's Prayer', aux pétales violets et aux sépales jaunes veinés de violet.

Iris du Japon

L'iris du Japon *(I. ensata)* est originaire du nord de la Chine, de Corée, du Japon et de Sibérie. Dans la nature, on trouve cette plante aux opulentes fleurs violettes aux abords des

Iris du Japon 'Iso-no-nami' (*Iris ensata* 'Iso-no-nami').

Iris du Japon 'Yama-no-shizuku'
(*Iris ensata* 'Yama-no-shizuku').

marais et dans certains autres endroits où le sol est très humide. Dans les jardins, lorsque les iris du Japon sont disposés près d'un bassin ou d'un cours d'eau, il est important de les planter au moins 8 cm au-dessus du niveau de l'eau. Ces plantes tolèrent très bien une inondation printanière; leur base peut donc être recouverte de quelques centimètres d'eau avant et pendant leur floraison, mais le sol doit être plus sec par la suite.

La culture de l'iris du Japon a débuté il y a plusieurs centaines d'années. En 1694, un manuel de jardinage japonais fait état de huit variétés cultivées dans les jardins. Au début du XIXe siècle, les cultivars se comptent par centaines. Les multiples variétés d'iris du Japon, pour la plupart rustiques en zone 4, produisent leurs impressionnantes fleurs entre la fin de juin et le début d'août. Traditionnellement, ces iris sont séparés en trois groupes bien distincts. D'abord, le groupe Ise réunit des cultivars qui forment des fleurs semblables à celles de l'espèce. Les sépales sont retombants et les pétales, disposés à la verticale, sont étroits. Les fleurs ont des couleurs pastel sans contrastes trop importants. Chez le groupe Edo, les cultivars possèdent des fleurs simples ou doubles dont les sépales retombent moins que chez l'espèce. Leur floraison, moins imposante que celle des plantes de la catégorie Higo, est habituellement portée par de longues tiges qui s'élèvent bien au-dessus du feuillage. Enfin, les iris qui font partie du groupe Higo arborent de très grandes fleurs qui atteignent parfois jusqu'à 30 cm de largeur. Leurs fleurs, simples ou doubles, possèdent de larges sépales qui s'entrecroisent et qui sont presque horizontaux.

Parmi les centaines de cultivars offerts, je propose 'Freckled Geisha', une étonnante variété aux fleurs blanches maculées de pourpre pâle, 'Iso-no-nami', aux sépales blancs veinés de violet et aux pétales violets finement bordés de blanc, 'Summer Storm', aux fleurs violet très foncé, 'Wine Ruffles', dont les fleurs sont d'un riche violet teinté de pourpre, et 'Yama-no-shizuku', aux fleurs blanc, jaune et mauve.

Méconnus

Certaines espèces d'iris peu connues méritent d'être implantées dans nos jardins. L'iris versicolore *(I. versicolor)*, le nouvel emblème floral du Québec, me plaît beaucoup. En juin, ses jolies fleurs colorées de jaune, de

Iris versicolore *(Iris versicolor)*.

RENSEIGNÉ

LE JARDINIER

Une division particulière

A. Comme les bergénias *(Bergenia)* et les sceaux-de-Salomon *(Polygonatum),* plusieurs iris, tels que les multiples cultivars d'iris des jardins, possèdent des tiges souterraines qui émettent des racines et des rameaux aériens appelés rhizomes. À l'automne, pour diviser les plantes dégarnies et peu florifères, vous n'avez qu'à extraire leurs rhizomes du sol et à séparer les jeunes pousses latérales de la partie centrale qui doit être éliminée. À l'aide d'un sécateur ou d'un couteau stérilisé à l'alcool, coupez les jeunes rhizomes qui atteignent au minimum 5 cm de longueur et qui portent au moins deux faisceaux de feuilles.

B et C. Ensuite, vous devez rabattre les feuilles conservées à une longueur d'environ 10 cm. N'oubliez pas que les rhizomes des iris des jardins doivent être replantés de manière que leur partie supérieure soit située légèrement au-dessus de la surface du sol.

A

B

C

blanc et de bleu se déploient au bout de tiges qui font environ 70 cm de hauteur. Cette plante indigène de l'est de l'Amérique du Nord résiste sans aucun problème aux hivers rigoureux de la zone 1. Dans la nature, l'iris versicolore pousse habituellement dans les lieux où le sol est humide, près des cours d'eau et dans les fossés. Intégré aux aménagements paysagers, il s'adapte également très bien aux sols un peu plus secs de certaines plates-bandes. Bien que l'espèce soit plus facile à dénicher sur le marché horticole, vous pouvez tout de même trouver quelques variétés dont la floraison est pourpre ou blanche.

Il y a quelques années, l'hybrideur québécois Tony Huber a créé de nouvelles variétés d'iris très florifères à partir de croisements parfois complexes entre *I. versicolor* et *I. ensata*. Il a ainsi obtenu plusieurs cultivars dont 'Bee Flamenco', 'Enfant Prodige', 'Joliette', 'Oriental Touch' et 'Purple Polka' classés sous le nom d'*I.* x *versata*. Ces hybrides, rustiques en zone 4, ont des caractéristiques assez proches de celles de l'iris versicolore. Leurs magnifiques fleurs éclosent vers la fin de juin et au début de juillet.

I. spuria est une autre espèce qui me fascine beaucoup. Originaire d'Europe, cet iris aux délicates fleurs est probablement rustique en zone 4. C'est une espèce très variable qui a donné naissance à un grand nombre de sous-espèces et de variétés. Comme les iris des jardins, *I. spuria* pousse en plein soleil dans une terre à jardin brune fraîche, parfaitement drainée et amendée d'un peu de compost. De magnifiques hybrides issus de croisements complexes entre *I.* x *monnieri, I. orientalis, I. spuria, I. spuria* subsp. *halophila* et *I. spuria* subsp. *maritima* sont vendus sur le marché nord-américain. Ces cultivars, qui fleurissent habituellement deux semaines après les iris des jardins de grande taille, semblent être à la limite de leur rusticité en zone 5. Dans les régions où la couverture de neige est peu stable, je suggère de les recouvrir vers la mi-novembre d'une épaisse couche de feuilles mortes déchiquetées afin de leur donner une protection supplémentaire. 'Custom Design', aux surprenantes fleurs jaune et pourpre, et 'Blueberry Sundae', une variété nouvellement introduite qui arbore des pétales bleu foncé et des sépales jaune et blanc bordés de bleu, sont deux cultivars que je recommande sans hésitation.

Associations gagnantes

Les divers cultivars d'iris des jardins se marient magnifiquement aux hémérocalles hâtives *(Hemerocallis)*, aux heuchères *(Heuchera)* et aux pivoines *(Paeonia)*. Quant aux iris des milieux humides, ils font merveille en bordure d'un bassin en compagnie d'astilbes *(Astilbe)*, du darméra *(Darmera peltata)*, de hostas *(Hosta)*, de ligulaires *(Ligularia)*, de grandes primevères *(Primula)*, de pigamons *(Thalictrum)*, de trolles *(Trollius)* et de fougères.

Iris spuria subsp. *maritima*.

Un joli contraste entre les fleurs de l'iris de Sibérie 'Dreaming Spires' (*Iris sibirica* 'Dreaming Spires') et celles de l'hémérocalle 'Apricot' (*Hemerocallis* 'Apricot').

Plantation rythmée
soleil

Les plantes couvre-sol donnent beaucoup d'unité et d'harmonie aux aménagements paysagers. Elles forment un lien visuel entre diverses parties d'une plate-bande ou même d'un jardin entier. Les couvre-sol sont excellents pour faire ressortir certains végétaux plus grands. Dans cette plantation, les iris de Sibérie 'White Swirl' sont mis en valeur par l'œillet à delta 'Leuchtfunk' et le céraiste tomenteux. Ces plantes tapissantes permettent également de maintenir le sol toujours frais à la base des iris. Les végétaux qui composent cet aménagement conçu par Frédéric Pilette sont plantés dans une bonne terre à jardin brune bien drainée et exposée au plein soleil.

 Iris de Sibérie 'White Swirl'
(Iris sibirica 'White Swirl')

 Céraiste tomenteux
(Cerastium tomentosum)

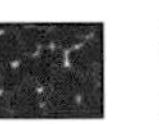 Œillet à delta 'Leuchtfunk'
(*Dianthus deltoides* 'Leuchtfunk', syn. 'Flashing Light')

 Fétuque bleue
(Festuca glauca)

Lavandula
Suave lavande

La jolie lavande *(Lavandula angustifolia)* confère un charme vieillot aux jardins. En voyant son feuillage vert grisâtre et ses petites fleurs bleu violacé, on se rappelle aussitôt son origine provençale. Dans la région méditerranéenne où elle pousse de façon spontanée, elle forme un arbuste d'environ 1 m de hauteur, mais sous le climat de l'est du Canada, la lavande atteint rarement plus de 60 cm et seule la base de ses tiges se lignifie. Sa floraison très odorante se déploie pendant de nombreuses semaines au début et au cœur de l'été. Plusieurs documents mentionnent que cette plante n'est vivace qu'en zone 5. Pourtant, il est possible de la cultiver en zone 4, peut-être même en zone 3, en la recouvrant de quelques branches de sapin vers la fin de novembre afin de favoriser l'accumulation de neige sur son feuillage. Plusieurs cultivars sont offerts dans les jardineries et les pépinières. Mes préférés sont 'Hidcote', aux fleurs bleues teintées de mauve disposées sur des tiges de 40 cm de hauteur, 'Munstead', dont les fleurs ont une couleur très semblable à celle de la floraison de l'espèce, 'Nana Alba', qui fait rarement plus de 20 cm de hauteur et qui produit une abondance de fleurs blanches, ainsi que 'Rosea', à la floraison rose.

Lavande 'Hidcote' (*Lavandula angustifolia* 'Hidcote') et nicotine 'Daylight Sensation' (*Nicotiana* 'Daylight Sensation').

Exigences particulières

La lavande et ses cultivars exigent un sol légèrement sableux et caillouteux, parfaitement bien drainé et exposé au plein soleil. Une fois établies, ces plantes sont extrêmement résistantes à la sécheresse. Par ailleurs, elles s'accommodent relativement bien d'un sol un peu plus argileux à condition qu'il ne soit pas humide, surtout durant l'hiver. Lors de la plantation, afin d'améliorer le drainage de la terre dans laquelle vous plantez les lavandes, ajoutez-y un peu de compost et du gravier fin. Les années suivantes, n'épandez pas plus de 0,5 cm d'épaisseur de compost par année à leur base. Pour éviter de favoriser le développement du feuillage au détriment de la floraison, il est même préférable de leur fournir cet amendement aux deux ans seulement. Au printemps, n'hésitez pas à tailler les tiges qui ont été endommagées par le froid hivernal. Tous les deux ou trois ans, je recommande également de rabattre vos plants du tiers à l'aide de cisailles pour favoriser l'apparition de nouvelles pousses vigoureuses qui porteront d'innombrables fleurs.

Associations gagnantes

Les divers cultivars de lavandes forment des aménagements spectaculaires lorsqu'ils sont disposés en massifs. Ces vivaces poussent parfaitement bien en compagnie de végétaux de hauteur moyenne qui apprécient le soleil et les sols bien drainés comme les diverses espèces et variétés d'achillées *(Achillea)*, d'euphorbes *(Euphorbia)*, de géraniums vivaces *(Geranium)*, d'hémérocalles *(Hemerocallis)*, d'œillets *(Dianthus)* et de scabieuses *(Scabiosa)*.

Étonnante association entre la marguerite 'Aglaia' (*Leucanthemum* x *superbum* 'Aglaia') et le coréopsis verticillé 'Moonbeam' (*Coreopsis verticillata* 'Moonbeam').

Tout comme le pied-d'alouette à grandes fleurs 'Blue Elf' (*Delphinium grandiflorum* 'Blue Elf'), les divers cultivars de marguerites offrent une abondante floraison qui se prolonge pendant de longues semaines.

Leucanthemum
Magnifiques marguerites

Enfants, nous les aimions passionnément, ces marguerites ! En plantant ces vivaces dans votre jardin, vous pourrez évoquer de beaux souvenirs d'enfance. Les variétés de marguerites *(Leucanthemum* x *superbum)* maintenant proposées sur le marché horticole arborent des inflorescences plus imposantes que les marguerites de nos champs *(L. vulgare)* et elles fleurissent abondamment pendant plusieurs semaines à partir du début de l'été. Avec leurs inflorescences simples, les cultivars 'Alaska' et 'Polaris' ont une allure très sobre, ce qui rend leur intégration aux aménagements paysagers assez aisée. Certaines variétés comme 'Little Miss Muffet' et 'Silberprinzesschen' (syn. 'Little Silver Princess') sont naines et n'atteignent guère plus de 40 cm de hauteur. D'autres, telles que 'Aglaia', 'Wirral Supreme' et 'Cobham Gold', possèdent d'impressionnantes inflorescences doubles. Outre 'Alaska' et quelques autres variétés qui résistent aux conditions environnementales qui prévalent en zone 3, la majorité de ces marguerites sont plutôt rustiques en zone 4.

Culture très facile

Les marguerites demandent peu de soins une fois qu'elles sont bien implantées. Très adaptables, ces plantes conviennent à presque tous les types de sols bien drainés exposés au plein soleil ou à la mi-ombre. Elles peuvent même pousser dans une terre lourde et argileuse à condition qu'elle se draine parfaitement avant l'hiver. Bien que les marguerites ne soient pas particulièrement exigeantes, vous pouvez tout de même leur fournir environ 1 cm d'épaisseur de compost chaque année.

Le seul entretien qu'il est nécessaire d'effectuer chez les marguerites est l'élimination régulière des inflorescences fanées. Cette opération permet de prolonger la floraison de quelques semaines. Vous devez couper les inflorescences mortes en biseau juste au-dessus de la première ou de la deuxième feuille sous la fleur. Les marguerites ne vivent pas très longtemps si elles ne sont pas rajeunies par une division tous les trois ans. Lors de cette opération, effectuée à l'automne, le cœur est éliminé et seules les jeunes pousses situées au pourtour de la plante mère sont conservées et replantées.

Associations gagnantes

Les cultivars de marguerites s'intègrent facilement aux plates-bandes ensoleillées où le sol est bien drainé. Ces vivaces forment de bons mariages avec les achillées *(Achillea)*, la camomille des teinturiers *(Anthemis tinctoria)*, les campanules *(Campanula)*, les coréopsis *(Coreopsis)* et les népétas *(Nepeta)*. Les marguerites s'harmonisent superbement aux fleurs orange ou jaunes de certains cultivars d'hémérocalles *(Hemerocallis)* et de lis *(Lilium)*.

Liatris
Liatrides dressées

La liatride en épis *(Liatris spicata),* une vivace d'une beauté exceptionnelle, est native de l'est des États-Unis. À la fin de juillet et en août, cette plante produit des fleurs de couleur mauve réunies en petits capitules qui sont eux-mêmes groupés en épis très denses. Contrairement aux autres vivaces en épis, ses fleurs éclosent à partir du haut vers le bas. 'Kobold' est probablement le cultivar le plus populaire. Ses tiges n'atteignent pas plus de 50 cm de hauteur. Pour leur part, 'Floristan Violet' (syn. 'Floristan Purple'), aux fleurs violettes, et 'Floristan Weiss' (syn. 'Floristan White'), aux fleurs blanches, font tous deux 90 cm de hauteur et environ 40 cm de largeur. Ces variétés peuvent être cultivées sans problème jusqu'en zone 3. Vous pouvez également dénicher quelques autres espèces de liatrides sur le marché horticole nord-américain. *L. ligulistylis* se démarque des autres liatrides par ses fleurs roses rassemblées en petits capitules qui sont fixés à la tige par de longs pédoncules. Cette vivace fait le bonheur de tous les papillons. *L. pycnostachya* est une espèce qui ressemble beaucoup à *L. spicata,* mais ses robustes tiges peuvent atteindre jusqu'à 1,50 m.

Un aménagement de plantes annuelles tout à fait hallucinant dans lequel la liatride en épis 'Kobold' (*Liatris spicata* 'Kobold') s'intègre parfaitement.

Longévives

Les liatrides sont particulièrement résistantes et longévives. Elles peuvent rester de nombreuses années au même endroit sans que leurs cormus — organes de réserve semblables aux bulbes — soient divisés. Elles nécessitent une bonne terre à jardin brune fraîche mais bien drainée et située en plein soleil. Ces plantes peuvent tolérer une sécheresse temporaire mais durant leur période de floraison, elles ne doivent pas manquer d'eau. Il est également important que le sol dans lequel elles sont plantées ne soit pas détrempé en automne ni durant l'hiver. Épandez environ 1 cm d'épaisseur de compost à leur base chaque année.

Associations gagnantes

La forme des inflorescences des liatrides en épis contraste magnifiquement avec celle des fleurs des achillées *(Achillea),* des coréopsis *(Coreopsis),* des échinacées *(Echinacea)* ainsi que celle des marguerites *(Leucanthemum* x *superbum).* Les fleurs de ces plantes vivaces ressortent bien lorsqu'elles sont disposées devant le feuillage gris des armoises *(Artemisia).*

Liatride en épis 'Floristan Violet' (*Liatris spicata* 'Floristan Violet').

Ligularia

Sous l'empire des ligulaires

Ligulaire dentée 'Othello' (*Ligularia dentata* 'Othello').

Les ligulaires marquent l'atmosphère des jardins par leur présence imposante. Avec leurs longues grappes de fleurs jaunes et leurs grandes feuilles aux formes les plus diverses, ces plantes confèrent beaucoup de noblesse aux aménagements.

Populaires

Parmi les espèces de ligulaires qui sont offertes sur le marché nord-américain, la ligulaire dentée *(L. dentata)* est assurément l'une des plus populaires. Originaire de Chine et du Japon, cette plante peut survivre assez facilement au climat qui prévaut en zone 3. Ses grosses feuilles vertes, cordées ou parfois presque réniformes, sont portées par de solides pétioles de couleur pourpre. Contrairement à celles de la plupart des autres espèces, les inflorescences jaune foncé de cette ligulaire sont disposées en corymbes. Sa floraison, qui s'épanouit au bout de tiges faisant approximativement 1,20 m de hauteur, survient en juillet. Plus compactes que l'espèce, les variétés 'Desdemona' et 'Othello' arborent toutes deux des feuilles pourpres qui prennent une teinte plus verte au fur et à mesure qu'évolue la saison. Serge Fafard, un pépiniériste québécois, effectue présentement des travaux visant à créer une ligulaire dentée à feuillage panaché. Il connaît déjà un certain succès avec l'obtention de plusieurs semis de ligulaires aux feuilles vertes ou pourpres irrégulièrement marquées de blanc et de rose.

L. stenocephala 'The Rocket', une autre variété très populaire auprès des jardiniers amateurs, arbore de superbes grappes de fleurs jaunes portées par des hampes de couleur noire qui font parfois jusqu'à 1,80 m de hauteur. Sa floraison survient habituellement vers la fin de juillet et en août. Les magnifiques feuilles de cette plante, disposées en une touffe compacte qui mesure 90 cm de largeur, ont une forme presque triangulaire et sont grossièrement dentées. La ligulaire 'The Rocket' est rustique en zone 4.

La floraison jaune des ligulaires se marie particulièrement bien aux fleurs rouges comme celles de certains fuchsias arbustifs.

Nom latin : *Ligularia.*
Nom commun : ligulaire.
Famille : composées.
Feuillage : très grandes feuilles vertes ou pourpres.
Floraison : petites fleurs jaunes réunies en capitules qui sont eux-mêmes habituellement rassemblés en longues grappes.
Période de floraison : été.
Exposition : mi-ombre, ombre légère, ombre moyenne. Ces plantes doivent être protégées des rayons ardents du soleil d'après-midi.
Sol : riche et constamment humide.
Rusticité : à partir de la zone 3.

La ligulaire de Przewalsk *(Ligularia przewalskii)* en compagnie de la camomille des teinturiers 'Kelwayi' *(Anthemis tinctoria* 'Kelwayi'*)*.

LE JARDINIER RENSEIGNÉ

La culture des ligulaires

Pour bien pousser, les ligulaires exigent un sol très riche et constamment humide. Si cela est possible, plantez vos ligulaires aux abords d'un cours d'eau ou d'un bassin dans un terreau composé d'une moitié de terre à jardin brune ordinaire, ou de sol existant s'il est de bonne qualité, et d'une moitié de compost. Vous devrez par la suite épandre du compost à leur pied tous les ans. Faites un apport annuel d'environ 3,5 cm d'épaisseur.

Les ligulaires ne poussent pas de façon adéquate lorsque l'ombre est trop dense et la compétition racinaire trop importante. Ces plantes doivent être placées à la mi-ombre ou à l'ombre légère. Elles peuvent aussi tolérer l'ombre moyenne à condition que le sol où elles sont plantées soit exempt de racines d'arbres. Le chaud soleil d'après-midi est particulièrement néfaste aux ligulaires. Pour éviter que leurs feuilles ne fanent et ploient temporairement vers le sol, plantez donc ces végétaux dans un endroit protégé des intenses rayons du soleil du début d'après-midi et où le sol reste constamment humide.

Tout comme les feuilles des hostas, le feuillage des ligulaires est très apprécié des limaces. Celles-ci s'alimentent surtout durant la nuit et font une multitude de trous dans les feuilles. Le meilleur moyen d'empêcher les limaces de dévorer vos ligulaires est de confectionner une barrière composée de chaux, de terre diatomée ou de silice autour de leur base.

Ligularia stenocephala 'The Rocket' et *Hemerocallis fulva.*

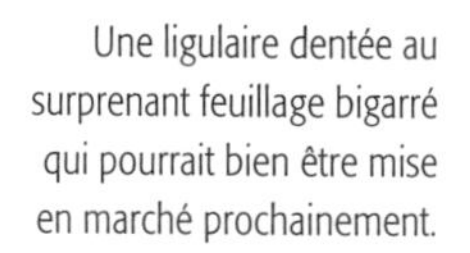

Une ligulaire dentée au surprenant feuillage bigarré qui pourrait bien être mise en marché prochainement.

Distinctives

Bien qu'elle soit plutôt rare au Canada, je recommande tout de même de faire l'essai de la variété 'Gregynog Gold' qui est à mon avis une des ligulaires les plus impressionnantes. C'est une plante gigantesque issue d'une hybridation entre *L. dentata* et *L. veitchiana* obtenue en 1950. Ses immenses feuilles, presque rondes, ressemblent un peu à celles du fameux *Petasites japonicus* var. *giganteus*. Cette plante produit en août et parfois en septembre des hampes très solides qui peuvent faire jusqu'à 1,80 m de hauteur et qui portent de larges grappes de fleurs jaunes. Ce cultivar est rustique en zone 4.

La ligulaire à feuilles palmatilobées *(L. x palmatiloba),* rustique en zone 4, est celle qui me plaît le plus. Provenant d'un croisement entre *L. dentata* et *L. japonica,* cette spectaculaire vivace possède d'immenses feuilles palmées profondément découpées qui ont un aspect tout à fait exotique. En juillet, lorsqu'elle est en pleine floraison, cette ligulaire peut atteindre près de 2 m de hauteur.

La ligulaire de Przewalsk *(L. przewalskii),* native de Chine, possède un feuillage profondément découpé très décoratif. En juillet, cette superbe vivace produit des tiges d'environ 1,50 m de hauteur qui portent de très longues grappes de fleurs jaune pâle semblables à celles du cultivar 'The Rocket'. La ligulaire de Przewalsk est probablement rustique jusqu'en zone 3.

Associations gagnantes

Les ligulaires sont superbes en bordure des bassins en compagnie de hostas *(Hosta),* de lobélies *(Lobelia),* de grandes primevères *(Primula),* de pigamons *(Thalictrum),* de trolles *(Trollius)* et de fougères. Ces vivaces s'agencent aussi très bien à certaines graminées adaptées à l'ombre, dont les divers cultivars d'hakonéchloas *(Hakonechloa macra).* Les fleurs violacées, comme celles de l'astilbe 'Amethyst' (*Astilbe* x *arendsii* 'Amethyst') et de l'astilbe de Chine 'Visions' (*A. chinensis* 'Visions') produisent un effet absolument saisissant lorsqu'elles accompagnent les feuilles pourpres et les fleurs dorées des cultivars de ligulaires dentées.

Luxuriante et exubérante plantation composée de la ligulaire à feuilles palmatilobées *(Ligularia x palmatiloba),* de l'hakonéchloa 'Albovariegata' (*Hakonechloa macra* 'Albovariegata'), de la lobélie 'Fan Scarlet' (*Lobelia* x *speciosa* 'Fan Scarlet') et du coléus 'Glennis' (*Solenostemon scutellarioides* 'Glennis').

Une association fort jolie entre la ligulaire 'Gregynog Gold' (*Ligularia* 'Gregynog Gold') et les iris de Sibérie 'Coolabah' (*Iris sibirica* 'Coolabah') et 'Purple Pansy' (*I. sibirica* 'Purple Pansy').

Ligularia

Fraîches frondaisons

mi-ombre, ombre légère

Les feuilles qui ont une forme ronde, comme celles des ligulaires, apportent beaucoup de calme aux plantations. Dans cette scène, le feuillage jaillissant et coloré de l'iris des marais 'Variegatus', qui donne beaucoup de puissance à l'ensemble, produit un magnifique contraste avec le feuillage arrondi de la ligulaire. Les plantes qui forment cet arrangement conçu par Michel-André Otis nécessitent un sol riche et humide situé à la mi-ombre ou à l'ombre légère.

 Ligulaire *(Ligularia veitchiana)*

 Fuchsia 'Gartenmeister Bonstedt' (*Fuchsia* 'Gartenmeister Bonstedt')

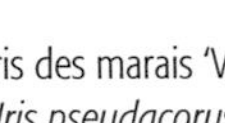 Iris des marais 'Variegatus' (*Iris pseudacorus* 'Variegatus')

Oseille sanguine *(Rumex sanguineus)*

 Matteuccie fougère-à-l'autruche *(Matteuccia struthiopteris)*

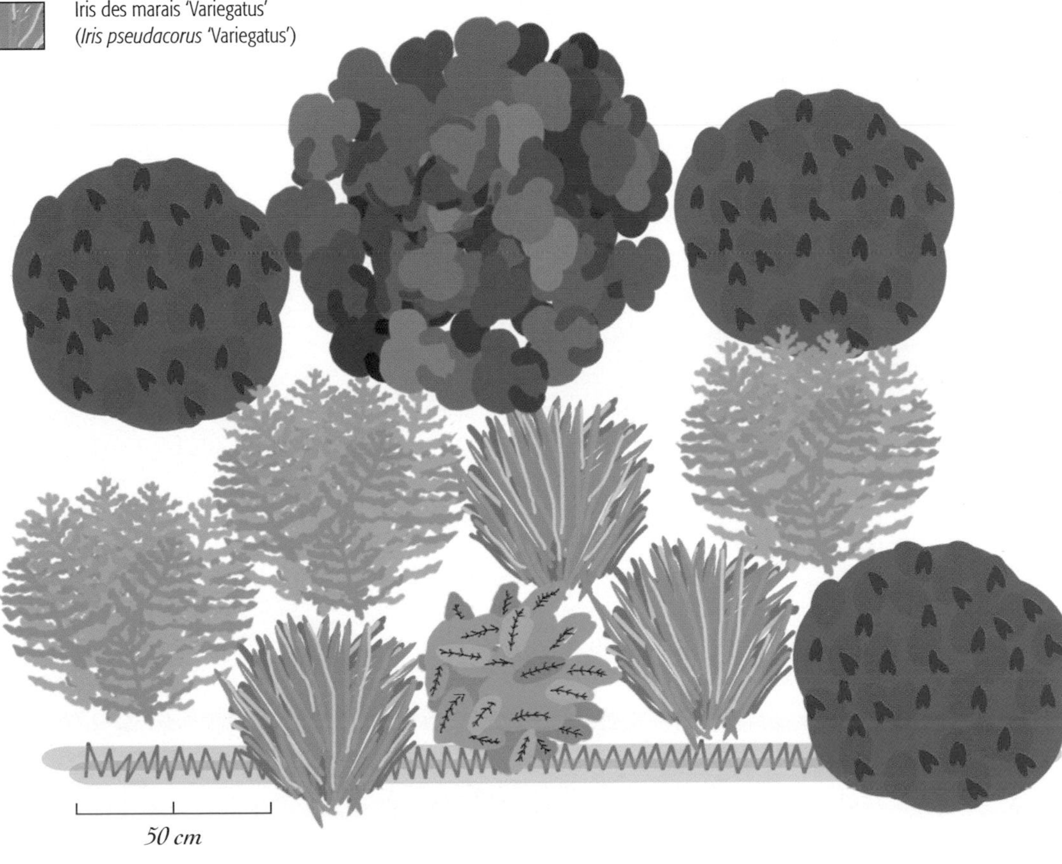

Lilium

Lis royaux

Lis du Canada
(*Lilium canadense*).

Les lis sont des vivaces formidables. Symboles de noblesse et de pureté, ces superbes plantes apportent à chaque jardin une grâce et une beauté sans égales.

Espèces très diverses

Le genre *Lilium* comprend environ une centaine d'espèces qui sont presque toutes originaires des zones tempérées de l'hémisphère nord. Certaines d'entre elles poussent à l'état indigène en Amérique du Nord. Le lis du Canada *(L. canadense)* croît dans les champs humides de l'est du Canada et des États-Unis. En juillet, ses tiges, qui peuvent facilement atteindre jusqu'à 1,80 m de hauteur, portent une multitude de fleurs retombantes aux tépales jaunes dont la base est teintée d'orange. Cette plante, qu'on trouve assez facilement dans les jardineries et les pépinières, se propage rapidement dans une plate-bande grâce à des rhizomes au bout desquels se forment d'autres bulbes. Le lis du Canada est tout à fait rustique en zone 3. Le lis de Philadelphie *(L. philadelphicum)* est une autre espèce indigène en Amérique du Nord. Il fait environ 80 cm de hauteur et possède des fleurs de couleur orange dont la base des tépales est marquée de grosses taches brunes. Ce lis est très rustique et survit parfaitement bien aux hivers de la zone 3. Le lis tigré *(L. lancifolium)* est un des lis les plus connus des jardiniers nord-américains. Introduit du Japon en Angleterre en 1804, puis exporté en Amérique vers la fin du XIXe siècle, ce lis pousse parfois à l'état sauvage dans certaines régions de l'est de l'Amérique du Nord. Son nom commun fait allusion à ses fleurs orange picotées de noir qui rappellent la peau des tigres. Le lis tigré ne donne jamais de fruits, mais il peut être propagé par division de ses bulbes ou par les nombreuses bulbilles noires qui sont formées à l'aisselle de ses feuilles. Cette plante est rustique jusqu'en zone 3, peut-être même en zone 2.

Natif d'Europe et d'Asie, le lis martagon *(L. martagon)* est mon espèce préférée. Il est un des lis qui tolèrent le mieux l'ombre.

Nom latin : *Lilium.*
Nom commun : lis.
Famille : liliacées.
Feuillage : feuilles linéaires, lancéolées ou elliptiques.
Floraison : grandes fleurs à six tépales qui, selon les espèces et les cultivars, ont la forme de clochettes, de trompettes, d'étoiles, de coupes ou de turbans. Les couleurs vont du blanc au pourpre en passant par toutes les teintes de jaune, d'orange, de rose et de rouge.
Période de floraison : fin du printemps et été.
Exposition : soleil et mi-ombre. Certaines espèces et variétés tolèrent l'ombre légère ou même moyenne.
Sol : terre à jardin brune fraîche et très bien drainée.
Rusticité : à partir de la zone 3.

Une plate-bande devient une œuvre d'art lorsqu'elle est plantée de lis.

Lilium martagon et *L. martagon* var. *album* forment un doux arrangement en compagnie d'*Astrantia major* et de *Cirsium rivulare* 'Atropurpureum'.

Le lis d'Henry (*Lilium henryi*) côtoie le chardon bleu (*Echinops ritro*) dans cet arrangement très contrasté.

Lis royal (*Lilium regale*).

Dans un sol riche et bien drainé, il peut s'accommoder sans problème d'un ombrage modéré. Il produit des hampes florales qui font entre 1,20 et 1,80 m de hauteur. Dès la fin de juin, ses tiges se garnissent d'innombrables fleurs roses dont les tépales curieusement retroussés laissent apparaître les étamines. Plusieurs variétés qu'on trouve dans la nature sont maintenant commercialisées. *L. martagon* var. *album* produit une fraîche floraison blanche alors que chez la variété *albiflorum*, l'intérieur des tépales, également de couleur blanche, est couvert de taches rose foncé. Pour sa part, la variété *cattaniae* possède de surprenantes fleurs pourpres. L'espèce et ses variétés sont toutes rustiques en zone 4, possiblement en zone 3. Le lis d'Henry *(L. henryi)*, originaire de la Chine et rustique en zone 4, est une autre espèce que j'affectionne énormément. Avec ses longues tiges qui peuvent atteindre jusqu'à 2 m de hauteur, ce lis figure parmi les plus grands. Lors de leur éclosion, en août, ses fleurs sont d'un orange assez vif et, dans les jours qui suivent, elles prennent une teinte abricot beaucoup plus pâle. Comme les deux espèces précédentes, *L. pumilum* arbore des fleurs aux tépales recourbés, ce qui leur donne l'allure de turbans. Sa floraison d'un vermillon très vif survient habituellement vers la fin de juin et en juillet. Cette plante, peu longévive mais très vigoureuse et rustique jusqu'en zone 3, est originaire de Corée, de Mandchourie et de Mongolie. Elle atteint approximativement 50 cm de hauteur.

RENSEIGNÉ

LE JARDINIER

La culture des lis

Les lis sont des plantes bulbeuses. Le bulbe, très caractéristique, est constitué de plusieurs écailles charnues. Dans les jardineries, les lis sont généralement présentés de deux façons : sous forme de bulbes qu'on plante au printemps ou à l'automne, et sous forme de plantes en pots qui peuvent être mises en terre durant toute la saison, de la fin d'avril à la mi-octobre. Les lis doivent être plantés dans un sol frais et particulièrement bien drainé. Un terreau composé d'un tiers de terre existante, d'un tiers de compost et d'un tiers de gravier fin leur convient parfaitement. Au cours des années suivant la plantation, vous pouvez leur fournir environ 1 cm d'épaisseur de compost chaque printemps. Comme les clématites, ces plantes préfèrent que leur feuillage soit bien exposé au soleil et que leur pied soit à l'ombre. Plantez donc un couvre-sol végétal ou installez un paillis organique à leur base afin de maintenir leurs racines au frais.

Nous commettons souvent l'erreur de planter les bulbes des lis trop en surface. Ainsi, ils n'ont pas un ancrage suffisant et risquent d'être endommagés ou même détruits par les gels hivernaux. Ainsi, je recommande de placer les bulbes à une profondeur d'environ 15 à 20 cm. De cette façon, les parties des tiges qui sont enfouies dans le sol peuvent émettre des racines qui améliorent l'ancrage et augmentent l'approvisionnement en éléments nutritifs. N'oubliez pas que les bulbes des lis présentés en pots sont généralement disposés près de la surface du terreau ; il est donc essentiel de placer le dessus de leurs mottes à environ 15 à 20 cm sous la surface du sol de la plate-bande. Toutefois, dans les endroits où le couvert de neige est mince ou pour les cultivars peu rustiques, il est nécessaire de recouvrir les bulbes de 25 ou même 30 cm de terre et d'installer vers la mi-novembre une épaisse couche de feuilles mortes déchiquetées afin de leur donner une protection hivernale supplémentaire.

Généralement, les lis poussent bien dans les sols neutres, légèrement acides ou légèrement alcalins — pH 6 à 8 — comme ceux qu'on trouve dans la vallée du Saint-Laurent. Cependant, les cultivars d'Extrême-Orient, issus principalement de *L. auratum* et de *L. speciosum,* préfèrent un sol modérément acide — pH 5 à 6 — et riche en humus. Le terreau idéal pour ces plantes est constitué d'un quart de compost, d'un quart de terre brune légèrement sableuse, d'un quart de tourbe de sphaigne et d'un quart de gravier fin.

Certains lis, comme *L. martagon, L. henryi, L. speciosum* et plusieurs espèces américaines, s'adaptent très bien à l'ombre légère et même, dans certains cas, à un ombrage moyen. Toutefois, la majorité des espèces et des cultivars exigent le plein soleil ou la mi-ombre.

Lis tigré *(Lilium lancifolium)* et hélénie 'Rubinzwerg' (*Helenium* 'Rubinzwerg')

RENSEIGNÉ
LE JARDINIER

De terribles criocères

Depuis quelques années, le criocère du lis, un coléoptère de couleur rouge-orange, cause de graves dommages aux lis en dévorant rapidement leur feuillage. En mai et en juin, vérifiez presque tous les jours l'état de vos plantes et aussitôt que vous voyez des larves ou des adultes, éliminez-en le plus possible manuellement. Les larves se dissimulent habituellement au revers des feuilles sous leurs excréments brun noirâtre. Pour venir à bout des insectes récalcitrants, vous devrez appliquer un insecticide à base de pyréthrine à deux ou trois reprises.

Le fameux lis royal *(L. regale)*, qui provient de la Chine, a été introduit en Europe en 1903. Ce lis tout à fait spectaculaire produit de longues fleurs blanc et rose en forme de trompettes. Cette impressionnante floraison, qui survient en juillet et en août, est supportée par de solides tiges qui font approximativement 1,20 m de hauteur. Cette plante relativement facile à cultiver est rustique en zone 4.

Classification des cultivars

La beauté des lis réside surtout dans la grande diversité de teintes et de formes de leurs fleurs. Aujourd'hui, grâce aux hybrideurs, il y a tellement de cultivars en vente sur le marché qu'il est possible, par une sélection judicieuse, d'obtenir une floraison presque continuelle du début de juin jusqu'au début de septembre. Selon l'International Lily Register, les milliers de cultivars de lis sont classés en huit groupes bien distincts.

DIVISION 1. Hybrides asiatiques issus d'espèces comme *L. amabile, L. bulbiferum, L. cernuum, L. concolor, L. davidii, L.* x *hollandicum, L. lancifolium, L. leichtlinii, L.* x *maculatum* et *L. pumilum*. Ces lis possèdent habituellement des fleurs dressées ou droites, rarement retombantes, qui s'épanouissent au début et au cœur de l'été. Pour la plupart rustiques en zone 4, possiblement en zone 3 dans certains cas, des centaines de cultivars font partie de ce groupe et sont offerts sur le marché horticole. Je vous propose de faire l'essai de 'Duet', dont les fleurs sont d'un doux jaune pâle, de 'Fata Morgana', aux impressionnantes fleurs doubles de couleur jaune, de 'Latoya', aux saisissantes fleurs rose foncé, de 'Menton', qui possède une jolie floraison de couleur abricot, et de 'Red Night' (syn. 'Roter Cardinal'), aux fleurs d'un rouge très foncé qui confèrent un aspect dramatique aux plantations.

DIVISION 2. Hybrides de type Martagon dont un des parents est une forme de

Avec ses fleurs d'un jaune crémeux, le lis 'Duet' s'intègre mieux aux aménagements à caractère champêtre que le fameux cultivar 'Connecticut King', dont la floraison est d'une teinte saturée très criarde. *Lilium martagon* var. *albiflorum* accompagne ici le superbe *Lilium* 'Duet' dans un arrangement d'une grande douceur.

ASTUCIEUX

LE JARDINIER

Des lis en sol argileux

Les sols constamment humides ne conviennent absolument pas à la culture des lis. En sol très argileux, afin d'éviter toute accumulation d'eau, on suggère dans plusieurs ouvrages de référence de disposer les bulbes sur des monticules de gravier ou de sable grossier façonnés au fond des trous de plantation. Je ne crois pas que cette technique soit adéquate ; un lit de sable ou de gravier agit plutôt comme un puisard qui capte et retient l'eau. À mon avis, la meilleure méthode pour améliorer le drainage d'un sol est encore de l'amender avec du compost. En plus de creuser à une profondeur de 15 à 20 cm pour placer vos lis, je vous recommande de bêcher le sol situé au fond du trou de plantation sur une épaisseur d'au moins 20 cm sous le niveau où seront disposés les bulbes. Une fois la terre bien ameublie, vous devez l'additionner de compost et de gravier d'environ 5 à 10 mm de diamètre. Le terreau idéal pour la plupart des lis est donc composé d'un tiers de compost, d'un tiers de terre existante et d'un tiers de gravier fin. Si le sol extrait de la fosse de plantation est de mauvaise qualité, il est préférable de le remplacer par une bonne terre à jardin brune, préférée par la plupart des lis. N'oubliez pas non plus d'ajouter une poignée d'os moulus dans chaque trou de plantation.

L. martagon ou de *L. hansonii*. Les fleurs des cultivars de ce groupe sont petites et ont des tépales recourbés. 'Dairy Maid', aux fleurs jaunes teintées de crème et picotées de brun, et 'Early Bird', dont la floraison est d'un lumineux jaune orangé, figurent parmi mes cultivars préférés.

DIVISION 3. Hybrides issus principalement de *L. candidum*, de *L. chalcedonicum*, de *L. monadelphum* et de certaines autres espèces européennes. Cette catégorie est composée de cultivars généralement peu rustiques.

DIVISION 4. Hybrides issus d'espèces américaines. Plusieurs de ces lis sont particulièrement bien adaptés au climat frais de l'est du Canada puisqu'ils sont pour la plupart rustiques jusqu'en zone 3. Parmi

Lis 'Fata Morgana' (*Lilium* 'Fata Morgana').

Lis 'Gerosa' (*Lilium* 'Gerosa').

Les fleurs du lis 'Pink Perfection' (*Lilium* 'Pink Perfection') ont une coloration très variable d'un individu à l'autre. Il faut plutôt considérer 'Pink Perfection' comme étant un groupe ou une lignée de cultivars.

tous les cultivars, je vous suggère 'Shuksan' aux tépales jaunes très retroussés et marqués de taches cramoisies.

DIVISION 5. Hybrides issus de *L. longiflorum*, le fameux lis de Pâques, et de *L. formosanum*. Ces cultivars, caractérisés par de longues fleurs, sont bien souvent à la limite de leur rusticité en zone 5.

DIVISION 6. Hybrides à fleurs en forme de trompettes issus d'espèces asiatiques telles que *L. brownii, L. henryi, L. leucanthum, L. regale, L. sargentiae* et *L. sulphureum*. Bien que la majorité des cultivars de lis qui forment ce groupe possèdent des fleurs très caractéristiques en forme de trompettes, certains hybrides peuvent également arborer des fleurs en forme d'étoiles ou de coupes. Parmi les cultivars rustiques en zone 4, 'Amethyst Temple', aux étonnantes fleurs rose foncé teintées de violet, 'Golden Splendour', qui possède des tépales jaune foncé marqués d'une ligne pourpre à l'extérieur, et 'Pink Perfection', dont la floraison est rose, sont à mon avis quelques-uns des plus beaux.

DIVISION 7. Hybrides issus d'espèces originaires d'Extrême-Orient, telles que *L. auratum, L. japonicum, L. speciosum* et *L. rubellum*. La floraison de ces lis survient assez tardivement, soit à la fin de juillet, en août et parfois même au début de septembre. Les fleurs peuvent avoir la forme de trompettes, de coupes ou d'étoiles. Certains cultivars possèdent des tépales ondulés ou retroussés. Bon nombre de ces hybrides peuvent survivre en zone 4 à condition que le couvert de neige soit important et constant. Je suggère les cultivars 'Black Beauty', aux tépales rose pourpré bordés de blanc et recourbés vers le haut, 'Casablanca', aux magnifiques fleurs d'un blanc très pur, 'Gerosa', qui produit de spectaculaires fleurs colorées de blanc, de jaune et de rose, ainsi que 'Stargazer', dont les tépales rose pourpré ont une marge blanche et sont picotés de pourpre.

Associations gagnantes

La plupart des grands lis comme *L. henryi* apprécient la compagnie des arbustes sur lesquels ils peuvent s'appuyer s'ils n'ont pas été tuteurés. Pour leur part, les lis adaptés aux sols acides et humifères constituent de re-

ASTUCIEUX

LE JARDINIER

La taille des hampes florales

Une fois la floraison des lis terminée, taillez les fleurs fanées afin d'empêcher la formation de fruits et de permettre aux bulbes de refaire rapidement leurs réserves. Pour cela, coupez la tige principale à quelques centimètres sous la première fleur. La taille doit toujours être faite en biseau juste au-dessus d'une feuille. Quelques semaines plus tard, vous pourrez tailler au ras du sol la tige de chaque lis qui sera alors complètement jaunie.

marquables compagnons pour les astilbes *(Astilbe)*, les hostas *(Hosta)*, les rhododendrons *(Rhododendron)* et les fougères. La plupart des autres espèces et cultivars conviennent aux plates-bandes où ils s'associent à merveille avec plusieurs vivaces telles que la grande radiaire *(Astrantia major)*, les grands cultivars de campanules *(Campanula)* et de pieds-d'alouette *(Delphinium)*, ainsi que les diverses espèces et variétés de sauges *(Salvia)*.

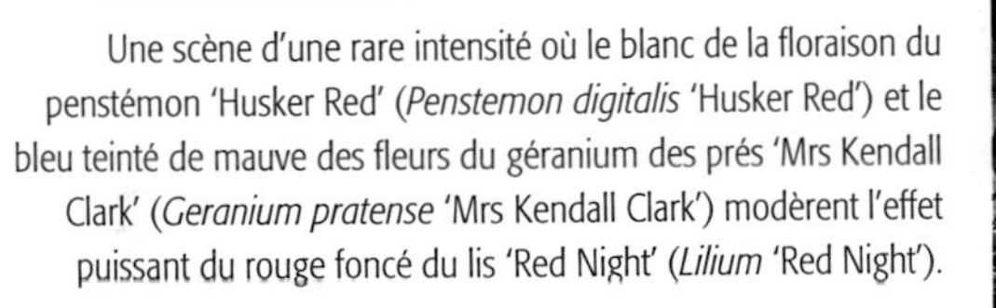

Une scène d'une rare intensité où le blanc de la floraison du penstémon 'Husker Red' (*Penstemon digitalis* 'Husker Red') et le bleu teinté de mauve des fleurs du géranium des prés 'Mrs Kendall Clark' (*Geranium pratense* 'Mrs Kendall Clark') modèrent l'effet puissant du rouge foncé du lis 'Red Night' (*Lilium* 'Red Night').

Lumineuse association

mi-ombre, ombre légère

Les fleurs blanches et roses des lis martagon semblent donner une certaine luminosité à cet arrangement situé dans un endroit sombre peu touché par les rayons du soleil. Le fait que les fleurs soient portées par de hautes tiges augmente cette impression. Cette plantation créée par Francis H. Cabot, propriétaire des extraordinaires Jardins Les Quatre Vents, convient à la mi-ombre ou à l'ombre légère et nécessite un sol riche et frais. Si la compétition racinaire est peu importante et le sol particulièrement riche en humus, les plantes qui composent cet aménagement peuvent aussi tolérer une ombre moyenne.

Lis martagon
(Lilium martagon)

Lis martagon à fleurs blanches
(Lilium martagon var. *album)*

Grande radiaire
(Astrantia major)

Astilbe 'Erica'
(*Astilbe* x *arendsii* 'Erica')

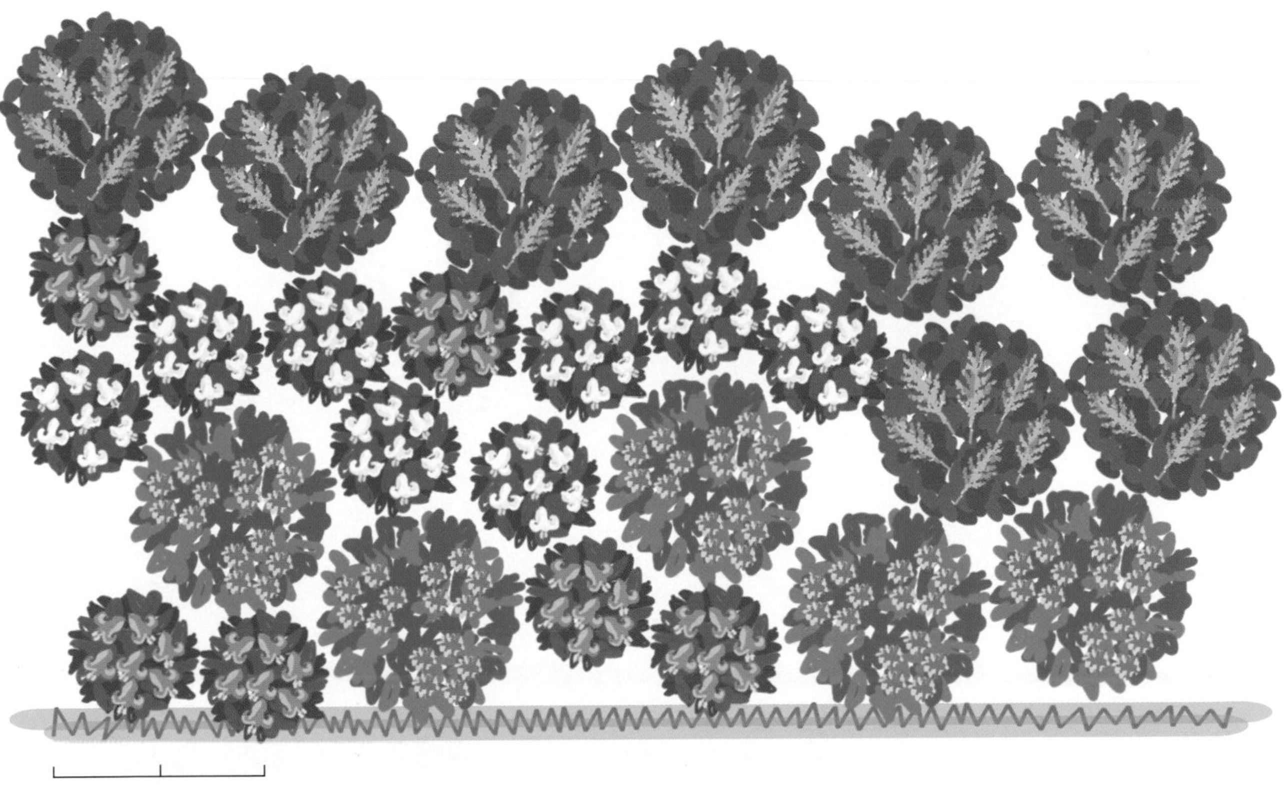

50 cm

Lobelia

Saisissantes lobélies

Originaire de l'est de l'Amérique du Nord, la lobélie du cardinal *(Lobelia cardinalis)* est une plante tout à fait spectaculaire. Dans la nature, elle pousse habituellement dans les sols riches et humides situés aux abords des rivières. Vers la fin de juillet et en août, parfois encore en septembre, ses tiges d'une hauteur d'environ 90 cm se garnissent d'une multitude de fleurs colorées d'un surprenant rouge vif. Ses fleurs riches en nectar font le bonheur des colibris et de certains papillons. Bien qu'elle soit rustique jusqu'en zone 2, la lobélie du cardinal doit absolument être couverte, vers la fin de novembre, d'une épaisse couche de feuilles mortes et d'une toile de protection hivernale afin de bien résister au froid hivernal dans les régions où le couvert de neige est faible et peu constant. Bien que sa floraison soit moins flamboyante que celle de la précédente, la lobélie bleue *(L. siphilitica)* démontre une bien meilleure rusticité dans les zones 4 et 5. En août et en septembre, ses jolies fleurs bleues éclosent tout le long de hampes qui atteignent jusqu'à 1,20 m de hauteur. Plusieurs hybrides de lobélies fort attrayants et rustiques en zone 4 ont été introduits récemment. 'La Fresco' possède des fleurs d'un violet pourpré absolument électrique, 'Rose Beacon' arbore une floraison rose, 'Royal Fuchsia' possède des fleurs d'un spectaculaire rose violacé et 'Summit Snow' produit des fleurs blanches.

La spectaculaire lobélie du cardinal *(Lobelia cardinalis)*.

Sol humide

Les espèces et les cultivars de lobélies nécessitent la mi-ombre ou l'ombre légère et doivent être plantés dans un sol riche et constamment humide. Épandez environ 2,5 cm d'épaisseur de compost à leur base chaque année. La plupart des lobélies doivent être divisées tous les trois ou quatre ans afin qu'elles demeurent saines et vigoureuses. Au début de l'automne, sortez ces plantes du sol en conservant une bonne motte de terre autour de leurs racines. Vous n'avez ensuite qu'à prélever les rosettes de jeunes feuilles qui se sont formées au pourtour de la plante mère et à les replanter sans tarder. N'hésitez pas à éliminer le centre des plants s'il est dégarni. Il arrive parfois qu'il disparaisse complètement après plusieurs années sans soins.

Associations gagnantes

Les cultivars de lobélies à fleurs rouges ressortent magnifiquement devant les feuilles vertes du darméra *(Darmera peltata)*, des rodgersies *(Rodgersia)* et des fougères. Elles sont aussi superbement mises en valeur par les feuilles grises du plectranthe argenté *(Plectranthus argentatus)*. Les diverses lobélies accompagnent parfaitement les fleurs des plantes qui apprécient les sols humides comme les astilbes *(Astilbe)*, les galanes *(Chelone)*, les filipendules *(Filipendula)*, les hémérocalles *(Hemerocallis)* et les ligulaires *(Ligularia)*. Ces plantes forment aussi de beaux mariages avec certaines annuelles telles que les nicotines *(Nicotiana)* aux fleurs jaunes teintées de vert.

Lobélie bleue (*Lobelia siphilitica*).

Association pour le moins étonnante entre la lobélie 'La Fresco' (*Lobelia* 'La Fresco') et la nicotine 'Nicki Lime' (*Nicotiana* 'Nicki Lime').

Le lupin *(Lupinus polyphyllus)* forme de jolies scènes lorsqu'il est accompagné de fleurs à l'allure sauvage.

Lupinus

Lumineux lupins

Personnellement, je préfère les espèces de lupins aux différents hybrides proposés sur le marché horticole. Originaire de la côte ouest américaine, *Lupinus polyphyllus* est mon favori. Vers la fin du printemps et au début de l'été, il forme de jolies fleurs colorées de bleu violacé et de rose disposées en longues grappes. Si vous taillez ses fleurs fanées, comme la plupart des autres lupins, il produira fort probablement une seconde floraison en août. Il atteint environ 1 m de hauteur. *L. perennis,* à fleurs bleues ou parfois roses, est natif de l'est des États-Unis. Encore plus rustique que le précédent, il peut facilement survivre jusqu'en zone 3.

Tout comme ses cousins les lupins, *Baptisia australis* fait partie de la famille des légumineuses. C'est une superbe vivace originaire des États-Unis qui arbore au début de l'été une belle floraison bleue. Ses fleurs sont aussi disposées en grappes au bout de tiges qui font environ 1 m de hauteur. Mis à part le fait qu'ils possèdent des fleurs jaunes qui éclosent pendant un court moment vers la fin du printemps, *Thermopsis lanceolata* et *T. rhombifolia* ressemblent beaucoup aux lupins. Ces plantes rustiques jusqu'en zone 3 s'établissent très aisément dans les sols pauvres et peuvent tolérer une période de sécheresse.

Magnifique tableau représentant un grand massif de *Thermopsis rhombifolia*.

Climat frais

Dans les régions où les étés sont chauds, la plupart des jardiniers sont déçus par la performance des lupins. En fait, ces plantes sont beaucoup plus à leur aise et donnent de meilleurs résultats lorsqu'elles sont cultivées dans les zones 3 et 4, comme en Gaspésie où le climat est plus frais. Les lupins nécessitent une bonne terre brune légèrement acide, bien meuble et parfaitement drainée. Ils apprécient le plein soleil ou la mi-ombre, mais exigent que leurs racines plongent dans un sol constamment frais. Faites attention de ne pas fournir de trop grandes quantités de compost à ces vivaces. Un apport annuel d'une épaisseur de 0,5 cm est habituellement bien suffisant.

Les lupins ont une durée de vie assez courte et dépérissent après trois ou quatre années seulement. Pour régénérer vos plants, vous devez transplanter les rejetons qui sortent au pourtour des plantes mères. Cette opération doit être effectuée à l'automne. Sous un climat chaud, les lupins sont souvent la proie des pucerons. Il est assez facile de se débarrasser de ces bestioles en les éliminant à la main ou en utilisant un insecticide à base de pyréthrine.

Associations gagnantes

Les lupins s'agencent bien aux achillées *(Achillea)*, aux grandes campanules *(Campanula)*, aux marguerites *(Leucanthemum* x *superbum)*, aux mauves *(Malva)* et aux rudbeckias *(Rudbeckia)*. Les lupins sont particulièrement jolis lorsqu'ils sont plantés en grandes masses.

La coquelourde 'Atrosanguinea' (*Lychnis coronaria* 'Atrosanguinea') en compagnie de la lavande 'Rosea' (*Lavandula angustifolia* 'Rosea') et du lis 'Discovery' (*Lilium* 'Discovery').

La lychnide croix de Jérusalem 'Alba' (*Lychnis chalcedonica* 'Alba') et une forme bleu pâle du géranium des prés (*Geranium pratense*).

Lychnis

Lychnides en spectacle

La plupart des lychnides, principalement originaires d'Europe, affichent une floraison absolument spectaculaire dont la couleur est particulièrement saturée. L'espèce la plus remarquable est sans aucun doute *Lychnis coronaria,* appelée communément coquelourde. Du mois de juillet au début de septembre, cette vivace produit de multiples fleurs d'un rose magenta presque fluorescent. En plus de cette surprenante floraison, elle possède des tiges et des feuilles grises qui font au plus 90 cm de hauteur. Vous pouvez également trouver sur le marché les magnifiques cultivars 'Alba', aux fleurs blanches, 'Angel Bush', qui offre une floraison blanche teintée de rose, et 'Atrosanguinea', aux impressionnantes fleurs cramoisi très foncé. La coquelourde et ses cultivars, rustiques en zone 3, sont des vivaces très peu longévives qui se ressèment facilement.

La lychnide croix de Jérusalem *(L. chalcedonica)* produit des petites fleurs de couleur vermillon groupées en inflorescences sphériques. Sa floraison intense dure quelques semaines en juillet et en août. Ses tiges bien dressées s'élèvent à environ 80 cm de hauteur. Si vous n'aimez pas l'orange très foncé des fleurs de cette espèce, je vous propose de faire l'essai des variétés 'Alba', aux fleurs blanches, et 'Rosea', à la floraison d'un rose très pâle. Ces deux cultivars de lychnides croix de Jérusalem s'intègrent facilement aux plantations qui dégagent une ambiance romantique. La lychnide d'Arkwright 'Vesuvius' (*L.* x *arkwrightii* 'Vesuvius'), un hybride entre *L.* x *haageana* et *L. chalcedonica,* est une vivace rustique en zone 3 qui a une durée de vie assez courte. Elle arbore de grandes fleurs d'un orange très saturé qui contrastent fortement avec son feuillage vert teinté de pourpre s'élevant approximativement à 40 cm de hauteur. En taillant légèrement cette plante vers la fin de juillet, lorsque les fleurs sont fanées, on peut obtenir une seconde floraison en août.

Les fleurs magenta de la coquelourde *(Lychnis coronaria)* forment des chocs de couleurs ahurissants lorsqu'elles sont mariées à une floraison orange ou rouge comme celle de l'astilbe 'Feuer'*(Astilbe* x *arendsii* 'Feuer', syn. 'Fire').

Humidité malvenue

La grande majorité des lychnides se plaisent dans une bonne terre à jardin brune bien drainée située en plein soleil. Toutes les espèces et les variétés citées plus haut tolèrent mal les sols lourds et humides; elles préfèrent plutôt les emplacements où la terre est sèche ou à peine fraîche. Vous pouvez fournir à ces plantes environ 1 cm d'épaisseur de compost chaque printemps.

Associations gagnantes

Vous pourrez éprouver de la difficulté à intégrer dans vos plates-bandes les espèces et les variétés de lychnides aux fleurs orange. Une façon simple de les implanter dans un jardin est de les harmoniser avec des plantes dont la floraison est jaune pâle ou abricot, comme certaines achillées *(Achillea),* la camomille des teinturiers 'E.C. Buxton' (*Anthemis tinctoria* 'E.C. Buxton'), l'asclépiade tubéreuse *(Asclepias tuberosa),* le coréopsis verticillé 'Moonbeam' (*Coreopsis verticillata* 'Moonbeam'), ainsi que divers cultivars de lis *(Lilium).* Les fleurs des lychnides peuvent également former d'intéressants contrastes avec des plantes à fleurs bleues comme certains cultivars d'aconits *(Aconitum),* de campanules *(Campanula),* de géraniums vivaces *(Geranium)* et de pieds-d'alouette *(Delphinium),* ainsi que les népétas *(Nepeta)* et la pérovskie *(Perovskia).*

Lysimachia

Elles ne languissent pas, ces lysimaques !

La lysimaque à fleurs de clèthre *(Lysimachia clethroides)*, aussi appelée lysimaque cou d'oie à cause de ses inflorescences curieusement recourbées, est une plante tout à fait originale qui donne du mouvement aux plantations. Ses fleurs blanches, qui apparaissent vers la fin de juillet et en août, sont disposées en grappes très caractéristiques à l'extrémité de tiges qui atteignent au plus 1 m de hauteur. Cette plante très résistante est rustique en zone 3. La lysimaque ponctuée *(L. punctata)* est mon espèce favorite. Au début de l'été, elle forme une multitude de fleurs jaunes qui éclosent tout le long de tiges qui font approximativement 90 cm de hauteur. Également rustique en zone 4, la lysimaque ponctuée 'Alexander' (*L. punctata* 'Alexander'), aux feuilles vertes bordées de blanc crème, est un intéressant cultivar qui a été introduit récemment par la firme américaine Terra Nova.

Nouvellement arrivée au Canada, la lysimaque 'Beaujolais' (*L. atropurpurea* 'Beaujolais') semble être rustique jusqu'en zone 4. Ses fleurs bourgogne apparaissent sans arrêt de la mi-juillet à la fin de septembre. En plus d'offrir une attrayante floraison, elle possède un joli feuillage gris qui fait environ 50 cm de hauteur. Cette plante singulière mérite une place dans tous les jardins. La lysimaque ciliée *(L. ciliata)* est une espèce native de l'est de l'Amérique du Nord qui pousse de façon spontanée dans les milieux humides et sur les rives des cours d'eau. Ses tiges qui font 1 m de hauteur portent des fleurs jaunes au cœur de l'été. Je suggère de faire l'essai de la variété 'Firecracker', rustique en zone 3, dont le feuillage pourpre fait ressortir les fleurs jaunes. Pour sa part, la lysimaque rampante *(L. nummularia)* est une espèce très basse qui pousse admirablement bien dans les sols humides, voire détrempés, qu'elle recouvre rapidement de son feuillage vert, ou jaune chez le cultivar 'Aurea' (voir p. 108).

Lysimaque à fleurs de clèthre *(Lysimachia clethroides)*, liatride en épis 'Floristan Violet' (*Liatris spicata* 'Floristan Violet', syn. 'Floristan Purple') et lis 'Alpenglow' (*Lilium* 'Alpenglow').

Affection pour les sols humides

Bien qu'elles puissent s'adapter à d'autres types de sols toujours frais, la plupart des lysimaques sont des vivaces qui poussent merveilleusement bien dans les sols riches et humides aux abords des bassins. Par ailleurs, *L. atropurpurea* 'Beaujolais' et *L. punctata* demandent une bonne terre à jardin brune mieux drainée. Les lysimaques peuvent se contenter d'une épaisseur de 1 cm de compost chaque

Lysimaque ciliée 'Firecracker'
(*Lysimachia ciliata* 'Firecracker').

Lysimaque ciliée 'Firecracker'
(*Lysimachia ciliata* 'Firecracker').

année. Toutes les espèces et les variétés poussent bien au soleil, à la mi-ombre ou à l'ombre légère. *L. punctata* peut croître sous le couvert d'arbres où l'ombrage est modéré. *L. clethroides*, *L. punctata* et *L. ciliata* sont malheureusement envahissantes. Pour les contrôler, il est essentiel de les diviser fréquemment ou de les ceinturer d'une bordure.

Associations gagnantes

Avec leurs fleurs blanches ou jaunes, les lysimaques s'associent très bien aux plantes qui affectionnent les sols humides comme les hostas *(Hosta)*, les iris de Sibérie *(Iris sibirica)* et les fougères. Le feuillage gris et la floraison pourpre de la lysimaque 'Beaujolais' forment des

Lysimaque ponctuée *(Lysimahia punctata)*.

arrangements originaux et modernes en compagnie des fleurs jaunes de l'achillée 'Terracotta' (*Achillea* 'Terracotta') ou des fleurs de couleur saumon de l'hémérocalle 'Mini Pearl' (*Hemerocallis* 'Mini Pearl').

Lythrum

Envahissante, la salicaire ?

La salicaire *(Lythrum salicaria)* est une vivace originaire d'Europe et d'Asie qui a été introduite en Amérique du Nord au milieu du XIXe siècle. Avec ses longues inflorescences de couleur rose vif qui apparaissent durant quelques semaines en juillet et en août, cette plante est évidemment très ornementale. En revanche, lorsqu'elle s'implante dans un marais ou aux abords d'un cours d'eau, elle montre une croissance très agressive qui la pousse à envahir une grande partie de l'espace disponible, au détriment de plusieurs espèces déjà présentes. Toutefois, si vous la plantez dans une plate-bande au sol bien drainé, elle se comportera plus sagement. Je conseille tout de même aux gens qui habitent près d'un milieu humide naturel de ne pas cultiver la salicaire sur leur terrain, même s'il s'agit d'un cultivar, afin d'éviter qu'elle ne se propage.

Quelques variétés issues de *L. salicaria* sont offertes dans les jardineries et les pépinières. Plusieurs cultivars ont aussi été obtenus à partir de *L. virgatum,* une plante moins envahissante, ou de croisements entre celle-ci et *L. salicaria* ainsi que *L. alatum.* Ils sont pour la plupart rustiques en zone 3, possiblement même en zone 2 pour certains. Les seules différences notables entre toutes ces variétés sont leur hauteur et leur période de floraison. 'Robert' n'atteint guère plus de 80 cm de hauteur sur environ 50 cm de largeur, alors que 'Feuerkerze' (syn. 'Firecandle') fait parfois un peu plus de 1,20 m de hauteur. 'Morden Pink', un cultivar très populaire, s'élève à 90 cm de hauteur. Pour sa part, 'Terra Nova' est une variété qui fait à peine 60 cm de hauteur et qui fleurit plus tardivement que la plupart des autres cultivars de salicaires.

Grande capacité d'adaptation

Bien que les divers cultivars de salicaires soient adaptés aux terres lourdes et humides, ils peuvent facilement s'accommoder d'une foule d'autres types de sols. En fait, seuls les milieux secs et très pauvres ne leur conviennent pas. Ces plantes peu exigeantes poussent aussi bien au soleil qu'à la mi-ombre ou à l'ombre légère. Vous pouvez épandre environ 1 cm de compost à leur base tous les ans.

Associations gagnantes

Tous les cultivars de salicaires font merveille dans les aménagements situés aux abords des bassins, où ils côtoient magnifiquement les galanes *(Chelone),* les eupatoires *(Eupatorium),* les filipendules *(Filipendula),* les lysimaques *(Lysimachia)* et les sanguisorbes *(Sanguisorba).* Les salicaires s'intègrent aussi très bien aux plantations à l'anglaise.

Salicaire 'Robert' (*Lythrum salicaria* 'Robert'), camomille des teinturiers 'Kelwayi' (*Anthemis tinctoria* 'Kelwayi') et filipendule 'Flore Pleno' (*Filipendula ulmaria* 'Flore Pleno').

Malva
Inimitable mauve

La mauve musquée *(Malva moschata)* pousse à l'état sauvage en Europe. Cette plante rustique en zone 3 a été introduite en Amérique du Nord où elle est maintenant naturalisée. Ses abondantes fleurs rose pâle éclosent durant une longue période qui s'échelonne de la fin de juin à la fin d'août, parfois même jusqu'à septembre. Ses grandes fleurs sont fixées à des tiges qui atteignent environ 80 cm de hauteur. Comme la plupart des autres espèces, la mauve musquée est une vivace peu longévive qui se ressème abondamment. Vous pouvez aussi trouver un cultivar nommé 'Alba' dont la floraison est blanche. *M. alcea* 'Fastigiata', parfois offerte dans les jardineries et les pépinières, est tellement semblable à *M. moschata* qu'elles sont difficiles à différencier. La variété 'Fastigiata' semble avoir un port plus étroit et érigé, et selon certains documents, elle possède des feuilles aux lobes plus profonds. La mauve sylvestre *(M. sylvestris)* arbore pour sa part des fleurs d'un rose légèrement violacé et des feuilles palmées beaucoup moins découpées que celles des deux espèces précédentes. Le cultivar 'Primley Blue' possède des fleurs bleu pâle rayées de violet. Finalement, je recommande de faire l'essai de la sidalcée 'Party Girl' (*Sidalcea* 'Party Girl'), une proche parente des mauves, qui est rustique jusqu'en zone 4. Dans les régions où le couvert de neige est mince, il est cependant essentiel de la recouvrir d'une couche de feuilles mortes en prévision de l'hiver. Avec ses jolies fleurs rose foncé au cœur blanc réunies en longues grappes qui atteignent environ 90 cm de hauteur, cette vivace me semble plus attrayante que les mauves. Son intense floraison débute vers la mi-juillet et ne cesse pas avant la mi-septembre. Toute une fête en perspective !

La mauve sylvestre 'Mystic Merlin' (*Malva sylvestris* 'Mystic Merlin') en compagnie de la filipendule rouge 'Venusta' (*Filipendula rubra* 'Venusta').

Culture facile

Les mauves se cultivent facilement dans une bonne terre à jardin brune bien drainée exposée au plein soleil ou à la mi-ombre. Elles s'adaptent également aux sols argileux qui ne sont pas trop humides. Vous pouvez leur fournir environ 1 cm de compost chaque année. La mauve sylvestre et certains de ses cultivars peuvent être atteints de rouille s'ils subissent une sécheresse prolongée.

Associations gagnantes

Les fleurs des mauves donnent une ambiance propice à la romance et à la rêverie lorsqu'elles sont associées aux floraisons blanches, roses, bleues ou violet pâle de certains végétaux tels que les campanules *(Campanula)*, les pieds-d'alouette *(Delphinium)*, les filipendules *(Filipendula)*, les liatrides en épis *(Liatris spicata)*, la népéta 'Six Hills Giant' (*Nepeta* x *faassenii* 'Six Hills Giant'), la nicotine sylvestre *(Nicotiana sylvestris)* et les rosiers *(Rosa)*. Ces plantes sont magnifiquement mises en valeur par le feuillage gris des armoises *(Artemisia)* et de la mélianthe *(Melianthus major)*.

Monarda

Impétueuses monardes

Monarde 'Petite Delight' (*Monarda* 'Petite Delight').

Monarde fistuleuse (*Monarda fistulosa*).

La monarde *(Monarda didyma)* est une plante indigène de l'est des États-Unis qui possède une flamboyante floraison. En juillet et en août, elle produit une abondance de fleurs tubulaires d'un rouge très vif. Ses fleurs sont réunies en glomérules disposés à l'extrémité de tiges atteignant environ 1 m de hauteur. La monarde fistuleuse *(M. fistulosa)*, aux dimensions semblables à celles de la précédente, est également native de l'Amérique du Nord. Cette plante aux fleurs roses est parfois vendue dans les jardineries et les pépinières.

Parmi tous les cultivars de monardes, mon préféré est sans aucun doute 'Blaustrumpf' (syn. 'Blue Stocking'), aux riches fleurs violettes. Avec ses fleurs rose très pâle qui sont mises en valeur par des bractées teintées de rose et de pourpre, 'Beauty of Cobham' est une autre variété que je trouve particulièrement attrayante. 'Cambridge Scarlet' arbore quant à elle des fleurs rouges entourées de bractées pourpres. 'Petite Delight', une monarde récemment introduite, ne fait guère plus de 40 cm de hauteur et possède une floraison rose magenta très saturé. Certains nouveaux cultivars comme 'Marshall's Delight' et 'Miniota' sont censés être résistants à l'oïdium. Tous les cultivars présentés ici sont rustiques en zone 3.

Envahissantes

Les cultivars de monardes nécessitent un sol riche et frais, voire humide, exposé au soleil, à la mi-ombre ou à l'ombre légère. Il est important de leur fournir au moins 1 cm d'épaisseur de compost chaque printemps. Assurez-vous que le sol dans lequel plongent les racines des monardes ne s'assèche jamais afin d'éviter qu'elles soient attaquées par l'oïdium, un champignon qui cause l'apparition d'un feutre blanc grisâtre à la surface des feuilles. Toutefois, si cette maladie devait affecter vos plants vers la fin de la saison, vous devrez les asperger d'un fongicide à base de soufre ou couper et jeter aux ordures toutes les parties atteintes. Les monardes sont habituellement des plantes assez envahissantes. Une division aux deux ou trois ans permet de les contenir. Vous pouvez également les ceinturer d'une large bordure.

Associations gagnantes

Dans les plates-bandes, les monardes s'associent bien aux astilbes *(Astilbe)*, aux eupatoires *(Eupatorium)*, aux filipendules *(Filipendula)*, aux grands cultivars de géraniums vivaces *(Geranium)*, aux hémérocalles *(Hemerocallis)*, ainsi qu'aux fougères.

Une plantation contrastante composée de la monarde 'Cambridge Scarlet' (*Monarda didyma* 'Cambridge Scarlet') et de l'hémérocalle 'Ebony and Ivory' (*Hemerocallis* 'Ebony and Ivory').

Nepeta

Toujours en fleurs, les népétas !

Les népétas sont des vivaces fidèles et extrêmement florifères. En fait, si on les taille de façon appropriée, elles peuvent offrir jusqu'à trois floraisons durant la même saison.

Confusion

Dans les jardineries et les pépinières, les cultivars de *N.* x *faassenii* sont les plus vendus. Ces hybrides ont été obtenus par des croisements entre *N. racemosa* et *N. nepetella*. Les plantes issues de ces hybridations sont souvent classées à tort sous le nom de *N. mussinii,* alors que cette appellation est en fait un synonyme de *N. racemosa*. Parmi les divers cultivars de *N.* x *faassenii,* 'Blue Wonder' et 'Dropmore', qui font tous deux 35 cm de hauteur, sont les plus compacts. Vers la fin du printemps et au cœur de l'été, durant de nombreuses semaines, ils se couvrent de fleurs bleues teintées de mauve. Ma variété préférée est 'Six Hills Giant', qui atteint approximativement 70 cm de hauteur. Cette plante fait merveille lorsque ses tiges et celles d'un rosier s'enchevêtrent. 'Walker's Low' possède pour sa part des tiges longues de 60 cm qui ont tendance à s'arquer au point de toucher le sol. Les cultivars que je viens de décrire sont tous rustiques en zone 4, possiblement en zone 3 pour certains.

Très ornementales

Bien que plutôt rares sur le marché, d'autres espèces moins connues me semblent particulièrement décoratives et méritent un essai. Habituellement en juillet, la népéta de Sibérie *(N. sibirica)* porte de superbes fleurs bleu lavande sur des tiges qui ont une hauteur d'environ 1 m. Cette plante, qui résiste aux hivers de la zone 3, produit des fleurs aux dimensions plus imposantes que celles des cultivars de *N.* x *faassenii*. La variété 'Souvenir d'André Chaudron' (syn. 'Blue Beauty') est légèrement plus petite que l'espèce et fleurit sur une période un peu plus prolongée. *N. govaniana,* originaire de la chaîne montagneuse de l'Himalaya, est la seule espèce de népéta qui donne des fleurs jaunes. C'est une plante singulière qui est probablement rustique en zone 4.

Nom latin : *Nepeta.*
Nom commun : népéta.
Famille : labiées.
Feuillage : feuilles lancéolées de couleur vert grisâtre.
Floraison : petites fleurs jaunes, bleues ou violettes disposées en épis denses.
Période de floraison : fin du printemps et été.
Exposition : soleil et mi-ombre.
Sol : s'adapte bien à divers types de sols peu riches et bien drainés.
Rusticité : à partir de la zone 3.

Empreint d'une douce poésie, cet aménagement d'allure romantique est composé de la népéta 'Six Hills Giant' (*Nepeta* x *faassenii* 'Six Hills Giant'), de la sidalcée 'Party Girl' (*Sidalcea* 'Party Girl') et du rosier 'Morden Blush' (*Rosa* 'Morden Blush').

LE JARDINIER RENSEIGNÉ

La culture des népétas

Les espèces et les cultivars de népétas préfèrent une exposition ensoleillée ou mi-ombragée ainsi qu'un sol parfaitement bien drainé. Ces plantes nécessitent un sol pauvre et légèrement sableux, mais elles peuvent également s'adapter à une terre à jardin brune un peu plus riche en humus et en éléments nutritifs. En sol très riche, les népétas ont cependant tendance à croître de façon excessive et à s'écraser au sol. Si vous plantez ces végétaux dans un sol argileux et lourd, assurez-vous d'ajouter une ou deux pelletées de compost et quelques poignées de gravier à la terre de plantation afin d'obtenir un drainage adéquat. Vous pouvez également disposer les grands cultivars comme 'Six Hills Giant' près de vivaces aux tiges solides ou d'arbustes sur lesquels ils peuvent s'appuyer. Après la plantation, les népétas ne doivent pas recevoir plus de 0,5 cm d'épaisseur de compost chaque année.

Associations gagnantes

Les népétas sont des compagnes formidables pour certaines plantes qui apprécient le soleil et les sols bien drainés comme les diverses espèces et variétés d'achillées *(Achillea)*, d'alchémilles *(Alchemilla)*, de coréopsis *(Coreopsis)*, de géraniums vivaces *(Geranium)*, d'hémérocalles *(Hemerocallis)*, de penstémons *(Penstemon)* et de scabieuses *(Scabiosa)*. La plupart des cultivars s'associent également très bien avec les rosiers *(Rosa)*. Finalement, avec leurs feuilles grises, les armoises *(Artemisia)* sont idéales pour mettre en valeur la floraison bleue des népétas qui se confond parfois avec les feuillages.

Népéta de Sibérie 'Souvenir d'André Chaudron' (*Nepeta sibirica* 'Souvenir d'André Chaudron', syn. 'Blue Beauty').

ASTUCIEUX

LE JARDINIER

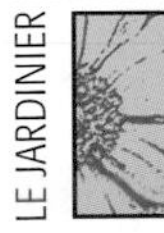

Une troisième floraison ?

Je vous propose de tailler les népétas de moitié une fois leur floraison terminée. Chez les cultivars de *N.* x *faassenii,* ce traitement favorise la pousse d'une abondance de nouvelles fleurs. Une fois cette seconde période de floraison passée, vous pouvez encore couper les tiges afin d'obtenir une troisième floraison qui se poursuivra jusqu'en septembre.

La népéta 'Walker's Low' (*Nepeta* x *faassenii* 'Walker's Low') en compagnie du bégonia 'Queen Pink' (*Begonia* 'Queen Pink').

Profondeur

soleil, mi-ombre

Contrairement aux couleurs chaudes qui semblent rapetisser l'espace, le bleu donne de la profondeur aux plates-bandes. Les dimensions de cet aménagement paraissent plus grandes qu'elles ne le sont en réalité parce que des plantes aux fleurs bleues occupent le dernier rang, alors que des fleurs jaunes sont placées juste devant. Cette plantation, qu'on peut voir au Jardin botanique de Montréal, est une réalisation de Robert Contant.

 Népéta de Sibérie (*Nepeta sibirica*)

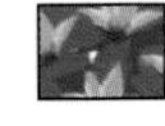 Lis 'Rosita' (*Lilium* 'Rosita')

 Véronique 'Sunny Border Blue' (*Veronica* 'Sunny Border Blue')

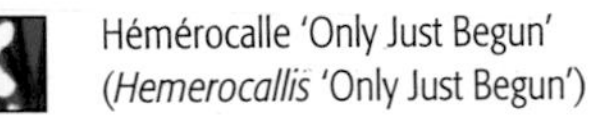 Hémérocalle 'Only Just Begun' (*Hemerocallis* 'Only Just Begun')

 Achillée 'Cerise Queen' (*Achillea millefolium* 'Cerise Queen')

Spectacle
soleil

Dans un aménagement, le bleu est une couleur qui peut parfois être difficile à percevoir. Pour éviter toute déception, assurez-vous de disposer les fleurs bleues à l'avant des plantations et en plus grande quantité que les fleurs aux couleurs chaudes comme dans cet arrangement. Les végétaux qui composent cet aménagement créé par Gérard Dea conviennent à un sol bien drainé exposé au plein soleil.

Népéta 'Six Hills Giant'
(*Nepeta* x *faassenii* 'Six Hills Giant')

Sauge 'Mainacht'
(*Salvia* x *sylvestris* 'Mainacht', syn. 'May Night')

Valériane rouge
(*Centranthus ruber*)

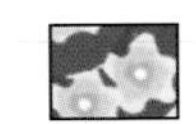
Penstémon 'Husker Red'
(*Penstemon digitalis* 'Husker Red')

Achillée 'Moonshine'
(*Achillea* 'Moonshine')

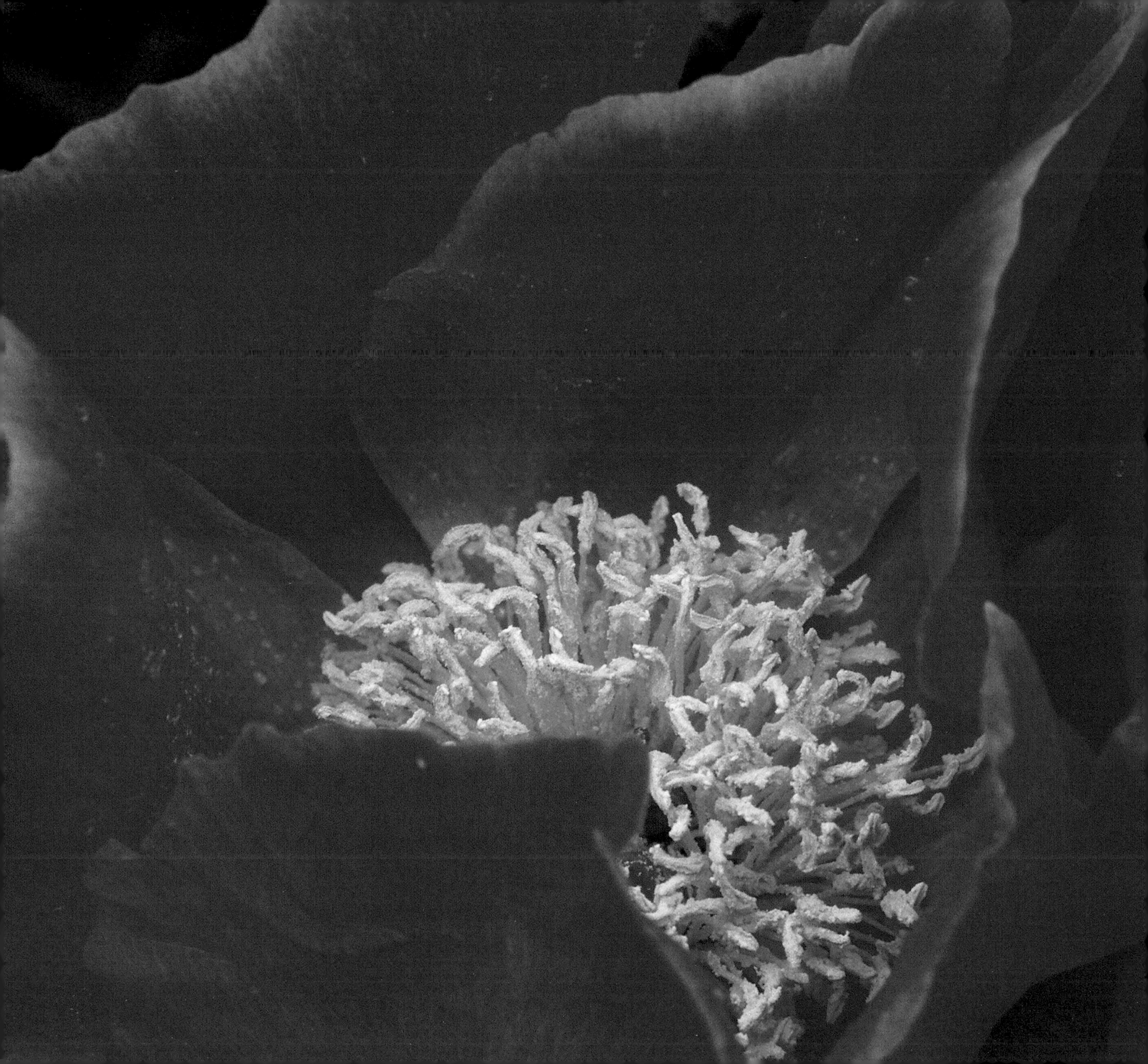

Paeonia
Fabuleuses pivoines

Il y a fort longtemps que la pivoine charme les êtres humains. Depuis des millénaires, cette plante est vénérée par les jardiniers chinois qui lui vouent un véritable culte. Ils considèrent d'ailleurs la pivoine comme étant la reine des fleurs. Au début du XIXe siècle, l'introduction en Europe de la pivoine de Chine *(P. lactiflora)*, originaire de Chine, de Mongolie et de Sibérie, marque le début de travaux d'hybridation qui allaient mener à la création d'une quantité impressionnante de cultivars, ce qui a permis à la pivoine d'acquérir ses lettres de noblesse.

Simple ou double

Une grande partie des cultivars de pivoines vendus sur le marché horticole sont issus de *P. lactiflora* et sont rustiques jusqu'en zone 2. Certaines autres espèces comme *P. officinalis* et *P. peregrina* ont également été utilisées, notamment par le Canadien A. P. Saunders lors de ses impressionnants travaux d'hybridation. La floraison de la plupart des variétés de pivoines dure environ 10 à 15 jours et survient entre la mi-mai et le début de juillet selon les régions. Quelques hybrides obtenus par Saunders peuvent cependant fleurir sur une période se prolongeant parfois au-delà d'un mois. Les cultivars de pivoines arborent divers types de floraisons allant des grosses fleurs doubles jusqu'aux délicates fleurs simples, en passant par les fleurs semi-doubles. Selon moi, les pivoines à fleurs simples sont les plus attrayantes et s'intègrent aisément aux aménagements paysagers. Par ailleurs, les plants qui arborent de telles fleurs résistent beaucoup mieux à la pluie et au vent que les variétés dont la floraison est double.

Les fleurs simples sont composées de 5 à 10 pétales qui entourent un cœur plein d'étamines. Certains cultivars possèdent des étamines qui ne produisent pas de pollen. Ces pièces florales, appelées staminodes, ne sont pas complètement transformées en pétales. D'autres pivoines, très singulières, ont un cœur garni de larges étamines pétaloïdes qui ressemblent un peu plus à de vrais pétales. Parmi mes cultivars favoris, je vous suggère de faire l'essai de 'Bowl of Beauty', assez semblable à 'Gay

Nom latin : *Paeonia.*
Nom commun : pivoine.
Famille : paeoniacées.
Feuillage : feuilles découpées en plusieurs lobes aigus.
Floraison : grandes fleurs blanches, jaunes, roses ou rouges.
Période de floraison : fin du printemps et début de l'été.
Exposition : plein soleil.
Sol : sol riche et bien drainé.
Rusticité : à partir de la zone 2.

Superbe pivoine 'Silver Flare' (*Paeonia* 'Silver Flare').

RENSEIGNÉ

LE JARDINIER

La culture des pivoines

Pour fleurir adéquatement, les pivoines nécessitent absolument le plein soleil ainsi qu'une terre très riche, meuble et parfaitement bien drainée. Ces plantes ne tolèrent pas les sols trop humides. Une pivoine doit être plantée dans un grand trou qui a une largeur équivalente à trois fois le diamètre de la motte. La profondeur doit être équivalente à une fois et demie la hauteur de la motte de la pivoine à planter. Utilisez un terreau composé d'une moitié de terre à jardin brune, ou de sol existant s'il est de bonne qualité, et d'une moitié de compost. Vous devrez ensuite épandre du compost au pied des pivoines tous les ans. Attention ! Ne disposez jamais cet amendement directement sur la souche de vos pivoines. Il est essentiel de mettre le compost au pourtour des plants à une distance d'environ 15 cm des tiges. Vous devez faire un apport annuel de 2,5 cm d'épaisseur. Les pivoines prennent quatre ou cinq années pour atteindre leur maturité et peuvent ensuite rester au même endroit pendant plusieurs décennies sans être divisées. En fait, moins vous dérangez vos pivoines, mieux elles se portent.

Paree', une sublime pivoine aux fleurs composées de pétales roses et d'une masse d'étamines pétaloïdes blanches. Ceux qui préfèrent les floraisons aux couleurs plus intenses aimeront 'Flame', dont les pétales sont d'un rose rouge intense qui contraste puissamment avec le jaune doré des étamines, ainsi que 'Barrington Belle', très semblable à 'Sword Dance', aux pétales rose rouge entourant une énorme masse d'étamines pétaloïdes de même couleur et bordées de jaune. Quant à elle, la variété 'Silver Flare' possède des fleurs aux pétales rose foncé dont les extrémités sont teintées de blanc. J'apprécie également les pivoines aux fleurs blanches, comme 'Cheddar Charm' et 'Leto', ou jaunes, comme 'Clair de Lune' et 'Prairie Moon'.

Méconnues

Malheureusement, la grande quantité de cultivars a fait en sorte que les espèces de pivoines, pour la plupart très ornementales, ont été reléguées au second plan. Je vous recommande sans hésiter de planter dans votre jardin la pivoine à feuilles ténues *(P. tenuifolia)*, native de l'Europe de l'Est. Cette plante de petite taille — elle fait à peine 60 cm de hauteur — possède un feuillage très finement découpé qui fait ressortir ses fleurs rouges au cœur jaune. Sa floraison se produit habituellement vers

La pivoine 'Clair de Lune' (*Paeonia* 'Clair de Lune') est issue d'une hybridation entre *P. mlokosewitschii* et *P. lactiflora* 'Monsieur Jules Elie' réalisée en 1954. Elle résulte des premiers croisements effectués en vue d'obtenir des pivoines aux fleurs jaunes.

Pivoine 'Flame' (*Paeonia* 'Flame').

le début du mois de mai, avant la majorité des autres pivoines. Plusieurs cultivars rustiques en zone 4 sont offerts sur le marché, dont le spectaculaire 'Plena' aux fleurs rouges doubles. *P. officinalis* et *P. peregrina* sont deux autres espèces qui me semblent particulièrement ornementales. Assez rares sur le marché horticole canadien, ces pivoines poussent tout de même relativement bien dans le sud-est du Canada.

Arbustives

Les pivoines arbustives sont des plantes tout à fait fascinantes qui forment de curieuses tiges ligneuses. Sous des cieux cléments, certaines de ces pivoines peuvent atteindre jusqu'à 3 m de hauteur. Sous un climat plus rigoureux comme le nôtre, elles font rarement plus de 1,50 m. Les divers cultivars aux fleurs blanches, jaunes, roses, rouges ou pourpres offerts sur le marché sont issus de *P. delavayi*, de *P. lutea*, de *P. potaninii* et surtout de *P. suffruticosa*.

Pivoine 'Barrington Belle' (*Paeonia* 'Barrington Belle').

Certaines variétés comme 'Gauguin' possèdent également d'étonnantes fleurs de couleur cuivre. Plusieurs croisements entre la pivoine arbustive à fleurs jaunes *P.* x *lemoinei* 'Alice Harding' et la pivoine à fleurs blanches doubles *P. lactiflora* 'Kakoden', exécutés par l'hybrideur japonais Toichi Itoh en 1948, ont mené à la création d'une nouvelle série de cultivars arbustifs aux fleurs semi-doubles de couleur jaune. 'Yellow Emperor' et 'Yellow Heaven' sont deux de ces variétés maintenant offertes en Amérique du Nord.

C'est une erreur de penser que les pivoines arbustives sont fragiles. Dans la nature, elles vivent en milieu montagneux où elles peuvent subir des températures qui atteignent – 30 °C. Les diverses variétés de pivoines arbustives peuvent donc être cultivées dans les zones 4 et 5. Dans

Pivoine à feuilles ténues 'Plena' (*Paeonia tenuifolia* 'Plena').

ASTUCIEUX

LE JARDINIER

La profondeur exacte

Le dessus des racines des pivoines doit toujours affleurer le sol. Il est donc absolument essentiel de ne pas planter ces vivaces trop profondément, sans quoi elles ne fleuriront pas. La partie supérieure de la souche ne doit jamais être recouverte de plus de 2,5 cm de terre légèrement compactée. Les racines des pivoines vendues en contenants sont habituellement déjà disposées à la bonne profondeur dans leur pot. Lors de la plantation, vous n'avez qu'à placer le dessus de la motte de terre au niveau du sol existant. Vous pouvez vous servir du manche de votre pelle pour vous assurer que la motte est située à la bonne profondeur dans la fosse de plantation. Si vous avez un doute sur la disposition des racines dans le pot, je vous suggère de vérifier à quelle profondeur elles se trouvent en enlevant la terre de surface.

Pivoine arbustive 'Hanakisoi'
(*Paeonia* 'Hanakisoi').

RENSEIGNÉ

LE JARDINIER

Des fourmis bénéfiques

Juste avant leur floraison, vous avez peut être remarqué que vos pivoines étaient littéralement envahies par les fourmis. N'ayez crainte, ces aimables bestioles ne causent aucun dommage aux pivoines. Elles se nourrissent du nectar sécrété par des glandes situées à la base des bractées qui recouvrent les bourgeons à fleurs. Les fourmis seraient plutôt bénéfiques puisqu'elles font, semble-t-il, la guerre à tous les insectes qui s'intéressent à ce nectar.

Impressionnant massif de pivoines arbustives.

les régions où le couvert de neige est insuffisant, assurez-vous tout de même de les planter dans un emplacement bien protégé des vents hivernaux desséchants et de disposer une couche de feuilles mortes sèches à leur base avant le gel. Si des branches devaient geler durant l'hiver, elles seront remplacées au printemps suivant par de nouvelles tiges provenant directement de la souche. Ces végétaux sont particulière-

Une belle association printanière entre la pivoine 'Cherry Hill' (*Paeonia* 'Cherry Hill') et l'iris de Sibérie 'Harpswell Velvet' (*Iris sibirica* 'Harpswell Velvet').

ASTUCIEUX

LE JARDINIER

Un tuteurage solide

Tous les cultivars de pivoines à fleurs doubles ont tendance à se coucher au sol après une pluie. Il est donc essentiel de les tuteurer. Le fameux tuteur à tomate composé de cerceaux métalliques peut faire l'affaire pour maintenir en place les jeunes plants. Par ailleurs, pour les vieux sujets, je vous suggère un système plus solide. Au début de mai, disposez quatre piquets ancrés assez profondément dans le sol (au moins à 30 cm de profondeur) autour des plants. Reliez ensuite ces piquets avec une corde de nylon résistante. Fabriquez un premier cordage à environ 30 ou 40 cm du sol. Disposez ensuite une seconde corde situé à environ 15 à 20 cm sous la hauteur présumée des fleurs. Pour vous assurer que la corde reste bien en place, vous pouvez percer les piquets et y passer la corde.

ment voraces et nécessitent un apport annuel important de compost. Chaque printemps, épandez autour de leurs tiges une épaisseur de compost d'environ 3,5 cm. Profitez de l'occasion pour fournir à chaque plant une poignée (30 ml) d'os moulus ainsi qu'une petite poignée (15 ml) de sulfate de potassium et de magnésium, mieux connu sous le nom commercial de Sul-Po-Mag. Il n'est cependant pas nécessaire d'apporter des os moulus tous les ans puisqu'ils peuvent mettre jusqu'à trois ans à se dégrader complètement dans le sol.

Associations gagnantes

À cause de leur stature imposante et de leurs énormes fleurs, les pivoines ne s'intègrent pas toujours aisément aux plates-bandes. À mon avis, les cultivars de petite taille dont les fleurs sont simples accompagnent mieux la plupart des vivaces printanières. Ces plantes s'harmonisent superbement aux ancolies *(Aquilegia)*, aux géraniums vivaces *(Geranium)*, aux iris de Sibérie *(Iris sibirica)*, à la valériane grecque *(Polemonium caeruleum)* ainsi qu'aux pigamons *(Thalictrum)*.

Papaver
Pavots éphémères

Les fleurs des pavots d'Orient *(Papaver orientale)* sont tout à fait singulières ; elles semblent être faites de papier froissé. Les nombreux cultivars aujourd'hui offerts présentent des floraisons de couleur blanche, orange, saumon, rose ou rouge. Bien qu'une douzaine de variétés telles que 'Beauty of Livermere', 'Black and White' et 'Turkish Delight' aient reçu un Award of Garden Merit pour leurs qualités exceptionnelles, les pavots d'Orient ont aussi quelques défauts. Au début de juillet, une fois leur éphémère floraison terminée, ils entrent en période de dormance. Leurs feuilles jaunissent et meurent, laissant des trouées dans les plates-bandes. Par ailleurs, le pavot d'Islande *(P. nudicaule)* est beaucoup plus florifère. Certains cultivars, rustiques en zone 1, produisent des fleurs sans arrêt durant tout l'été. Leur floraison commence au début de juin et se termine en août, parfois même en septembre. Ces plantes sont de plus petite taille que les pavots d'Orient puisqu'elles n'atteignent guère plus de 50 cm de hauteur. Peu longévives, elles se ressèment toutefois très aisément.

D'autres végétaux très proches parents des pavots d'Orient ont une grande valeur ornementale. Les magnifiques pavots bleus *(Meconopsis)* sont à mon avis les plus spectaculaires représentants de la famille des papavéracées, mais également les plus difficiles à cultiver. *M. betonicifolia,* l'espèce la mieux connue des jardiniers, forme vers la fin de juin de splendides fleurs aux pétales d'un bleu ciel très lumineux. *M. grandis* possède des tiges qui atteignent 1 m de hauteur, portant aussi de grandes fleurs bleues. Il est possible de trouver sur le marché une variété appelée 'Miss Dickson' dont la floraison est blanche. Vous pouvez aussi faire l'essai de *M.* x *sheldonii,* un hybride entre *M. betonicifolia* et *M. grandis*. Ces espèces exceptionnelles ont toutes obtenu un Award of Garden Merit. Comme ces plantes sont originaires du massif montagneux de l'Himalaya, elles éprouvent beaucoup de difficulté à croître en zones 5 et 6 où les étés peuvent être particulièrement chauds et le couvert de neige trop mince durant l'hiver. En fait, les pavots bleus vivent beaucoup mieux dans les régions situées en zone 3 ou 4. Quant au stylophore à deux feuilles *(Stylophorum diphyllum),* il pousse à l'état indigène dans le sud de l'Ontario et l'est des États-Unis. Il est magnifique au printemps lorsque éclosent pendant de nombreuses semaines ses fleurs jaunes. Cette

Puisque les pavots deviennent souvent inesthétiques après leur floraison, il est préférable de les planter au centre ou à l'arrière des plantes-bandes afin qu'ils soient cachés par les vivaces à floraison estivale.

plante bien adaptée aux sols riches situés à l'ombre légère possède également un feuillage découpé très décoratif.

Besoins très particuliers

Les pavots d'Orient ne donnent pas de très bons résultats lorsqu'ils sont plantés dans un sol lourd et humide. Ils nécessitent plutôt une situation chaude et ensoleillée ainsi qu'une terre à jardin brune légèrement sableuse ou graveleuse bien drainée. Les pavots bleus préfèrent quant à eux les terrains ombragés situés sous les arbres au feuillage léger où le sol est acide, riche en humus et suffisamment drainé. En période de croissance, ces plantes nécessitent une atmosphère humide et des arrosages réguliers. Au printemps et en été, je recommande de leur donner environ 2,5 cm d'eau par semaine en un seul apport et de disposer un paillis organique d'une épaisseur d'environ 5 à 7,5 cm à leur base. À partir de la fin d'août, vous pouvez cesser les arrosages afin que le sol soit plus sec en prévision de l'hiver. Puisque la transplantation des rejetons est difficile à réussir, les pavots bleus sont des plantes peu longévives propagées principalement par semis. L'idéal est d'utiliser les semences de vos propres plantes et de les mettre en pleine terre dès l'automne ou au printemps suivant après les avoir conservées au sec durant l'hiver à une température de 4 °C. À défaut de pouvoir utiliser les semences produites par vos pavots, vous pouvez en trouver chez certains grainetiers nord-américains. Le terreau qui leur convient le mieux est composé d'un tiers de terre à jardin brune, d'un tiers de compost et d'un tiers de tourbe de sphaigne. Même si cela n'est pas essentiel les deux premières années suivant le semis, je vous conseille de couper les hampes florales dès qu'elles émergent afin de favoriser un meilleur enracinement. Par la suite, taillez les fleurs lorsqu'elles sont fanées; ainsi vos plantes pourront peut-être vivre plus longtemps que vous ne l'espériez.

Associations gagnantes

Les pavots créent des tableaux très éphémères mais flamboyants. Pour réaliser de beaux contrastes, associez-les aux fleurs bleues des campanules *(Campanula)* et des népétas *(Nepeta)*. N'oubliez pas de disposer ces plantes dont le feuillage jaunit en début d'été à l'arrière des plates-bandes pour qu'elles soient bien camouflées par les vivaces situées à l'avant. Quant aux pavots bleus et au stylophore à deux feuilles, ils s'intègrent superbement aux jardins d'ombre en compagnie des fougères, des lis martagon *(Lilium martagon)* et de certaines grandes primevères *(Primula)*.

Pavot bleu *(Meconopsis betonicifolia)*.

Penstemon

Passion pour les penstémons

Méconnus des jardiniers, les penstémons sont des plantes dont la floraison, souvent assez longue, est absolument magnifique. Ils méritent à mon avis une place dans tous les jardins.

Difficiles à dénicher

Dans la nature, on trouve les penstémons principalement aux États-Unis. Quelques-uns sont également natifs du Canada, du Mexique et du Guatemala. Une seule espèce provient de la péninsule de Kamtchatka, en Russie. On trouve également de nombreux cultivars issus principalement d'hybridations. Comme les penstémons sont des végétaux encore assez peu connus, certains d'entre eux sont difficiles à trouver sur le marché horticole. À l'occasion, vous devrez donc faire des recherches plus poussées pour dénicher certaines espèces ou variétés décrites dans ce texte.

Est de l'Amérique du Nord

Les penstémons indigènes de l'est de l'Amérique du Nord sont les mieux adaptés à notre climat. Bien qu'il soit peu longévif, le penstémon hirsute *(P. hirsutus)* est assurément une des plus belles espèces. De la mi-juin à la mi-juillet éclosent ses splendides fleurs dont l'extérieur est rose légèrement violacé et l'intérieur, blanc. Cette plante atteint environ 60 cm de hauteur. *P. hirsutus* var. *pygmaeus*, également rustique en zone 3, est une variation de l'espèce qui fait à peine 20 cm de hauteur. Parfois vendu dans certaines jardineries et pépinières comme étant le cultivar 'Pygmaeus', cette plante convient bien aux rocailles. Le penstémon de Small *(P. smallii)*, rustique en zone 4, est une plante également peu longévive qui est originaire de l'est des États-Unis, principalement de la Caroline du Nord et du Tennessee. Il forme de grandes tiges d'environ 80 cm de hauteur qui portent des fleurs d'un rose violacé très saturé dont l'intérieur est marqué de bandes blanches. Le penstémon digitale *(P. digitalis)* possède pour sa part des fleurs d'un blanc doux légèrement

Penstémon de Small *(Penstemon smallii)*.

Nom latin : *Penstemon.*
Nom commun : penstémon.
Famille : scrophulariacées.
Feuillage : feuilles habituellement lancéolées ou elliptiques, parfois linéaires. Certains cultivars possèdent des feuilles vertes teintées de pourpre.
Floraison : petites fleurs blanches, jaunes, orange, roses, rouges, pourpres, violettes ou bleues, généralement disposées en grappes ou en panicules. L'intérieur et l'extérieur des fleurs présentent souvent des coloris différents.
Période de floraison : fin du printemps et été.
Exposition : plein soleil.
Sol : terre à jardin brune sableuse amendée d'un peu de compost et très bien drainée.
Rusticité : à partir de la zone 3.

Penstémon digitale *(Penstemon digitalis)*.

violacé qui éclosent durant quelques semaines au début de l'été. Un excellent cultivar nommé 'Husker Red' possède un feuillage pourpre durant le printemps qui se teinte de vert au fur et à mesure que la saison estivale avance. Ce feuillage foncé met très bien en valeur ses fleurs blanches teintées de violet. Comme l'espèce, 'Husker Red' est rustique en zone 3.

Sud-ouest des États-Unis

La majorité des penstémons qui proviennent des montagnes de l'ouest des États-Unis résistent moins bien aux étés chauds et humides du sud-est du Canada. Quelques espèces indigènes des États du sud-ouest américain poussent tout de même relativement bien dans les zones 3 et 4, à condition qu'elles bénéficient d'un sol sec et d'une épaisse couche de neige durant la période hivernale. *P. barbatus*, rustique en zone 3 et peut-être même jusqu'en zone 2, possède des tiges qui font environ 80 cm de hauteur et qui portent des fleurs de couleur rouge. Sa belle floraison, qui survient au début de l'été, dure quelques semaines. Cette vivace pousse spontanément jusqu'à 3 000 m d'altitude dans les canyons d'Arizona, du Colorado, du Nevada, du Nouveau-Mexique, de l'Utah et du nord du Mexique. Plusieurs cultivars sont issus de cette espèce. 'Coccineus'

Penstémon hirsute *(Penstemon hirsutus)*.

RENSEIGNÉ

LE JARDINIER

La culture des penstémons

Pour pousser adéquatement, les penstémons nécessitent absolument le plein soleil et une terre très bien drainée. Outre quelques espèces comme *P. digitalis,* les penstémons ne tolèrent pas les sols humides, surtout durant la saison hivernale. Le terreau idéal pour ces plantes est composé d'une partie de terre brune sableuse mélangée à une partie de compost et une partie de gravier fin. Vous pouvez ensuite épandre 0,5 cm d'épaisseur de compost à leur pied tous les ans.

Plusieurs penstémons sont peu longévifs. Alors que *P. digitalis* et *P. hirsutus* peuvent persister près de 10 ans dans un jardin, certaines autres espèces ne vivent que 3 ou 4 ans seulement. Heureusement, beaucoup de ces plantes se ressèment facilement. Par ailleurs, la plupart des cultivars risquent de former des rejetons de moindre qualité si vous laissez leurs semences se disperser. La propagation à partir de boutures est donc la méthode la plus sûre pour assurer la pérennité de plusieurs penstémons. Vers la fin de juillet, quelque temps après qu'on a enlevé les fleurs fanées, de nouvelles pousses se forment. Taillez ces tiges à environ une dizaine de centimètres de leur extrémité de façon à conserver trois ou quatre paires de feuilles. Coupez juste sous l'attache de deux feuilles et éliminez la paire de feuilles la plus basse. Enfoncez individuellement chaque bouture dans un terreau composé à parts égales de compost et de gravier fin disposé dans un pot de plastique. Durant les trois ou quatre semaines suivantes, assurez-vous que le terreau soit toujours humide. À l'automne ou au printemps suivant, une fois les racines bien formées, vous pourrez installer ces nouveaux plants en pleine terre.

arbore des fleurs vermillon, alors que 'Rose Elf' produit une floraison rose qui survient au début de l'été et qui revient par la suite en août et en septembre. *P. whippleanus* arbore de riches fleurs d'un violet pourpré très intense. Ses tiges peuvent atteindre jusqu'à 60 cm de hauteur. Cette espèce fort intéressante est rustique en zone 4.

Hybrides

De nombreux hybrides de penstémons sont offerts sur le marché nord-américain. Malheureusement, la très grande majorité de ces végétaux ne sont pas rustiques en zone 5 et doivent être traités comme des plantes annuelles. Quelques cultivars sont toutefois bien adaptés à notre climat. Parmi ceux-ci, 'Prairie Dusk' et 'Prairie Fire' sont les plus attrayants et les plus rustiques.

Associations gagnantes

Les penstémons s'associent très bien aux achillées *(Achillea),* à la valériane rouge *(Centranthus ruber),* au coréopsis verticillé 'Moonbeam' (*Coreopsis verticillata* 'Moonbeam'), aux népétas *(Nepeta)* ainsi qu'aux sauges *(Salvia).*

Penstemon whippleanus.

Inspiration de la nature

soleil

Une plantation est toujours mieux réussie si les végétaux qui la composent sont disposés comme ils le sont dans la nature. Dans les champs et les forêts, les plantes forment des touffes ou même des massifs qui prennent de l'expansion chaque année grâce à leurs racines. De plus, les végétaux disséminent leurs semences, ce qui provoque l'apparition de nouvelles touffes à une certaine distance de la plante mère. La nature a été une source d'inspiration pour Gérard Dea lors de la disposition des vivaces qui composent cette superbe plate-bande.

 Penstémon digitale 'Husker Red'
(*Penstemon digitalis* 'Husker Red')

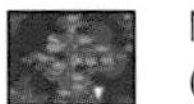 Népéta 'Six Hills Giant'
(*Nepeta* x *faassenii* 'Six Hills Giant')

 Coréopsis verticillé 'Moonbeam'
(*Coreopsis verticillata* 'Moonbeam')

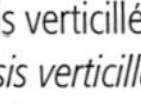

 Valériane rouge
(*Centranthus ruber*)

 Sauge 'Mainacht'
(*Salvia* x *sylvestris* 'Mainacht' syn. 'May Night')

 Fusain ailé 'Compactus'
(*Euonymus alatus* 'Compactus')

 Achillée 'Moonshine'
(*Achillea* 'Moonshine')

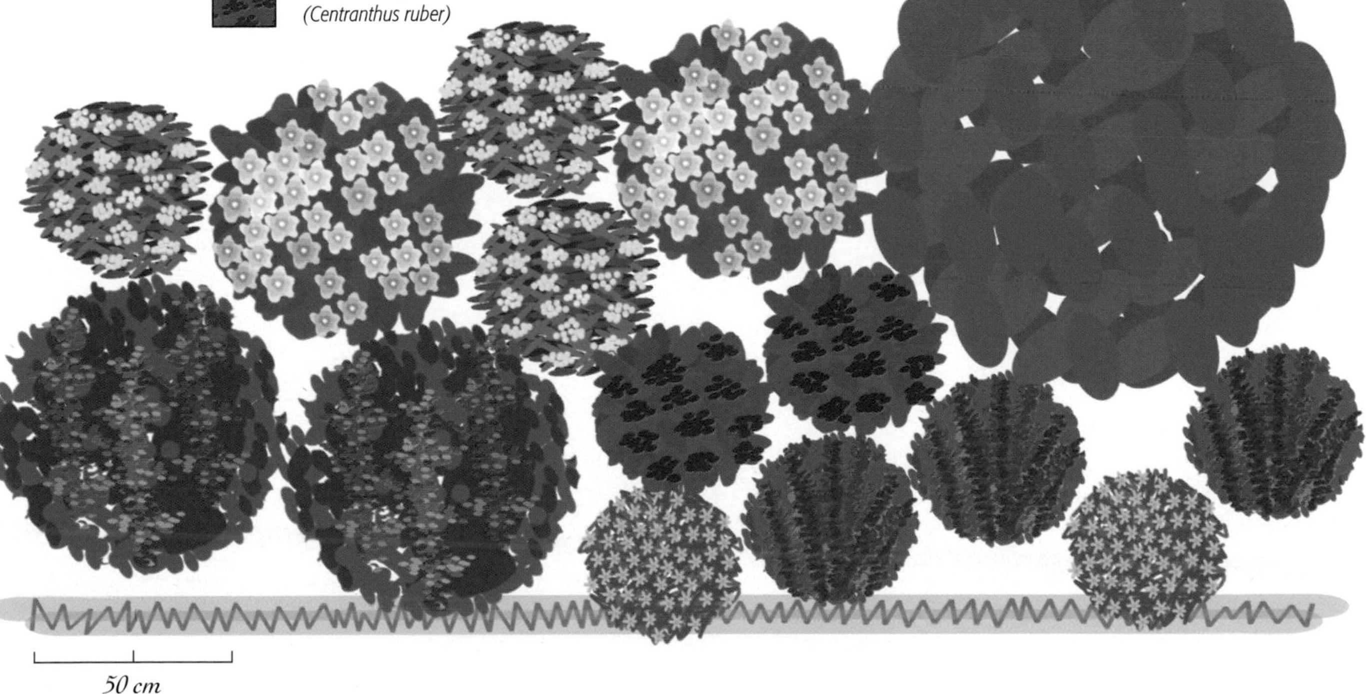

Perovskia

Folle pérovskie

La pérovskie à feuilles d'arroche *(Perovskia atriplicifolia)*, aussi appelée sauge russe, est originaire d'Asie centrale, principalement de l'Afghanistan et du Pakistan. Durant deux mois entiers, en août et en septembre, elle forme de superbes fleurs bleues regroupées en grandes panicules qui confèrent beaucoup de mouvement aux aménagements. Elle produit par la suite de petits fruits grisâtres qui offrent un certain attrait. Ses tiges grises, qui peuvent faire jusqu'à 1,50 m de hauteur, tout comme ses feuilles finement découpées dégagent l'odeur caractéristique de la sauge. Chez les cultivars 'Filigran' et 'Lace', rustiques en zone 4 comme l'espèce, les feuilles sont encore plus découpées que chez l'espèce.

Taille

La pérovskie demande un sol légèrement sableux et caillouteux, parfaitement bien drainé et exposé au plein soleil. Elle peut aussi s'accommoder d'une terre un peu plus argileuse à condition que celle-ci ne soit pas trop humide, surtout durant l'hiver. Lors de la plantation, afin d'améliorer le drainage du sol dans lequel vous plantez cette vivace, ajoutez-y du compost et du gravier fin. Les années suivantes, n'épandez pas plus de 0,5 cm d'épaisseur de compost par année au pied de la pérovskie.

La pérovskie est une espèce sous-frutescente, c'est-à-dire que la partie inférieure de ses tiges prend la consistance du bois vers la fin de la saison. Je suggère de tailler cette plante à environ 30 cm du sol en novembre. À l'aide d'un sécateur, coupez chaque tige à quelques millimètres au-dessus d'une paire de bourgeons. Dans les régions où le couvert de neige est mince et instable, vous pouvez installer une couche de feuilles mortes pour protéger les bouts de tiges laissés en place. Ne vous inquiétez pas si quelques-unes devaient geler durant l'hiver, elles seront remplacées au printemps suivant par de nouvelles pousses provenant directement de la souche. Plantée dans un sol argileux et riche, la pérovskie a tendance à s'affaisser. Pour favoriser l'obtention d'une plante plus solide, je recommande de tailler le tiers supérieur des tiges au début de juin.

Associations gagnantes

La pérovskie accompagne magnifiquement quelques plantes qui apprécient les sites ensoleillés et bien drainés comme les diverses espèces et variétés d'achillées *(Achillea)*, de coréopsis *(Coreopsis)*, d'échinacées *(Echinacea)*, d'hémérocalles *(Hemerocallis)*, de rudbeckias *(Rudbeckia)* et de scabieuses *(Scabiosa)*. La pérovskie forme des tableaux particulièrement originaux lorsqu'elle est mariée aux graminées et à certaines grandes plantes annuelles comme la nicotine de Langsdorff *(Nicotiana langsdorffii)*, les sauges *(Salvia)* et le tournesol mexicain *(Tithonia rotundifolia)*.

Saisissante association entre la pérovskie *(Perovskia atriplicifolia)* et l'artichaut *(Cynara cardunculus)*.

Persicaria

(syn. Polygonum) Renouées très originles

Les renouées donnent la frousse à bien des jardiniers, car elles ont la réputation d'être très envahissantes. Mais rassurez-vous, plusieurs espèces et cultivars ne sont pas aussi agressifs qu'on le croit habituellement. Vous pouvez jouir de la beauté et de l'originalité de ces plantes très polyvalentes en toute quiétude.

Renouée bistorte 'Superbum' (*Persicaria bistorta* 'Superbum').

Florifères

La renouée bistorte 'Superbum' (*P. bistorta* 'Superbum') est une vivace particulièrement florifère que j'apprécie énormément. Ses fleurs rose pâle, disposées en petits épis étroits qui s'élèvent à 60 cm, apparaissent presque sans arrêt de la fin de mai jusqu'à la fin de juillet. Cette plante couvre-sol s'implante si rapidement dans les sols riches qu'elle devient parfois un peu envahissante. Toutefois, comme ses racines ne plongent pas profondément dans le sol, il est assez facile de contrôler son développement. La renouée bistorte 'Superbum' est rustique en zone 3. La renouée du Népal *(P. affinis)* est une autre espèce très ornementale dont la floraison est particulièrement longue. Ses fleurs, portées par des tiges d'environ 25 cm, sont assez semblables à celles de la renouée bistorte 'Superbum'. Elles éclosent pendant trois mois, de la fin de juin à la fin de septembre. Quelques cultivars sont plus faciles à trouver, dont 'Darjeeling Red' qui forme des fleurs roses tournant au rouge foncé avec le temps (voir p. 108).

P. polymorpha est une renouée tout à fait spectaculaire en raison de son imposante stature. Cette plante fait environ 2 m de hauteur et produit en août et en septembre de grandes panicules de fleurs blanc crème. Cette renouée, probablement rustique en zone 3, pousse bien dans un sol riche situé à la mi-ombre ou à l'ombre légère.

Renouée 'Red Dragon' (*Persicaria microcephala* 'Red Dragon').

Attrayants feuillages

Plusieurs renouées possèdent un feuillage fort décoratif. Nouvellement introduit sur le marché nord-américain, le cultivar 'Red Dragon' (*P. microcephala* 'Red Dragon') est d'une beauté

Nom latin : *Persicaria* (syn. *Polygonum*).
Nom commun : renouée ou persicaire.
Famille : polygonacées.
Feuillage : feuilles habituellement lancéolées, elliptiques ou ovées de couleur verte. Certaines espèces et variétés ont un feuillage vert panaché de blanc crème, de jaune ou de pourpre.
Floraison : fleurs blanches ou roses disposées en panicules ou, le plus souvent, en petits épis.
Période de floraison : fin du printemps et été.
Exposition : soleil, mi-ombre, ombre légère. Certaines espèces et cultivars tolèrent également l'ombre modérée.
Sol : riche et humide.
Rusticité : à partir de la zone 3.

RENSEIGNÉ

LE JARDINIER

La culture des renouées

Les renouées affectionnent pour la plupart les sols riches et humides, mais elles s'accommodent aussi de plusieurs autres types de terres mieux drainées. Elles s'adaptent aussi bien aux plates-bandes exposées au soleil qu'aux plantations situées à l'ombre légère. Ces plantes sont également à leur aise aux abords des bassins. Vous pouvez leur fournir environ 1 cm d'épaisseur de compost chaque année.

Persicaria polymorpha.

Renouée japonaise 'Variegata' (*Fallopia japonica* 'Variegata').

sans égale. Cette vivace, qui fait environ 60 cm de hauteur, possède un feuillage complètement hallucinant. Lorsqu'elles sont jeunes, ses feuilles sont d'un vert teinté de pourpre et sont marquées à leur base d'un triangle pourpre très foncé ainsi que d'un V de couleur blanc verdâtre. Avec le temps, elles tournent complètement au vert, tout en conservant cette panachure très caractéristique. La renouée 'Red Dragon' possède également des nervures et des tiges rouge vif, ce qui lui donne une allure plutôt psychédélique. Plantée dans un sol riche en humus et constamment humide, cette vivace a tendance à envahir ses voisines. Sa rusticité n'a malheureusement pas encore été évaluée convenablement, mais il est fort probable qu'elle puisse survivre aux hivers de la zone 5.

La renouée de Virginie 'Lance Caporal' (*P. virginiana* 'Lance Caporal') possède un

ASTUCIEUX

LE JARDINIER

Contenir les renouées trop fougueuses

Afin d'éviter qu'elles envahissent les plates-bandes, les vivaces dont les racines sont agressives comme celles de certaines renouées doivent être plantées dans un récipient enfoui dans le sol. Utilisez un contenant d'au moins 30 cm de profondeur. Choisissez le diamètre du pot en fonction de l'espace que vous voulez accorder à la plante. Retirez d'abord le fond du contenant ou percez-y au moins quelques trous. Enfouissez ce récipient dans la terre de manière que son rebord dépasse très légèrement le niveau final du sol et installez-y la plante. Enfin, comblez l'espace entre la motte et les côtés du pot avec de la terre mélangée à un peu de compost. Vous pouvez laisser ce contenant en place été comme hiver, et aussi longtemps que vous le désirez.

RENSEIGNÉ LE JARDINIER

Les renouées sont des persicaires

Les renouées ont longtemps appartenu au genre *Polygonum*. Il y a quelque temps, cette appellation a été remplacée par *Persicaria*. C'est ainsi que la plupart des renouées peuvent aussi porter le nom commun persicaire. Ne soyez donc pas surpris si vous voyez ces végétaux maintenant identifiés sous le nom de *Persicaria* dans plusieurs jardineries et pépinières.

feuillage vert teinté de jaune qui s'élève à environ 70 cm. Chaque feuille est traversée d'une tache en forme de V de couleur pourpre. Deux cultivars au feuillage vert panaché de blanc crème et de jaune sont aussi offerts sur le marché. 'Variegata' se distingue de 'Painter's Palette' par l'absence du V caractéristique sur son feuillage. Les diverses variétés de renouées de Virginie sont rustiques en zone 4.

Outre le fait que les pétioles de ses feuilles soient teintés de rouge, la renouée japonaise 'Variegata' (*Fallopia japonica* 'Variegata') ressemble énormément à la renouée de Virginie 'Variegata'. Bien qu'elle soit issue d'une espèce très agressive qui devrait carrément être bannie des petits jardins, la renouée japonaise 'Variegata' est peu envahissante. Vous pouvez la planter dans votre aménagement sans craindre de la voir un jour occuper tout l'espace disponible.

Associations gagnantes

La floraison de *P. bistorta* 'Superbum' complète magnifiquement celle de certains géraniums vivaces *(Geranium)*, des iris de Sibérie *(Iris sibirica)*, de la valériane grecque *(Polemonium caeruleum)* et des pigamons *(Thalictrum)*. Par ailleurs, les renouées cultivées pour leur feuillage se marient bien avec le myosotis du Caucase *(Brunnera macrophylla)*, le darméra *(Darmera peltata)*, les hostas *(Hosta)*, les fougères, les sceaux-de-Salomon *(Polygonatum)* et les pulmonaires *(Pulmonaria)*. Les feuilles vertes panachées de pourpre de *P. microcephala* 'Red Dragon' forment des associations saisissantes avec les fleurs de l'astilbe 'Amethyst' (*Astilbe* x *arendsii* 'Amethyst') ainsi que celles du tricyrtis à poils rudes *(Tricyrtis hirta)*.

Renouée de Virginie 'Lance Caporal' (*Persicaria virginiana* 'Lance Caporal').

Renouée de Virginie 'Variegata' (*Persicaria virginiana* 'Variegata').

TOUT EN DOUCEUR

mi-ombre

Le rose pâle est probablement la couleur qui évoque le plus la sensibilité. Dans un aménagement, la seule présence de quelques fleurs roses confère aux arrangements une allure romantique qui porte à l'évasion et à la rêverie. Au printemps, il se dégage beaucoup de fraîcheur et de poésie de cette plantation où les fleurs roses de la renouée bistorte 'Superbum' sont associées aux jeunes frondes vert tendre de la matteuccie fougère-à-l'autruche. Les végétaux qui composent cet aménagement que j'ai conçu et réalisé nécessitent un sol riche, humide et légèrement acide. S'il vous est impossible de disposer cette plantation dans un endroit bien protégé des vents dominants, remplacez le rhododendron 'Roseum Elegans' par un cultivar plus rustique tel que 'Pink Lights', par exemple.

 Renouée bistorte 'Superbum' (*Persicaria bistorta* 'Superbum')

 Hosta de Siebold 'Elegans' (*Hosta sieboldiana* 'Elegans')

 Matteuccie fougère-à-l'autruche (*Matteuccia struthiopteris*)

Rhododendron 'Roseum Elegans' (*Rhododendron* 'Roseum Elegans')

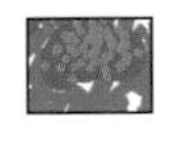 Pigamon (*Thalictrum aquilegiifolium*)

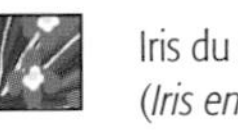 Iris du Japon 'Variegata' (*Iris ensata* 'Variegata')

Pétasite 'Variegatus' (*Petasites japonicus* 'Variegatus') et matteuccie fougère-à-l'autruche *(Matteuccia struthiopteris).*

Voici un tableau spectaculaire où l'exubérant *Petasites japonicus* var. *giganteus* est accompagné par *Darmera peltata, Kirengeshoma palmata* et *Rodgersia podophylla*.

Petasites

Monstrueux pétasites !

Le pétasite du Japon *(Petasites japonicus)* est une plante étonnante qui produit de grandes feuilles portées à environ 1 m du sol. Curieusement, ses fleurs blanc crème réunies sur des hampes qui ne s'élèvent pas à plus de 20 cm de hauteur éclosent tôt au printemps avant la sortie des feuilles. Plus impressionnant encore, le pétasite du Japon géant *(P. japonicus* var. *giganteus)* forme de solides pétioles qui peuvent parfois atteindre jusqu'à 2 m au bout desquels apparaissent d'immenses feuilles rondes de près de 1 m de diamètre. J'adore cette plante gigantesque ! Vous trouverez également sur le marché le cultivar 'Variegatus' dont les grandes feuilles sont marquées de taches irrégulières de couleur jaune pâle. La panachure est très visible au printemps et s'estompe graduellement au fil de la saison. Ces végétaux sont tous rustiques jusqu'en zone 4.

Profiteur

Le pétasite affectionne les sols humides et riches. Près d'un cours d'eau ou d'un bassin situé à la mi-ombre ou à l'ombre légère, il prendra rapidement toute la place disponible. Pour éviter qu'il envahisse tout, plantez-le dans une large fosse aux pentes très abruptes ou dans un profond récipient enfoui dans le sol. N'oubliez pas que le diamètre du contenant choisi détermine le diamètre du pétasite qui y est installé. Chaque printemps, vous pouvez épandre environ 3,5 cm d'épaisseur de compost à la base de cette plante très vorace.

Associations gagnantes

Étant donné leurs dimensions plus restreintes, l'espèce et le cultivar 'Variegatus' peuvent être associés à certaines plantes comme les fougères, le kirengéshoma *(Kirengeshoma palmata)*, les rodgersies *(Rodgersia)*, ainsi que certains arbustes comme le sorbaria à feuilles de sorbier *(Sorbaria sorbifolia)*. En revanche, la variété *giganteus* doit être utilisée seule en massifs.

Phlox

Flamboyant phlox

Les nombreux cultivars de phlox paniculés *(Phlox paniculata)* sont très prisés par la plupart des jardiniers. Durant de nombreuses semaines, entre la mi-juillet et la mi-septembre, ces plantes florifères donnent beaucoup de dynamisme aux plantations grâce aux vifs coloris de leurs fleurs. Plusieurs variétés de 60 cm à 1 m de hauteur sont offertes sur le marché horticole. Leurs couleurs vont du blanc au bleu en passant par le saumon, le rose, le rouge et le mauve.

La plupart des autres espèces de phlox sont plutôt basses. Le phlox subulé *(P. subulata)*, qui n'atteint pas plus de 15 cm de hauteur, est rampant. Son feuillage forme à maturité un dense tapis d'un diamètre d'environ 50 cm qui se couvre complètement de fleurs en mai et parfois au début de juin. Quelques cultivars aux fleurs blanches, roses ou bleues, tous rustiques en zone 2, sont vendus dans les jardineries et les pépinières. Le phlox divariqué *(P. divaricata)*, qui me plaît beaucoup, est une espèce rustique en zone 3. Cette vivace aux fleurs bleu pâle pousse de façon spontanée dans les forêts d'Amérique du Nord. Ses fleurs, qui apparaissent pour une période de deux semaines durant le mois de mai, sont portées par des tiges d'environ 35 cm. Le phlox stolonifère *(P. stolonifera)*, qui atteint quant à lui 20 cm de hauteur, offre une floraison printanière assez semblable à celle du phlox divariqué.

La valériane grecque *(Polemonium caeruleum)*, une gracieuse vivace à la douce floraison bleue qui apparaît vers la fin du printemps et au début de l'été, fait partie de la famille des phlox. Bien qu'elle soit peu longévive, cette plante fort attrayante et rustique jusqu'en zone 2 mérite une place dans tous les jardins. Elle atteint approximativement 60 cm de hauteur lorsqu'elle bénéficie du plein soleil et un peu plus si elle est disposée à l'ombre légère. Elle pousse bien dans une terre à jardin brune fraîche et amendée de compost. Dans les jardineries et les pépinières, vous pouvez trouver quelques cultivars comme 'Alba', aux fleurs blanches, et le fameux 'Brise d'Anjou', qui possède de singulières feuilles vertes panachées de jaune.

Arrangement très original composé de la fameuse valériane grecque 'Brise d'Anjou' (*Polemonium caeruleum* 'Brise d'Anjou'), de l'agérate 'Blue Horizon' (*Ageratum houstonianum* 'Blue Horizon') et du nicandra 'Splash of Cream' (*Nicandra physaloides* 'Splash of Cream').

Toujours frais

Les espèces de phlox originaires de milieux forestiers comme *P. divaricata* et *P. stolonifera* doivent être plantées dans un sol riche en humus, toujours frais et situé à l'ombre légère ou moyenne. Bien qu'il puisse s'implanter dans un sol argileux, *P. subulata* préfère une terre brune légèrement sableuse plutôt bien drainée et exposée au plein soleil. Pour leur part, tous les cultivars de phlox paniculés nécessitent un sol riche, bien drainé mais toujours frais, exposé au soleil ou à la mi-ombre. Il est important de leur fournir 2,5 cm d'épaisseur de compost chaque printemps. Assurez-vous que le sol dans lequel plongent les racines des phlox paniculés ne s'assèche jamais afin d'éviter que ceux-ci ne soient attaqués par l'oïdium. Si les feuilles se couvrent d'un feutre blanc grisâtre, aspergez-les d'un fongicide à base de soufre ou coupez et jetez aux ordures toutes les parties atteintes.

Les fleurs bleu pâle du phlox divariqué *(Phlox divaricata)* ressortent davantage lorsqu'elles côtoient des feuilles de couleur pourpre comme celles de certains cultivars d'heuchères.

Associations gagnantes

P. divaricata et *P. stolonifera* s'agencent naturellement avec certaines plantes d'ombre comme les gingembres sauvages *(Asarum)*, le myosotis du Caucase *(Brunnera macrophylla)*, les cœurs-saignants nains *(Dicentra)*, les heuchères *(Heuchera)*, les petits cultivars de hostas *(Hosta)*, les pulmonaires *(Pulmonaria)* et les tiarelles *(Tiarella)*. Les divers cultivars de *P. paniculata* accompagnent bien les armoises *(Artemisia)*, les panicauts *(Eryngium)*, les grands géraniums vivaces *(Geranium)* ainsi que les graminées. Comme les phlox paniculés ont habituellement des fleurs aux couleurs très vives et saturées, je vous suggère de les utiliser en petites quantités afin qu'ils s'intègrent mieux aux plantations.

Phlox paniculé 'White Admiral' (*Phlox paniculata* 'White Admiral') et plectranthe de Forster 'Variegatus' (*Plectranthus forsteri* 'Variegatus').

Polygonatum
Sceau-de-Salomon

Le nom commun sceau-de-Salomon est très ancien. Une légende raconte que Salomon, roi des Hébreux, approuva les qualités et les vertus médicinales de cette plante en marquant le rhizome de son sceau. Mais ces empreintes de forme ronde sont en réalité les cicatrices des vieilles tiges.

Gracieusement arquées

En mai et en juin, les sceaux-de-Salomon apportent une belle élégance aux jardins d'ombre avec leurs tiges gracieusement arquées desquelles retombent de fines clochettes d'un doux blanc teinté de vert. Le sceau-de-salomon pubescent *(P. pubescens)*, indigène dans l'est de l'Amérique du Nord et rustique en zone 3, possède de robustes tiges qui atteignent au plus 80 cm de hauteur. Ce sont toutefois *P. multiflorum* et *P. odoratum*, deux espèces natives d'Europe et d'Asie, qui sont les plus vendues dans les jardineries et les pépinières nord-américaines. Ces deux plantes sont rustiques en zone 4. D'une hauteur de 90 cm, *P. multiflorum* arbore des fleurs habituellement disposées en groupes de quatre, parfois de cinq ou six. Pour sa part, *P. odoratum* fait approximativement 80 cm de hauteur et ses fleurs, très parfumées, sont solitaires ou regroupées par deux, rarement par quatre.

Feuillage panaché

Une fois leur floraison terminée, les sceaux-de-Salomon restent tout de même très attrayants grâce à leur feuillage. Quelques cultivars arborent des feuilles panachées fort décoratives qui confèrent une certaine énergie aux arrangements. *P. odoratum* 'Variegatum', dont les jeunes tiges sont rouges, porte un feuillage vert tendre finement bordé de blanc crème. Cette superbe vivace qui s'intègre facilement à tous les jardins d'ombre est rustique jusqu'en zone 4. Une autre variété nommée 'Striatum', aux feuilles vertes striées de blanc, est probablement issue d'un croisement entre *P. multiflorum* et *P. odoratum*. Cette plante est plutôt rare sur le marché nord-américain.

Nom latin : *Polygonatum.*

Nom commun : sceau-de-Salomon.

Famille : liliacées.

Feuillage : feuilles habituellement lancéolées, elliptiques ou ovées de couleur verte. Quelques variétés ont un feuillage vert panaché de blanc crème.

Floraison : petites fleurs blanc verdâtre, groupées par deux ou parfois plus, qui pendent à l'aisselle des feuilles.

Période de floraison : printemps.

Exposition : mi-ombre, ombre légère, ombre modérée et ombre dense.

Sol : riche et frais.

Rusticité : à partir de la zone 3.

Sceau-de-Salomon 'Variegatum' (*Polygonatum odoratum* 'Variegatum').

Sceau-de-Salomon odorant *(Polygonatum odoratum).*

Associations gagnantes

Les sceaux-de-Salomon se marient fort bien avec les alchémilles *(Alchemilla)*, les astilbes *(Astilbe)*, le myosotis du Caucase *(Brunnera macrophylla)*, les heuchères *(Heuchera)*, les hostas *(Hosta)*, les renouées *(Persicaria)*, les pulmonaires *(Pulmonaria)*, les rodgersies *(Rodgersia)* et les fougères.

RENSEIGNÉ LE JARDINIER

La culture des sceaux-de-Salomon

Les sceaux-de-Salomon s'adaptent facilement à divers types d'ensoleillement. Ils poussent aussi bien à la mi-ombre qu'à l'ombre moyenne. Si le sol est constamment frais, ils tolèrent également un ensoleillement plus soutenu. Ils peuvent même s'établir sous la couronne des érables de Norvège *(Acer platanoides)*, où l'ombre est dense. Bien qu'ils soient peu exigeants, ils produiront davantage si vous leur fournissez un sol riche ayant une bonne capacité de rétention d'eau et d'éléments nutritifs. Plantez-les dans un terreau composé d'une moitié de terre à jardin brune ordinaire, ou de sol existant s'il est de bonne qualité, et d'une moitié de compost. Vous pouvez ensuite épandre du compost à leur pied tous les ans. Cela devient essentiel lorsqu'ils rivalisent avec les racines des arbres. Vous devez faire un apport annuel d'environ 2,5 cm d'épaisseur. Ne biner jamais le sol qui les environne pour éviter d'endommager leurs rhizomes.

Les rhizomes sont des tiges souterraines qui émettent des racines et des rameaux aériens. Une méthode simple de propagation des sceaux-de-Salomon est la division de ces rhizomes. À l'automne, vous n'avez qu'à les extraire du sol et à séparer les jeunes pousses latérales de la partie centrale. À l'aide d'un sécateur ou d'un couteau stérilisé à l'alcool, coupez les jeunes rhizomes de plus de 5 cm de longueur qui possèdent au moins un bourgeon bien formé. Replantez-les ensuite dans un sol bien amendé de compost à environ 3 ou 4 cm sous la surface du sol.

Disposées à leur pied, des plantes basses comme le gingembre sauvage *(Asarum)*, le muguet *(Convallaria majalis)* et les divers cultivars de lamiers maculés *(Lamium maculatum)* mettent en valeur la grâce des sceaux-de-Salomon.

LE JARDINIER

Un aménagement inédit grâce aux fruits

Tout comme les sceaux-de-Salomon, certaines vivaces produisent des fruits très colorés qui donnent un dynamisme bien particulier aux aménagements. La smilacine à grappes *(Smilacina racemosa)*, une proche parente des sceaux-de-Salomon native d'Amérique du Nord, figure parmi les plantes dont les fruits sont des plus attrayants. En juin, elle porte à l'extrémité de ses tiges de superbes panicules de fleurs blanches qui se transforment quelques semaines plus tard en petites baies rouges. Cette plante bien adaptée aux milieux ombragés est rustique jusqu'en zone 2.

Les fruits les plus spectaculaires sont sans aucun doute ceux des actées *(Actaea)*. En plus d'offrir une jolie floraison blanche au printemps, ces plantes produisent en juillet des baies très décoratives qui persistent généralement jusqu'à la fin de septembre. L'actée rouge *(A. rubra)* forme des grappes de fruits rouges portées par des tiges qui atteignent 70 cm de hauteur. Cette plante rustique en

Les fruits des actées s'harmonisent particulièrement bien aux fleurs des astilbes. L'actée blanche *(Actaea alba)* accompagne ici l'astilbe 'Professor van der Wielen' (*Astilbe thunbergii* 'Professor van der Wielen').

Vers la fin de l'été, en août et en septembre, la smilacine à grappes *(Smilacina racemosa)* porte de petits fruits rouges regroupés au bout de ses tiges.

Actée en épis *(Actaea spicata)*.

Les sceaux-de-Salomon *(Polygonatum)* produisent de petites baies bleu foncé qui retombent sous leurs tiges.

zone 1 pousse de façon spontanée dans les forêts d'Amérique du Nord jusqu'à la limite des arbres, au cinquante-huitième degré de latitude. Vous pouvez trouver sur le marché deux autres espèces, un peu moins rustiques cependant, qui sont également indigènes aux États-Unis et au Canada. L'actée blanche *(A. alba,* syn. *A. rubra* f. *neglecta)* et l'actée à gros pédicelles *(A. pachypoda)* arborent toutes deux des baies blanches ; la seconde diffère par ses fruits qui sont attachés à des pédicelles rouges. Bien que plus rares, *A. erythrocarpa*, aux fruits rouges, et *A. spicata,* aux fruits noirs, valent également un essai. Les actées préfèrent les sols riches et frais où l'ombre est légère ou moyenne. Attention ! Les fruits des actées sont toxiques. Il est essentiel de placer ces végétaux hors de la portée des enfants.

En plus d'arborer une des floraisons les plus étonnantes, l'ariséma rouge foncé *(Arisaema triphyllum),* communément appelé petit prêcheur, produit une grappe de fruits d'un rouge orangé particulièrement éclatant. Cette vivace possède deux feuilles composées de trois folioles chacune fixées au bout de solides pétioles pourpres qui s'élèvent à environ 50 cm. J'ai cependant vu des plants qui faisaient jusqu'à 90 cm dans certains jardins où les conditions de culture étaient parfaites. L'arisema de Stewardson *(A. stewardsonii),* dont la spathe est verte rayée de blanc crème et les fruits d'un orange très vif, est également originaire de l'est de l'Amérique du Nord. Ces deux vivaces étonnantes affectionnent la mi-ombre, l'ombre légère ou modérée, ainsi qu'un sol riche et constamment humide. Certaines espèces asiatiques telles que *A. amurense, A. elephas* et *A. sikokianum* devraient selon moi résister aux hivers de la zone 5 si on prend soin de les recouvrir d'une couche de feuilles mortes. Ces arisémas d'allure très exotique sont vendus chez Plant Delights Nursery, en Caroline du Nord.

Le cornouiller du Canada *(Cornus canadensis),* communément appelé quatre-temps, est une petite plante d'environ 15 cm de hauteur qui forme un couvre-sol très touffu même dans les situations où l'ombre est dense. Il a toutefois une croissance maximale à l'ombre légère ou moyenne, en sol riche, frais et légèrement acide. Vers la fin de mai et en juin, le cornouiller du Canada produit une floraison blanche qui perdure parfois jusqu'en juillet selon les régions, et forme par la suite de jolis petits fruits charnus de couleur rouge. Cette plante est très robuste et survit parfaitement jusqu'en zone 1.

Durant plusieurs semaines, en mai et en juin, l'arisema rouge foncé *(Arisaema triphyllum)* montre une floraison pour le moins intrigante. Ses fleurs minuscules sont disposées sur un axe central charnu appelé spadice et qui est lui-même entouré d'une spathe vert pâle rayée de pourpre.

Les fruits de l'arisema de Stewardson *(Arisaema stewardsonii)* ne peuvent absolument pas passer inaperçus !

Cornouiller du Canada *(Cornus canadensis)*.

Primevère 'Marie Crousse' (*Primula vulgaris* 'Marie Crousse').

Primevère à feuilles dentelées 'Bressingham Beauty' (*Primula denticulata* 'Bressingham Beauty').

Primula
Primevères printanières

Avec leur fraîche et lumineuse floraison, les primevères symbolisent la renaissance du jardin. Les 400 espèces et le millier de cultivars offrent des possibilités presque illimitées pour l'aménagement des jardins. Malheureusement, le marché horticole nord-américain n'offre en général que les espèces moins productives.

Frileuses

Les hybrides classés sous le nom de *P.* x *polyantha* sont sans doute les plus faciles à trouver dans les jardineries et les pépinières canadiennes. Tous ces cultivars, qui atteignent tout au plus 20 cm de hauteur, fleurissent pendant une période de quatre ou cinq semaines et parfois dès le mois d'avril. Plusieurs documents précisent que ces primevères sont rustiques jusqu'en zone 3. Pourtant, il arrive fréquemment qu'elles disparaissent après une ou deux années seulement. Le gel printanier tardif tue les plantes qui ne sont plus protégées par une couverture de neige. Vous pouvez augmenter vos chances de succès en plantant ces végétaux dans un endroit exposé au nord, où l'accumulation de neige est importante, ou en les recouvrant de quelques branches de sapin avant l'hiver. Les cultivars de *P. vulgaris* ainsi que les hybrides classés sous le nom de *P.* x *pruhonicensis* ne sont guère plus rustiques, mais leurs fleurs ont des couleurs moins saturées s'intégrant beaucoup plus facilement aux jardins d'ombre, qui ont habituellement un caractère très naturel.

Mieux adaptées

Parce qu'elles ont une meilleure rusticité et qu'elles s'intègrent mieux aux plantations, les espèces suivantes constituent à mon avis d'excellents substituts aux cultivars mentionnés précédemment. La primevère élevée *(P. elatior)*, tout à fait rustique jusqu'en zone 3, est si jolie et productive qu'elle mérite une plus grande place dans les aménagements. D'une hauteur d'au plus 30 cm, elle produit en mai de superbes fleurs jaune pâle qui se

Nom latin : *Primula.*
Nom commun : primevère.
Famille : primulacées.
Feuillage : feuilles habituellement disposées en rosettes. Quelques cultivars ont des feuilles pourpres ou vert panaché de blanc crème ou de jaune.
Floraison : fleurs solitaires ou, le plus souvent, réunies en grappes, en ombelles ou en verticilles superposés sur de longues hampes. Les fleurs des diverses espèces et variétés affichent toutes les couleurs du spectre.
Période de floraison : printemps et début de l'été.
Exposition : mi-ombre, ombre légère et ombre modérée.
Sol : riche et toujours frais, voire humide.
Rusticité : à partir de la zone 3.

RENSEIGNÉ

LE JARDINIER

La culture des primevères

La plupart des primevères nécessitent un sol riche, toujours frais mais bien drainé et situé à la mi-ombre, à l'ombre légère ou à l'ombre modérée. Pour maintenir vos primevères au frais, je vous recommande de disposer un paillis de feuilles mortes déchiquetées d'une épaisseur d'environ 2,5 cm à leur base ; le collet de ces plantes ne doit cependant jamais être recouvert par le paillis. En plein été, assurez-vous de leur donner environ 2,5 cm d'eau par semaine, en un seul apport. Certaines espèces telles que *P. beesiana, P. bulleyana, P. florindae, P. japonica* et *P. pulverulenta,* affectionnent les sols très humides situés aux abords des cours d'eau et des bassins. Toutes ces vivaces peuvent s'accommoder d'un ensoleillement assez soutenu si la terre où plonge leur système racinaire est toujours bien humide. D'autres, comme *P. elatior* et *P. veris,* sont peu exigeantes et s'adaptent facilement à divers types de terre, y compris les sols argileux. Chaque printemps, épandez environ 2,5 cm d'épaisseur de compost aux pieds des primevères.

Afin qu'elles restent saines et vigoureuses, la plupart des primevères nécessitent d'être divisées tous les deux ou trois ans. Habituellement, la division peut être effectuée dès leur floraison terminée. Vous n'avez qu'à extraire les plants du sol et à les séparer en quelques morceaux à l'aide d'un couteau. Chaque pièce doit avoir produit au moins une hampe florale. Replantez les rejetons ainsi obtenus sans tarder en leur fournissant compost et os moulus. N'oubliez pas de les arroser abondamment.

Primevère élevée *(Primula elatior)* et corydale bulbeuse *(Corydalis bulbosa).*

marient à merveille avec la plupart des petites plantes bulbeuses à floraison printanière. Outre le fait que sa floraison débute quelques semaines plus tard, le coucou *(P. veris)* est très semblable à la primevère élevée. Comme cette dernière, il s'agit d'une vivace très fiable qui s'adapte facilement à diverses conditions environnementales. La primevère de Siebold *(P. sieboldii)*, une espèce à fleurs roses, résiste probablement au climat de la zone 3. Cette plante demande très peu de soins et possède une bonne longévité. Cependant, quelques semaines après sa floraison qui survient en mai, son feuillage disparaît complètement. Je suggère donc de placer cette primevère en compagnie de hostas *(Hosta)* qui combleront l'espace laissé vacant par sa disparition. Cette vivace a donné naissance à une foule de cultivars dont 'Snowflake', aux fleurs blanches, et 'Sumina', qui montre une superbe floraison bleue.

La primevère à feuilles denticulées *(P. denticulata)* est une des espèces les plus populaires. À la fin d'avril et en mai, elle forme de belles fleurs de couleur rose lilacé disposées en masses sphériques au bout de hampes qui atteignent environ 30 cm. Quelques cultivars, pour la plupart rustiques en zone 3, sont également offerts. 'Alba' affiche une floraison blanche, 'Bressingham Beauty' arbore des fleurs rose foncé au cœur jaune et 'Rubin' produit des fleurs d'un rose pourpré très particulier.

Candélabres

Plusieurs espèces possèdent de longues hampes sur lesquelles sont superposés des verticilles de fleurs. Ces primevères très caractéristiques, appelées candélabres, sont celles que j'affectionne le plus. La primevère japonaise *(P. japonica)*, aux fleurs magenta portées par des tiges de 60 cm, est probablement la plus connue et l'une des mieux adaptées au climat de l'est du Canada, car elle est rustique jusqu'en zone 4. De cette espèce sont issus quelques cultivars dont la spectaculaire floraison a généralement lieu en juin. 'Miller's Crimson' possède une floraison rouge et 'Postford White' forme de douces fleurs blanches au cœur jaune. La primevère pulvérulente *(P. pulverulenta)*, originaire de Chine, ressemble beaucoup à la primevère japonaise et est tout aussi rustique que celle-ci. Elle produit des fleurs rouges attachées à des tiges qui font tout au plus 90 cm.

D'autres primevères candélabres, malheureusement plus difficiles à dénicher sur le marché, me semblent particulièrement ornementales. La primevère de Bees *(P. beesiana)* et la primevère de Bulley *(P. bulleyana)*, toutes deux rustiques en zone 5, et peut-être même en zone 4, sont des vivaces tout simplement exceptionnelles. La première, d'une hauteur de 70 cm, possède des fleurs rose foncé au cœur jaune. La seconde espèce forme de jolies fleurs d'un jaune légèrement teinté d'orange qui apparaissent en juin. On trouve dans la nature diverses formes de *P. bulleyana* dont les fleurs sont de couleurs différentes, ce qui porte certains

Primevère japonaise *(Primula japonica)* et Hosta 'Hadspen Blue' *(Hosta* 'Hadspen Blue'*)*.

Primevère de Bees *(Primula beesiana)*.

Les fleurs bleu pâle du *Myosotis palustris* mettent magnifiquement en valeur les fleurs jaunes de la *Primula florindae*.

botanistes à croire que *P. beesiana* n'est pas une espèce distincte, mais plutôt une variante de la primevère de Bulley. Une lignée de cultivars portant le nom de *P.* x *bulleesiana* possède une gamme de coloris allant du jaune au mauve en passant par le pêche, le saumon, l'orange et le rouge. Ce magnifique groupe de primevères est issu de croisements entre *P. beesiana* et *P. bulleyana*. Tout comme *P. pulverulenta*, ces plantes nécessitent un sol très humide et légèrement acide. Un terreau composé d'un tiers de terre brune, d'un tiers de compost et d'un tiers de tourbe de sphaigne leur convient parfaitement.

Primevère du Père Vial *(Primula vialii)*.

Primevère du Tibet *(Primula florindae)*.

Singulières

Certaines espèces hautes ont une allure bien différente de celle des primevères candélabres. C'est le cas de la primevère du Tibet *(P. florindae)*, une vivace très originale qui me fascine énormément. En juin et en juillet, elle porte de jolies fleurs jaunes regroupées en ombelles à l'extrémité de longues hampes de 90 cm. Cette primevère, rustique jusqu'en zone 4, est une des espèces les plus imposantes. La primevère du Père Vial *(P. vialii)*, également rustique en zone 4, possède quant à elle une floraison des plus originales. Ses fleurs disposées en épis sont de couleur rouge brique avant leur ouverture et prennent ensuite une douce teinte rose lilacé lors de leur éclosion. Curieux mariage de couleurs qui donne à cette plante originaire de Chine une allure quelque peu bizarre.

Les primevères japonaises 'Postford White' (*Primula japonica* 'Postford White') et 'Rosea' (*P. japonica* 'Rosea') sont ici associées au hosta 'Blue Dimples' (*Hosta* 'Blue Dimples').

Associations gagnantes

Les primevères basses, dont *P. elatior* et *P. veris*, se combinent bien aux pulmonaires *(Pulmonaria)* ainsi qu'à plusieurs plantes bulbeuses à floraison printanière comme l'anémone de Grèce *(Anemone blanda)*, la corydale bulbeuse *(Corydalis bulbosa)*, les érythrones *(Erythronium)*, les muscaris *(Muscari)*, les narcisses *(Narcissus)* et les scilles *(Scilla)*. Les primevères candélabres se marient à merveille avec les fougères ainsi qu'avec certaines vivaces qui affectionnent les sols humides comme l'astilboides *(Astilboides tabularis)*, le myosotis du Caucase *(Brunnera macrophylla)*, le darméra *(Darmera peltata)*, les hostas *(Hosta)* et les iris de Sibérie *(Iris sibirica)*. L'association d'onoclées sensibles *(Onoclea sensibilis)*, de choux puants *(Symplocarpus foetidus)* et de divers cultivars de primevères japonaises *(P. japonica)* permet de créer un aménagement tout simplement superbe.

Pulmonaria
Pulmonaires picotées

Les pulmonaires sont généralement appréciées pour leur délicate floraison survenant en mai, et même parfois aussi tôt que la fin d'avril. En fait, elles figurent parmi les premières plantes qui colorent le jardin une fois la neige fondue. Les pulmonaires ont également une autre caractéristique qui fait d'elles des plantes très attrayantes en dehors de leur période de floraison puisque la plupart d'entre elles possèdent de jolis feuillages panachés. Ces vivaces tirent leur nom du fait qu'au XVIIe siècle, on croyait qu'elles avaient le pouvoir de guérir les maladies pulmonaires à cause de la ressemblance de leur feuillage picoté avec les poumons.

Européennes

Les diverses espèces de pulmonaires sont principalement originaires des montagnes d'Europe. Elles poussent habituellement à l'orée de forêts d'arbres feuillus afin de bénéficier d'une bonne luminosité au printemps tout en étant protégées des ardents rayons du soleil durant les chauds mois d'été. Dans un tel environnement, les racines des pulmonaires sont toujours maintenues au frais grâce aux feuilles mortes qui jonchent encore le sol en été.

La pulmonaire d'Espagne *(P. saccharata)*, qui atteint environ 30 cm de hauteur, possède des feuilles vertes couvertes de taches grises. Comme cette espèce n'est jamais vendue sur le marché nord-américain, les jardiniers se rabattent plutôt sur le cultivar 'Mrs Moon' qui lui ressemble beaucoup. À l'instar de certaines autres espèces et variétés, cette pulmonaire produit des fleurs qui changent de couleur avec le temps; elles sont roses à leur ouverture et prennent une teinte plus violacée lorsqu'elles sont épanouies. Pour sa part, la pulmonaire d'Espagne 'Leopard' (*P. saccharata* 'Leopard') arbore des fleurs d'un rose légèrement teinté de rouge qui ne se modifie pas. Ces deux cultivars sont rustiques en zone 3, et même jusqu'en zone 2.

La pulmonaire à longues feuilles *(P. longifolia)*, qui pousse spontanément au Portugal, en Espagne, en France et dans le sud de l'Angleterre, produit en mai de belles fleurs bleu foncé. Une fois ses fleurs fanées, cette pulmonaire demeure très

Nom latin: *Pulmonaria.*
Nom commun: pulmonaire.
Famille: borraginacées.
Feuillage: feuilles vertes habituellement tachetées de gris. Le feuillage de certaines variétés est presque entièrement recouvert de taches grises ne laissant qu'un peu de vert en bordure.
Floraison: petites fleurs blanches, roses, rouges, mauves, violettes ou bleues, selon les espèces et les cultivars.
Période de floraison: printemps.
Exposition: mi-ombre, ombre légère et ombre modérée. Quelques espèces et cultivars tolèrent l'ombre dense.
Sol: riche et toujours frais.
Rusticité: à partir de la zone 3.

Fraîche association composée de la pulmonaire d'Espagne 'Mrs Moon' (*Pulmonaria saccharata* 'Mrs Moon'), de l'onoclée sensible *(Onoclea sensibilis)* et de la lysimaque rampante 'Aurea' (*Lysimachia nummularia* 'Aurea').

RENSEIGNÉ

LE JARDINIER

La culture des pulmonaires

Les pulmonaires sont faciles à cultiver dans un sol riche et toujours frais, voire humide. Elles affectionnent les endroits mi-ombragés situés à l'orée des boisés, mais elles peuvent aussi pousser directement sous le couvert des arbres, à l'ombre légère ou même moyenne. Lorsqu'elles sont bien établies, plusieurs espèces et variétés tolèrent assez bien une sécheresse passagère. En revanche, en sol très sec et en situation trop ensoleillée, le feuillage de plusieurs pulmonaires brûle et certaines entrent même en dormance. Lors de la plantation, il est essentiel d'ajouter du compost et de placer un paillis à leur pied. Vous devez aussi renouveler la couche de compost en épandant chaque année une couche de 2,5 cm d'épaisseur à leur base.

La pulmonaire à longues feuilles *(Pulmonaria longifolia)* en compagnie du hosta 'Yellow Boy' (*Hosta* 'Yellow Boy).

ornementale grâce à ses longues feuilles étroites marquées de taches grises. En plus d'être résistante au blanc, cette plante accepte un ensoleillement assez soutenu et tolère mieux la sécheresse passagère que la plupart des autres espèces. Le cultivar 'Bertram Anderson', qui atteint environ 30 cm de hauteur sur un peu plus en largeur, possède des fleurs un peu plus pâles que celles de l'espèce.

Pas de picots

Contrairement à plusieurs autres espèces et cultivars, la pulmonaire à feuilles étroites *(P. angustifolia)* possède un feuillage vert uni. Elle forme un tapis touffu qui recouvre rapidement le sol, même à l'ombre dense. En mai, elle produit de superbes fleurs d'un bleu pur particulièrement remarquable. Sur le marché, vous trouverez plus facilement *P. angustifolia* subsp. *azurea,* parfois considérée comme le cultivar 'Azurea', qui ressemble beaucoup à l'espèce et qui est rustique en zone 3, possiblement même jusqu'en zone 2.

P. rubra est originaire des Carpates, une chaîne de montagnes qui s'étend en arc de cercle sur la Slovaquie, la Pologne, l'Ukraine et la Roumanie. Tout comme celui de la pulmonaire à feuilles étroites, son feuillage vert ne présente pas de taches. Cette plante rustique en zone 3 produit cependant une magnifique floraison rouge qui contraste magnifiquement avec ses feuilles. Parmi les quelques variétés offertes, deux me plaisent particulièrement: 'Redstart' arbore des fleurs qui ressemblent beaucoup à celles de l'espèce, tandis que 'David Ward' possède un superbe feuillage vert tendre bordé de blanc crème. Bien que ce dernier ait obtenu un Award of Garden Merit pour ses formidables qualités, il a toutefois un petit défaut. Même lorsque l'ensoleillement est partiel, la partie blanche des feuilles de cette vivace brûle facilement. Pour éviter ce problème, plantez le cultivar 'David Ward' à l'ombre moyenne dans un sol toujours frais ou humide.

Cultivars colorés

Plusieurs cultivars issus d'hybridations entre diverses espèces et variétés de pulmonaires sont vendus sur le marché nord-américain. Parmi les hybrides à fleurs blanches, je suggère de faire l'essai du magnifique 'Sissinghurst White' qui a reçu un Award of Garden Merit en 1993. 'White Wings', aux fleurs légèrement plus grandes que celles du précédent, est également un excellent choix. Bien que plutôt rare en Amérique du Nord, 'Blue Ensign' me semble pour sa part être la plus belle variété à fleurs bleues. Tout récemment, des cultivars aux couleurs inattendues ont été introduits. Mes préférés sont 'Coral Springs', aux fleurs rose corail, et 'Mrs Kittle', qui possède une douce floraison bleu très pâle.

Pulmonaire des Carpates 'David Ward' (*Pulmonaria rubra* 'David Ward').

Feuillage gris

Certaines variétés de pulmonaires d'Espagne (*P. saccharata*) possèdent des feuilles presque entièrement couvertes de taches grises ne laissant apparaître qu'un peu de vert à leur marge. Ces cultivars tous très semblables sont maintenant rassemblés dans un groupe appelé Argentea (*P. saccharata* Groupe Argentea). On peut trouver sur le marché quelques hybrides aux feuilles grises. 'Cotton Cool'

Comme c'est le cas pour la plupart des pulmonaires, les fleurs de *Pulmonaria angustifolia* subsp. *azurea* sont souvent plus roses sur les photographies qu'elles ne le sont en réalité.

Pulmonaire des Cévennes *(Pulmonaria longifolia* subsp. *cevennensis).*

Pulmonaire 'Sissinghurst White' (*Pulmonaria* 'Sissinghurst White').

Elles ressemblent aux pulmonaires

Quelques vivaces, qui font également partie de la famille des borraginacées, possèdent une floraison semblable à celle des pulmonaires. La buglosse *(Anchusa azurea),* par exemple, est une plante peu longévive rustique en zone 3. À la fin du printemps et au début de l'été, pendant près d'un mois, cette vivace produit de spectaculaires fleurs d'un bleu très profond réunies sur de longues tiges qui peuvent s'élever jusqu'à 1,50 m. Quelques cultivars sont offerts sur le marché dont 'Little John', une variété naine qui fait au plus 40 cm de hauteur, 'Loddon Royalist', qui atteint 1 m de hauteur, et 'Dropmore', qui nécessite parfois un tuteurage, car il fait à l'occasion jusqu'à 1,80 m. La buglosse et ses cultivars poussent bien dans une terre riche, exposée au soleil comme à l'ombre légère. Le myosotis du Caucase *(Brunnera macrophylla),* décrit dans les premières pages de ce livre, rappelle certaines pulmonaires tant par la couleur de ses fleurs qui éclosent en mai et au début de juin que par son feuillage décoratif en forme de cœur (voir p. 77).

Buglosse 'Dropmore' (*Anchusa azurea* 'Dropmore').

possède de longues feuilles qui atteignent 30 cm, tandis que 'Silver Streams' arbore des fleurs bleues mises en valeur par son feuillage gris. Mais de toutes, la pulmonaire des Cévennes *(P. longifolia* subsp. *cevennensis),* rustique en zone 3, est celle qui, à mon avis, possède le feuillage le plus fascinant. Ses feuilles presque complètement couvertes de taches grises sont étroites et très longues, atteignant parfois jusqu'à 55 cm !

Associations gagnantes

Les pulmonaires se marient très bien aux alchémilles *(Alchemilla),* aux bergénias *(Bergenia),* aux heuchères *(Heuchera),* aux hostas *(Hosta),* aux primevères *(Primula),* aux tiarelles *(Tiarella)* ainsi qu'aux plantes bulbeuses à floraison printanière telles que l'anémone de Grèce *(Anemone blanda),* les érythrones *(Erythronium)* et les narcisses *(Narcissus).*

Une pulmonaire d'Espagne qui fait partie du groupe Argentea (*Pulmonaria saccharata* Groupe Argentea).

Rives fleuries

mi-ombre, ombre légère

Une fois leurs fleurs fanées, beaucoup de plantes à floraison printanière deviennent rapidement inesthétiques. Il est donc préférable de les placer à l'arrière des plates-bandes de manière que leur feuillage jauni soit caché par les vivaces estivales. Par ailleurs, quelques plantes basses dont la floraison survient au printemps peuvent tout de même être disposées à l'avant des plantations. Dans cet aménagement, que j'ai créé, les pulmonaires d'Espagne et les bergénias n'ont pas besoin d'être camouflés, car leur feuillage reste très décoratif après leur floraison.

 Pulmonaire d'Espagne 'Mrs Moon' (*Pulmonaria saccharata* 'Mrs Moon')

 Azalée 'Rosy Lights' (*Rhododendron* 'Rosy Lights')

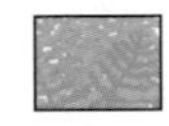 Matteuccie fougère-à-l'autruche (*Matteuccia struthiopteris)*

 Hosta 'Halcyon' (*Hosta* 'Halcyon')

 Onoclée sensible (*Onoclea sensibilis)*

 Bergénia à feuilles cordiformes (*Bergenia cordifolia)*

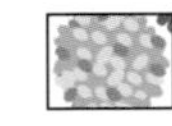 Lysimaque rampante 'Aurea' (*Lysimachia nummularia* 'Aurea')

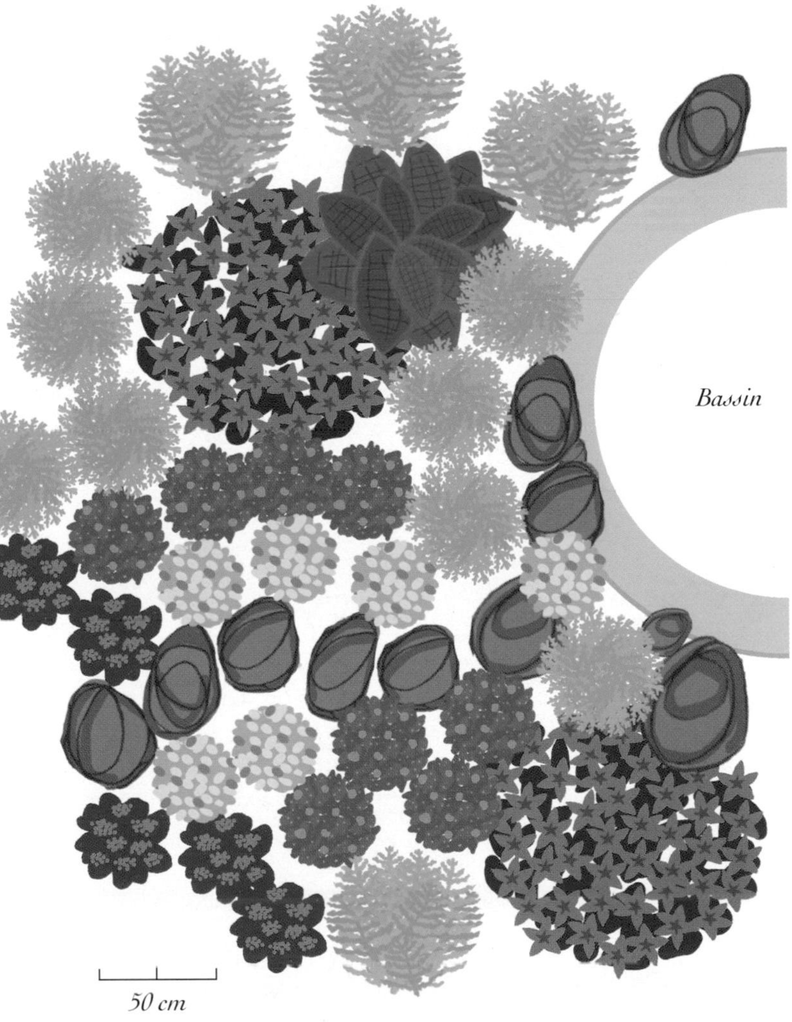

Rodgersia
Luxuriantes rodgersies

Les rodgersies sont de grandes vivaces aux caractéristiques frappantes qui apportent beaucoup d'exotisme et un dynamisme tout à fait particulier aux aménagements paysagers.

Astilbe géante

Tout comme les astilbes, les rodgersies font partie de la famille des saxifragacées. Toutes les espèces sont originaires de Chine, de Corée, du Japon et de l'Himalaya. La rodgersie à feuilles pennées *(R. pinnata)* est mon espèce préférée. Elle peut atteindre 1,20 m de hauteur, quelquefois plus, sur environ 1 m de largeur. Ses feuilles gaufrées très décoratives sont parfois pennées, mais généralement plutôt palmées comme celles des marronniers. Ses fleurs s'épanouissent vers la fin de juin et au début de juillet; ce sont de grosses panicules blanches qui lui donnent l'allure d'une astilbe géante. On trouve également sur le marché les cultivars 'Superba', aux magnifiques fleurs roses, et 'Rubra', qui produit des inflorescences de couleur pourpre. La rodgersie à feuilles pennées est rustique en zone 4, à condition qu'un bon couvert de neige la protège durant l'hiver.

Immenses feuilles

La rodgersie à feuilles de marronnier *(R. aesculifolia)*, rustique en zone 4, possède de grandes feuilles palmées composées de folioles découpées et texturées. Ses fleurs blanc crème sont rassemblées en étroites panicules qui s'élèvent bien au-dessus du feuillage à environ 1,80 m. La rodgersie à feuilles de sureau *(R. sambucifolia)* lui ressemble beaucoup, à la différence que ses feuilles sont pennées et ses folioles de plus petites dimensions. La rodgersie à feuilles en forme de pied *(R. podophylla)* se distingue de toutes les autres espèces. Ses immenses feuilles sont composées de cinq folioles très découpées, de forme triangulaire plutôt qu'ovale comme celles des autres rodgersies. Son feuillage, vert moyen durant l'été, prend une superbe teinte rouge bronze à l'automne. Cette rodgersie produit également de belles fleurs blanches regroupées en gracieuses panicules d'aspect vaporeux. Rustique en zone 4, elle peut atteindre 1 m de hauteur.

Nom latin : *Rodgersia.*
Nom commun : rodgersie.
Famille : saxifragacées.
Feuillage : immenses feuilles pennées ou palmées composées de plusieurs folioles très texturées.
Floraison : fleurs blanches, roses ou pourpres réunies en grandes panicules.
Période de floraison : fin du printemps et début de l'été.
Exposition : mi-ombre, ombre légère et ombre modérée.
Sol : très riche et toujours humide.
Rusticité : à partir de la zone 3.

Visible sous l'arche du pont, la rodgersie à feuilles pennées *(Rodgersia pinnata)* donne à cette scène une allure tout à fait exotique; on se croirait dans la jungle thaïlandaise.

RENSEIGNÉ

LE JARDINIER

La culture des rodgersies

Plantez les rodgersies dans un terreau composé d'un tiers de terre à jardin brune, ou de terre existante si elle est de bonne qualité, et de deux tiers de compost. Comme ce sont des végétaux très voraces, je recommande ensuite d'épandre 3,5 cm d'épaisseur de compost à leur pied tous les ans. Il est absolument essentiel que les rodgersies ne souffrent jamais de sécheresse ; elles se plairont donc parfaitement aux abords des cours d'eau ou dans les sols constamment humides. Si vous ne disposez pas vos rodgersies près d'un bassin ou d'un étang, fournissez-leur un minimum de 4 cm d'eau par semaine et placez un paillis organique d'une épaisseur de 5 à 7,5 cm à leur base.

Phénoménale rodgersie à feuilles pennées *(Rodgersia pinnata)*.

Proche parente

L'astilboides *(Astilboides tabularis)*, rustique en zone 3, est une vivace très proche parente des rodgersies. Cette plante est d'ailleurs nommée *Rodgersia tabularis* dans certains ouvrages. Les feuilles rondes de l'astilboides peuvent devenir gigantesques et atteindre jusqu'à 60 cm de diamètre. Le pétiole, qui mesure parfois près de 1,50 m de hauteur, est attaché au centre de la feuille, lui donnant l'aspect d'un parapluie. Cette plante produit également des fleurs blanches regroupées en panicules retombantes qui apparaissent vers la fin du mois de juin.

Astilboides *(Astilboides tabularis)*.

Rodgersie à feuilles en forme de pied *(Rodgersia podophylla)*.

Des géantes au jardin

Les plantes géantes comme les rodgersies confèrent une ambiance particulièrement exotique aux aménagements paysagers. Ces végétaux aux feuilles immenses forment des points d'intérêt dans les jardins et captent l'attention des visiteurs ; en les voyant, on se sent aussitôt plongé en pleine jungle tropicale. Tout comme les arbres et certains arbustes, ces plantes vedettes servent de pivots autour desquels tous les autres végétaux sont ensuite disposés. Il est cependant préférable de placer des plantes basses à leur pied afin de bien les mettre en valeur. Sur un terrain de façade, n'utilisez pas plus d'une plante au feuillage géant. En plantant plusieurs de ces végétaux, on élimine automatiquement l'effet de point d'intérêt et la confusion s'installe. En revanche, vous pouvez en disposer quelques-unes dans une cour, à condition qu'elles soient bien distancées les unes des autres et qu'elles ne soient pas toutes visibles d'un seul coup d'œil.

Parmi toutes les plantes au feuillage de grandes dimensions, le pétasite géant *(Petasites japonicus* var. *giganteus)* est celle que je préfère. Avec ses immenses feuilles qui font jusqu'à 1 m de diamètre, elle est la plus grosse vivace cultivable en zone 4 (voir p. 297). Par ailleurs, si vous disposez de peu d'espace, je vous suggère de planter le darméra *(Darmera peltata)* (voir p. 115) ou l'une des nombreuses espèces et variétés de ligulaires *(Ligularia)* (voir p. 229) offertes sur le marché. Ces vivaces de plus petite taille sont peu envahissantes et leurs feuilles, comme celles du pétasite, donnent un effet calmant. À l'instar de la majorité des végétaux à grosses feuilles, ces plantes affectionnent les sols très riches et humides. Dans une terre un peu plus sèche, je vous propose de planter une vivace appelée crambe du Caucase *(Crambe cordifolia).* Cette plante, parente des choux, arbore un imposant feuillage qui ressemble un peu à celui de la rhubarbe des jardins *(Rheum* x *cultorum).* De plus, en juin et en juillet, elle produit d'immenses inflorescences blanches qui font environ 1 m de largeur sur plus de 1,50 m de hauteur. Elle est rustique jusqu'en zone 4.

Si vous désirez apporter plus de dynamisme et d'énergie à un aménagement, je vous suggère plutôt d'utiliser la rhubarbe de Chine *(Rheum palmatum),* une plante très architecturale au feuillage saisissant. En plus de posséder d'impressionnantes feuilles découpées, cette vivace forme vers la fin du printemps et au début de l'été une floraison tout à fait spectaculaire. Ses fleurs blanc verdâtre, ou rouges chez le cultivar 'Atrosanguineum', sont regroupées le long d'une solide hampe qui peut atteindre jusqu'à 2,50 m. La rhubarbe de Chine est rustique en zone 4. *Napaea dioica,* qui atteint parfois près de 2 m de hauteur, possède un feuillage qui rappelle celui de la rhubarbe de Chine. Rustique en zone 4, cette plante rare capte aussitôt l'attention avec son feuillage très découpé. Finalement, vous pouvez planter la berce géante *(Heracleum mantegazzianum),* une plante habituellement bisannuelle aux feuilles gigantesques qui font jusqu'à 1 m de longueur. Vous devez la planter dans une terre riche et bien drainée située en plein soleil. Afin d'éviter qu'elle se ressème et pour tenter d'en prolonger la vie, coupez ses hampes florales dès que la floraison est terminée.

Rhubarbe de Chine 'Atrosanguineum' (*Rheum palmatum* 'Atrosanguineum').

RENSEIGNÉ

LE JARDINIER

La taille automnale des vivaces

La nature fait particulièrement bien les choses, c'est pourquoi je m'en inspire toujours lors de la création et de l'entretien d'un jardin. Dans les champs et les forêts, il n'y a pas de lutins ou de farfadets qui taillent le feuillage des plantes à la fin de la saison. Leurs tiges et leurs feuilles fanent sur pied et se couchent au sol. Je suggère donc de faire comme la nature et de laisser les feuilles de vos plantes vivaces en place à l'automne.

Une fois fané, le feuillage retombe sur la base du plant et lui procure une certaine protection contre le froid hivernal avant les premières bordées de neige. De plus, ce feuillage retient une plus grande quantité de neige, ce qui est fort appréciable dans certaines régions, celle de Montréal par exemple, où le couvert de neige est souvent insuffisant et changeant. Dans ces endroits, je propose même de placer une couche de feuilles mortes déchiquetées sur certaines vivaces plus fragiles comme la lobélie du cardinal *(Lobelia cardinalis)* et les rodgersies *(Rodgersia),* de façon à leur donner une protection supplémentaire. Pour éviter que les feuilles soient dispersées par le vent, vous pouvez les recouvrir d'une toile de protection hivernale solidement fixée au sol par des piquets.

Le feuillage des plantes atteintes de maladies doit être éliminé et jeté aux ordures. Afin d'éviter la propagation du blanc, une maladie causée par un champignon, prenez soin chaque automne de couper à ras de terre toutes les tiges des phlox paniculés *(Phlox paniculata)* ainsi que des autres plantes atteintes, et d'enlever les feuilles qui jonchent le sol.

En avril, dès le dégel, vous devez couper complètement le feuillage des vivaces laissé en place à l'automne. Il est important d'effectuer cette opération avant que les nouvelles pousses soient trop développées pour éviter de les endommager. Par la même occasion, vous pouvez enlever les feuilles mortes et les débris qui jonchent le sol de vos plates-bandes pour faciliter la sortie des plantes les plus hâtives. Il est essentiel d'utiliser un râteau à feuilles dont les dents sont faites de plastique pour éviter de blesser les jeunes pousses. Vous pouvez aussi employer un balai de paille.

Associations gagnantes

Les rodgersies apprécient la présence de la barbe-de-bouc *(Aruncus dioicus),* des cierges d'argent *(Cimicifuga),* des filipendules *(Filipendula),* des sceaux-de-Salomon *(Polygonatum)* et des fougères. Un arrangement d'une grande beauté peut être créé en associant la rodgersie à feuilles en forme de pied *(Rodgersia podophylla)* au darméra *(Darmera peltata)* ainsi qu'à certaines fougères telles que la matteuccie fougère-à-l'autruche *(Matteuccia struthiopteris)* et l'onoclée sensible *(Onoclea sensibilis).*

Luxuriance

ombre légère, ombre moyenne

Bien au-delà de leur rôle esthétique, les feuillages occupent une place prépondérante dans un aménagement paysager puisqu'ils contribuent à en former l'ossature, la charpente. En plus de servir de points d'intérêt, les plantes à grandes feuilles peuvent aussi jouer un rôle essentiel dans la configuration d'un jardin. Comme l'eau, l'espace reste amorphe lorsqu'il n'est pas contenu. Les vivaces géantes permettent donc de structurer l'espace, de lui donner une forme et des limites. L'immense astilboides constitue le pivot de cet arrangement réalisé par Michel-André Otis ; c'est à partir de cette plante qu'ont ensuite été disposés les fleurs et les autres végétaux. Cet arrangement doit être situé à l'ombre légère ou moyenne, dans un sol riche et humide.

Astilboides
(Astilboides tabularis)

Sceau-de-Salomon odorant
(Polygonatum odoratum)

Primevère japonaise
(Primula japonica)

Athyrie fausse-thélyptère
(Athyrium thelypteroides)

Rudbeckia

Rutilants rudbeckias

Les rudbeckias sont des vivaces formidables en raison de leurs multiples qualités. Ces plantes indigènes d'Amérique du Nord sont parfaitement adaptées à notre climat et offrent une floraison éclatante qui se prolonge pendant plusieurs semaines à un moment de la saison où certains jardins montrent des signes d'essoufflement.

Floraison prolongée

Le rudbeckia 'Goldsturm' (*R. fulgida* var. *sullivantii* 'Goldsturm') est un cultivar très prisé à cause de sa longue floraison qui commence vers la fin de juillet ou au début d'août et qui se prolonge parfois jusqu'aux premières journées d'octobre. Très vigoureuse et résistante, cette vivace atteint généralement un peu plus de 60 cm de hauteur. Elle s'élargit régulièrement mais avec mesure. Un nouveau cultivar appelé 'Viette's Little Suzy' vient de faire son apparition sur le marché canadien. Très florifère, cette nouvelle variété forme des fleurs un peu plus petites que 'Goldsturm' et atteint à peine 40 cm de hauteur. Ces deux rudbeckias sont rustiques en zone 3.

Grands

Certains rudbeckias atteignent des dimensions impressionnantes et donnent de la hauteur et beaucoup de volume aux aménagements dans lesquels ils sont plantés. Le rudbeckia à feuilles laciniées *(R. laciniata)* est une espèce rustique en zone 3 qui pousse de façon spontanée dans l'est du Canada et des États-Unis. Comme c'est une grande plante qui atteint jusqu'à 2 m de hauteur, elle nécessite habituellement un tuteurage. Contrairement à la plupart des autres rudbeckias, cette espèce possède des feuilles découpées en plusieurs lobes. En août et en septembre, le rudbeckia à feuilles laciniées produit de belles inflorescences de couleur jaune. Avec son feuillage vert grisâtre très caractéristique et sa spectaculaire floraison, *R. maxima,* rustique en zone 5, est celui qui me plaît le plus. Malgré son imposante hauteur de près de 2 m, cette vivace nécessite rarement un tuteur. Outre ses

Nom latin : *Rudbeckia.*
Nom commun : rudbeckia ou rudbeckie.
Famille : composées.
Feuillage : feuilles lancéolées ou elliptiques, parfois lobées, habituellement hirsutes.
Floraison : inflorescences composées d'une multitude de petites fleurs noires sans pétales formant le cœur et de quelques fleurs possédant un seul pétale jaune au pourtour.
Période de floraison : été.
Exposition : soleil et mi-ombre.
Sol : s'adapte à plusieurs types de sols frais mais bien drainés.
Rusticité : à partir de la zone 3.

Superbe contraste entre le rudbeckia 'Goldsturm' (*Rudbeckia fulgida* var. *sullivantii* 'Goldsturm') et la pérovskie à feuilles d'arroche *(Perovskia atriplicifolia).*

RENSEIGNÉ

LE JARDINIER

La culture des rudbeckias

Les rudbeckias demandent peu de soins une fois qu'ils sont bien implantés. Ces végétaux conviennent à presque tous les types de sols frais, humides dans certains cas, mais bien drainés, situés en plein soleil ou à la mi-ombre. Ils peuvent même pousser dans une terre lourde et argileuse à condition que celle-ci se draine parfaitement avant l'hiver. Bien que les rudbeckias ne soient pas particulièrement exigeants, vous pouvez tout de même leur fournir environ 1 cm d'épaisseur de compost chaque année. Le développement de certaines espèces et variétés de rudbeckias peut être aisément contrôlé par une division effectuée tous les trois ou quatre ans. Si l'oïdium affecte vos plants, aspergez leur feuillage d'un fongicide à base de soufre ou coupez et jetez aux ordures toutes les parties atteintes.

feuilles décoratives, ce rudbeckia possède des inflorescences au cœur cylindrique d'allure tout à fait singulière. Sa floraison débute généralement vers la fin de juillet et se prolonge jusqu'en septembre. Finalement, le rudbeckia 'Herbstsonne' (*R. nitida* 'Herbstsonne', syn. 'Autumn Sun') atteint environ 1,80 m de hauteur, parfois un peu plus, et forme de belles inflorescences jaune clair en août et en septembre. Il est rustique en zone 3.

Associations gagnantes

Les grands rudbeckias s'harmonisent bien aux aconits *(Aconitum)*, aux asters de la Nouvelle-Angleterre *(Aster novae-angliae)*, aux eupatoires *(Eupatorium)* ainsi qu'à certaines graminées. Pour bien mettre en valeur les rudbeckias de plus petite taille, vous pouvez les associer à des fleurs bleues ou violettes comme celles de l'*Aster dumosus* 'Violet Carpet' et de l'*Aster amellus* 'Joseph Larin', par exemple. Ces rudbeckias se marient aussi magnifiquement aux grands orpins *(Sedum)* à feuillage pourpre.

Rudbeckia maxima.

Une association saisissante entre le rudbeckia 'Viette's Little Suzy' (*Rudbeckia fulgida* var. *sullivantii* 'Viette's Little Suzy'), la verveine 'Aztec Red' (*Verbena* 'Aztec Red') et l'heuchèrelle 'Silver Streak' (x *Heucherella* 'Silver Streak').

RENSEIGNÉ LE JARDINIER

De désagréables forficules

Les forficules, communément appelés perce-oreilles, sont facilement reconnaissables à leur corps brun et allongé qui se termine par une paire de pinces. Bien que ces bestioles soient omnivores et qu'elles s'attaquent à certains insectes nuisibles, elles se nourrissent également des fleurs et du feuillage tendre des dahlias *(Dahlia)* et des chrysanthèmes *(Chrysanthemum* x *morifolium)*. Certaines années, les forficules sont très abondants et causent des dommages à une plus vaste gamme de végétaux incluant les rudbeckias *(Rudbeckia)*. Ces insectes se nourrissent surtout la nuit.

Afin de prévenir leur apparition, assurez-vous de ne laisser dans le jardin aucun débris sous lesquels les forficules peuvent se cacher durant le jour. Près des plantes attaquées, vous pouvez placer à l'envers des pots remplis de paille ou de feuilles mortes. Chaque matin, secouez ces pots au-dessus d'un seau rempli d'eau chaude savonneuse afin de tuer les forficules.

Sauge 'Superba'
(*Salvia* x *superba* 'Superba').

Salvia
Sauges superbes

Composé d'environ 900 espèces, le genre *Salvia* est l'un des plus vastes. Seuls les genres *Acacia,* avec 1 200 espèces, *Solanum,* avec 1 400, et *Euphorbia,* avec 2 000, sont plus imposants. Malgré la quantité impressionnante de sauges trouvées sur la planète, une infime partie d'entre elles sont adaptées au climat de l'est du Canada et y sont considérées comme des vivaces.

Classiques

S. nemorosa, S. x *superba* et *S.* x *sylvestris* sont trois plantes trop semblables pour qu'il soit nécessaire d'en faire des descriptions séparées. Elles figurent parmi les sauges les plus faciles à cultiver et les plus rustiques puisqu'elles résistent facilement aux conditions climatiques qui prévalent en zone 4. *S. nemorosa* est une espèce native d'Europe centrale et d'Asie de l'Ouest. *S.* x *superba* est probablement issu d'un croisement de *S.* x *sylvestris* et de *S. amplexicaulis,* tandis que *S.* x *sylvestris* provient d'une hybridation impliquant *S. nemorosa* et *S. pratensis*. Les fleurs de ces trois plantes sont habituellement de couleur violette et elles éclosent pendant de nombreuses semaines à partir de la fin de juin jusqu'au début d'août. Dès que les fleurs sont fanées, vous pouvez tailler les hampes florales afin de favoriser une seconde floraison qui apparaîtra en septembre. Parmi les diverses variétés offertes sur le marché, j'aime beaucoup la célèbre *S. nemorosa* 'Ostfriesland' (syn. 'East Friesland') obtenue par l'horticulteur allemand Ernst Pagels. Cette plante, qui atteint 70 cm de hauteur sur environ 60 cm de largeur, a remporté un Award of Garden Merit en 1996 pour ses qualités indéniables. *S.* x *superba* 'Superba', dont le nom porte parfois à confusion, me plaît aussi énormément. Les fleurs violettes de cette sauge sont accompagnées de bractées pourpres. Parmi les cultivars de *S.* x *sylvestris,* mes préférés sont 'Blaukönigin' (syn. 'Blue Queen'), qui fait 60 cm de hauteur, et 'Mainacht' (syn. 'May Night'), gagnant d'un Award of Garden Merit, aux fleurs d'un violet particulièrement foncé.

Nom latin : *Salvia.*
Nom commun : sauge.
Famille : labiées.
Feuillage : la plupart possèdent des feuilles opposées de couleur verte. Certaines espèces et variétés ont un feuillage gris d'aspect duveteux, tandis que d'autres possèdent des feuilles pourpres.
Floraison : fleurs le plus souvent rassemblées en grappes, parfois en épis ou en panicules. Selon les espèces et les cultivars, les fleurs sont blanches, jaunes, roses, mauves, violettes ou bleues.
Période de floraison : été.
Exposition : soleil et mi-ombre.
Sol : terre à jardin brune amendée d'un peu de compost, fraîche et bien drainée.
Rusticité : à partir de la zone 3.

Doux mariage entre la sauge musquée 'Alba' (*Salvia sclarea* 'Alba'), le bégonia 'Queen White' (*Begonia* 'Queen White') et le myosotis des marais *(Myosotis palustris).*

RENSEIGNÉ

LE JARDINIER

La culture des sauges

La plupart des espèces et des cultivars de sauges rustiques dans nos régions demandent le plein soleil ou la mi-ombre et s'adaptent relativement bien à divers types de sols. Ces végétaux donnent cependant leur meilleur spectacle lorsqu'ils sont plantés dans une bonne terre à jardin brune amendée de compost. Bien que plusieurs sauges tolèrent la chaleur et une sécheresse passagère, la plupart exigent un sol bien drainé, mais frais. Après la plantation, les sauges doivent recevoir 1 cm d'épaisseur de compost chaque année. En taillant les hampes florales dès que les fleurs sont fanées, vous pouvez favoriser une seconde floraison chez plusieurs espèces et cultivars.

Sauge 'Purple Rain' (*Salvia verticillata* 'Purple Rain') et géranium 'Johnson's Blue' (*Geranium* 'Johnson's Blue').

Sauge 'Blaukönigin' (*Salvia* x *sylvestris* 'Blaukönigin', syn. 'Blue Queen').

Sauge 'Ostfriesland' (*Salvia nemorosa* 'Ostfriesland', syn. 'East Friesland').

S. verticillata est une espèce assez connue des jardiniers. En pleine floraison, elle peut atteindre jusqu'à 1 m de hauteur. Ses hampes florales, aux extrémités légèrement retombantes, portent de nombreux verticilles de fleurs violettes. Sa floraison survient habituellement vers la fin de juin et se prolonge jusqu'en août, parfois jusqu'au début de septembre. Deux cultivars sont offerts sur le marché : 'Alba', qui possède une floraison blanche, et 'Purple Rain', qui fait approximativement 60 cm de hauteur et dont les fleurs sont d'un violet plus foncé que celles de l'espèce.

Sauge glutineuse *(Salvia glutinosa)*.

Allure singulière

La sauge glutineuse *(S. glutinosa)* est une des rares espèces à arborer des fleurs de couleur jaune. Comme elle provient des forêts de feuillus de certains massifs montagneux d'Europe et d'Asie, cette vivace est parfaitement à son aise à la mi-ombre ou à l'ombre légère dans un sol frais, voire humide. Cette plante vigoureuse, qui atteint environ 90 cm de hauteur, est rustique jusqu'en zone 4. Chez *S. nutans*, c'est plutôt la disposition des fleurs qui est singulière. Elle possède de longues tiges qui font un peu plus de 1,20 m de hauteur et qui portent à leur extrémité des grappes de fleurs bleu violacé retombant curieusement. Cette plante rustique en zone 5 apporte beaucoup d'originalité aux aménagements où elle est intégrée. Avec ses grandes feuilles texturées et sa spectaculaire floraison qui survient en juillet, la sauge musquée *(S. sclarea)* est tout aussi particulière. Elle produit des fleurs lilas accompagnées de grandes bractées roses, parfois teintées de mauve, disposées sur des tiges ramifiées qui font environ 1 m. Une fois la floraison terminée, les bractées persistent encore un moment, ce qui prolonge la période durant laquelle cette plante est attrayante. Rustique en zone 5, la sauge musquée est considérée comme une bisannuelle ou une vivace peu longévive. Le cultivar 'Alba' est constitué de fleurs et de bractées blanches.

Feuilles ornementales

Bien qu'elle produise une jolie floraison blanche légèrement teintée de mauve, la sauge argentée *(S. argentea)* est principalement cultivée pour son feuillage très caractéristique.

Salvia nutans.

LE JARDINIER RENSEIGNÉ

Sacrés pucerons !

Les pucerons sont des petits insectes en forme de poire, habituellement de couleur verte, rose, noire ou grise, qui mesurent à peine quelques millimètres de longueur. Ils s'attaquent à une foule d'espèces de plantes vivaces. Ils sucent la sève de ces végétaux, ce qui pousse généralement leurs feuilles à se recroqueviller et provoque une entrave à leur croissance sans que leur survie soit pour autant compromise.

Vous pouvez prévenir les invasions de pucerons en maintenant vos vivaces en santé et en vous assurant surtout de ne pas trop les fertiliser en azote. Lorsqu'il y a une infestation, essayez tout d'abord d'éliminer le plus de pucerons possible à la main ; ensuite, arrosez les plantes à quelques reprises avec un jet d'eau puissant pour déloger les plus récalcitrants. Si le problème persiste, vaporisez du savon insecticide tous les deux jours pendant une période d'environ deux semaines. En dernier recours, vous pouvez également employer un insecticide à base de pyréthrine. Ce produit doit être appliqué à deux reprises, très tôt le matin ou après le coucher du soleil pour éviter de tuer les abeilles et les guêpes qui se nourrissent du miellat, une substance sucrée sécrétée par les pucerons. Évitez de vaporiser le savon et l'insecticide à base de pyréthrine directement sur les fleurs.

Sauge argentée *(Salvia argentea).*

Elles ressemblent aux sauges

Outre les lavandes *(Lavandula),* les népétas *(Nepeta)* et la pérovskie *(Perovskia atriplicifolia),* qui donnent un effet assez semblable aux sauges lorsqu'elles sont installées dans un jardin, d'autres vivaces aux caractéristiques fort intéressantes font aussi partie de la famille des labiées. D'une hauteur d'environ 80 cm, la physostégie de Virginie *(Physostegia virginiana)* est une plante indigène dans l'est de l'Amérique du Nord qui forme de jolies fleurs roses vers la fin de l'été, durant les mois d'août et de septembre. Il est aussi possible de trouver sur le marché des cultivars à fleurs blanches. Malheureusement, comme sa cousine la menthe, cette vivace s'étale rapidement. Pour éviter qu'elle n'envahisse tout, il est donc préférable de la planter dans un récipient ou de la diviser régulièrement. La physostégie, rustique en zone 2, pousse parfaitement bien au plein soleil ou à la mi-ombre dans une bonne terre à jardin brune bien drainée mais toujours fraîche : elle se plaît aussi dans les sols humides. Avec ses verticilles de fleurs jaunes disposées à intervalles réguliers sur des tiges qui atteignent environ 1 m, le phlomis de Russel *(Phlomis russeliana)* a une allure très originale. Associée à la pérovskie, cette plante méconnue offre un spectacle tout à fait magnifique. Elle est rustique jusqu'en zone 4. Quant à l'épiaire laineux *(Stachys byzantina),* il forme quelques petites fleurs roses et possède un feuillage gris très duveteux qui rappelle celui de la sauge argentée *(S. argentea).* Cette plante rustique en zone 3 demande un sol bien drainé.

Une combinaison toujours parfaite : épiaire laineux *(Stachys byzantina),* alchémille *(Alchemilla mollis)* et géranium 'Johnson's Blue' (*Geranium* 'Johnson's Blue').

Physostégie de Virginie *(Physostegia virginiana).*

Couvertes de longs poils laineux de couleur grise, ses étonnantes feuilles possèdent une texture duveteuse qui semble appartenir au règne animal bien plus qu'au règne végétal. Cette espèce est à la limite de sa rusticité en zone 5; il est donc bon de la couvrir de quelques branches de sapin vers la fin de novembre afin de favoriser l'accumulation de neige. Comme elle tolère difficilement l'humidité excessive, il est aussi important que le sol où plongent ses racines se draine rapidement, surtout durant l'automne et l'hiver. Pour sa part, la sauge à feuilles lyrées 'Purple Knockout' (*S. lyrata* 'Purple Knockout') possède un feuillage pourpre des plus attrayants. Ce cultivar nouvellement introduit sur le marché forme également des fleurs violettes au début de l'été, ce qui ajoute à son allure mystérieuse. 'Purple Knockout' est probablement rustique en zone 4.

Associations gagnantes

Les sauges sont d'excellentes compagnes pour les achillées *(Achillea)*, les alchémilles *(Alchemilla)*, les coréopsis *(Coreopsis)*, les géraniums vivaces *(Geranium)*, les hémérocalles *(Hemerocallis)*, les rudbeckias bas *(Rudbeckia)* et les scabieuses *(Scabiosa)*. Les feuillages gris comme celui des armoises *(Artemisia)* et du plectranthe argenté *(Plectranthus argentatus)* font ressortir la floraison bleue des sauges qui se confond parfois avec les feuillages.

Sensationnelle association entre la sauge à feuilles lyrées 'Purple Knockout' (*Salvia lyrata* 'Purple Knockout') et l'heuchère 'Snow Storm' (*Heuchera* 'Snow Storm').

Sanguisorba

Sensationnelles sanguisorbes

Avec leurs feuilles composées de plusieurs folioles découpées et leurs inflorescences souvent arquées, les sanguisorbes confèrent originalité et mouvement aux plantations. La sanguisorbe du Canada *(Sanguisorba canadensis)* est une plante indigène dans l'est de l'Amérique du Nord. Elle est extrêmement rustique puisqu'elle survit aux conditions hivernales qui sévissent en zone 1. En juillet et en août, elle produit des fleurs blanches regroupées en épis bien dressés qui sont portés par des tiges atteignant 1 m. Par ailleurs, les fleurs de la sanguisorbe du Japon *(S. obtusa)*, mon espèce favorite, sont roses et disposées en épis plutôt recourbés. Les tiges de cette plante, qui font environ 90 cm, ne sont pas très solides et peuvent parfois ployer sous une pluie abondante. Malgré ce petit défaut, je considère tout de même cette sanguisorbe comme étant l'une des vivaces les plus sensationnelles. La sanguisorbe du Japon est rustique en zone 4. La sanguisorbe à feuilles ténues *(S. tenuifolia)* atteint environ 1,50 m de hauteur, parfois jusqu'à 1,80 m. Ses fleurs rose pâle rassemblées en minces épis retombants éclosent habituellement en août. Cette plante d'allure très singulière est rustique en zone 4, peut-être même en zone 3.

La nature est une grande source d'inspiration. Ce superbe aménagement spontané est composé de la sanguisorbe du Canada *(Sanguisorba canadensis)*, de la salicaire *(Lythrum salicaria)* et de la verge d'or du Canada *(Solidago canadensis)*.

Humidité

Les sanguisorbes sont très à l'aise en plein soleil ou à la mi-ombre dans les sols riches et humides situés aux abords des cours d'eau. Elles peuvent aussi pousser dans les plates-bandes composées de terre à jardin brune toujours fraîche. Chaque printemps, les sanguisorbes doivent recevoir environ 1 cm d'épaisseur de compost.

Associations gagnantes

Les sanguisorbes s'associent bien aux astilbes *(Astilbe)*, au géranium des prés *(Geranium pratense)*, aux filipendules *(Filipendula)*, aux hostas *(Hosta)*, aux renouées *(Polygonum)* ainsi qu'aux fougères.

Sanguisorbe du Japon *(Sanguisorba obtusa)*.

Scabiosa
Splendides scabieuses

La scabieuse du Caucase *(Scabiosa caucasica)*, qui atteint 60 cm de hauteur, est une vivace très particulière d'une élégance sans pareille. Sa superbe floraison bleu pâle, qui dure plusieurs semaines, se produit habituellement au début de l'été, en juillet et en août. Parmi les cultivars offerts sur le marché horticole, je suggère 'Clive Greaves', aux fleurs d'un joli bleu pâle tirant sur le mauve, 'Fama', qui possède des inflorescences d'un bleu plus saturé que celles de l'espèce, et 'Miss Willmott', qui présente une floraison blanche. L'espèce et ses variétés sont rustiques en zone 3. Dans les aménagements paysagers que je réalise, j'utilise énormément les cultivars 'Butterfly Blue', aux fleurs bleu légèrement teinté de mauve, et 'Pink Mist', dont la floraison est rose. Ces jolies vivaces rustiques en zone 4 sont toutes deux probablement issues de *S. columbaria*. Elles n'atteignent pas plus de 40 cm de hauteur sur autant de largeur et offrent une très abondante floraison à partir de la fin de juin jusqu'aux premières gelées d'automne.

La céphalaire géante *(Cephalaria gigantea)* est apparentée aux scabieuses. Cette impressionnante vivace atteint un peu plus de 2 m de hauteur et produit en juillet des fleurs jaune pâle. Elle exige un sol plus riche que les scabieuses. Rustique en zone 4, peut-être même en zone 3, la céphalaire géante s'intègre magnifiquement aux jardins d'allure champêtre.

Scabieuse du Caucase 'Clive Greaves' (*Scabiosa caucasica* 'Clive Greaves').

Jamais humide

Il est préférable de planter les scabieuses en plein soleil dans une bonne terre à jardin brune légèrement sableuse. Ces plantes peuvent aussi s'adapter aux sols plus riches en humus et en éléments nutritifs. Toutefois, en sol très riche, elles ont tendance à former des tiges molles qui s'affaissent facilement. Il est également essentiel que la terre où plongent leurs racines se draine parfaitement, car elles tolèrent très mal les excès d'humidité. Si vous plantez des scabieuses dans un sol argileux et lourd, assurez-vous d'ajouter une ou deux pelletées de compost et quelques poignées de gravier à la terre de plantation afin d'obtenir un drainage adéquat. Après la plantation, les scabieuses ne devraient pas recevoir plus de 0,5 cm d'épaisseur de compost chaque année. N'hésitez pas à tailler les fleurs fanées régulièrement pour prolonger la floraison de ces vivaces. Les pousses des scabieuses se divisent très difficilement, car elles possèdent peu de racines.

Associations gagnantes

Les scabieuses s'associent bien aux achillées *(Achillea)*, aux coréopsis *(Coreopsis)*, à certains géraniums vivaces *(Geranium)*, aux hémérocalles *(Hemerocallis)*, aux népétas *(Nepeta)* et aux sauges *(Salvia)*.

Céphalaire géante *(Cephalaria gigantea)*.

Sedum
Orpins opportuns

Avec leurs feuilles épaisses et leur floraison singulière, les orpins sont des vivaces qui apportent assurément une petite touche d'exotisme au jardin automnal.

Couvre-sol

La majorité des orpins sont des plantes couvre-sol de petite taille qui fleurissent habituellement durant l'été. Sans pour autant être envahissants, ces orpins recouvrent très rapidement la surface du sol, formant ainsi un tapis dense. Par ailleurs, quelques espèces comme *S. acre* et *S. album* sont très envahissantes. Elles ne conviennent pas aux petits jardins.

L'orpin de Kamtchatka *(S. kamtschaticum)*, rustique en zone 3, est selon moi une des espèces les plus ornementales. Cette vivace atteint au plus 20 cm de hauteur et produit une multitude de fleurs jaunes de la fin de juin au début d'août (voir p. 107). Il existe un cultivar d'orpin de Kamtchatka au feuillage vert finement bordé de blanc crème appelé 'Variegatum'. L'orpin de Siebold *(S. sieboldii)* est une autre espèce basse que j'apprécie beaucoup. Avec ses feuilles bleutées de forme ronde et sa floraison rose qui commence vers la fin d'août et qui se termine parfois au début d'octobre, cet orpin enjolive le jardin pendant plusieurs mois. Il est rustique jusqu'en zone 4. L'orpin réfléchi 'Iceberg' (*S. reflexum* 'Iceberg') possède également un feuillage gris teinté de bleu. Il atteint à peine 15 cm de hauteur et, en juin et en juillet, il se couvre de fleurs jaunes. Il est rustique en zone 3.

Plusieurs cultivars très populaires sont issus de l'orpin du Caucase *(S. spurium)*. Rustiques en zone 3, ils atteignent entre 10 et 15 cm de hauteur et fleurissent en juillet et en août. Je vous suggère de faire l'essai de 'Blaze of Fulda' et de 'Purpurteppich' (syn. 'Purple Carpet'), qui possèdent tous deux un feuillage rouge pourpré, ainsi que de 'Schorbuser Blut' (syn. 'Dragon's Blood'), aux fleurs rose pourpré et au feuillage vert légèrement teinté de pourpre. Vous pouvez également trouver sur le marché deux cultivars

Nom latin : *Sedum.*

Nom commun : orpin.

Famille : crassulacées.

Feuillage : feuilles épaisses et cireuses. Certains cultivars possèdent un feuillage bleuté, bronzé ou pourpre alors que d'autres arborent des feuilles vertes panachées de blanc crème ou de jaune.

Floraison : fleurs blanches, jaunes, roses, rouges, pourpres ou vertes.

Période de floraison : fin du printemps, été et automne.

Exposition : soleil, mi-ombre et ombre légère.

Sol : terre à jardin brune légèrement sableuse et bien drainée. La plupart des espèces et des cultivars s'adaptent aussi aux sols plus pauvres, caillouteux et secs.

Rusticité : à partir de la zone 3.

Subtil mariage entre l'orpin remarquable 'Stardust' (*Sedum spectabile* 'Stardust') et la grande cérinthe 'Purpurascens' (*Cerinthe major* 'Purpurascens').

Orpin remarquable 'Carmen' (*Sedum spectabile* 'Carmen').

au feuillage vert panaché de blanc crème et de rose nommés 'Tricolor' et 'Variegatum'.

Grande taille

Quelques orpins ont des dimensions plus imposantes et produisent plutôt leurs fleurs à la fin de l'été et en automne. Plusieurs vieux cultivars issus de l'orpin remarquable *(S. spectabile)*, une plante native de Chine et de Corée, ont fait leurs preuves. 'Brilliant', 'Carmen' et 'Indian Chief', aux fleurs roses, ainsi que 'Stardust', qui présente une floraison blanche, figurent parmi les variétés les plus faciles

Les orpins couvre-sol peuvent entrer dans la fabrication d'arrangements en pots inédits.

à trouver sur le marché. Ces orpins très productifs atteignent environ 60 cm de hauteur sur autant en largeur et sont rustiques jusqu'en zone 3.

Je vous propose deux autres cultivars fort attrayants. 'Herbstfreude' (syn. 'Autumn Joy'), issu d'un croisement entre *S. telephium* et *S. spectabile,* fait environ 50 cm de hauteur et possède de belles fleurs roses disposées en larges inflorescences plates qui s'épanouissent en septembre et en octobre. Cet orpin a reçu un Award of Garden Merit, un symbole d'excellence décerné par la Royal Horticultural Society d'Angleterre aux plantes qui ont des qualités horticoles exceptionnelles. 'Gooseberry Fool', qui atteint environ 60 cm de hauteur, est une variation spontanée de *S. telephium* subsp. *maximum* apparue dans le jardin du célèbre horticulteur anglais Graham Thomas. Cet étonnant cultivar aux fleurs vertes devrait faire son apparition au Canada d'ici quelques années.

LE JARDINIER RENSEIGNE

Des taches sur les feuilles

Certains orpins peuvent présenter des taches brunes sur leur feuillage. Ils sont alors probablement atteints par la tache alternarienne. Cette maladie causée par un champignon est caractérisée par l'apparition de taches circulaires brunes au centre gris à la surface des feuilles. Plantez vos orpins dans un sol sec et évitez d'arroser leur feuillage afin d'empêcher la propagation du champignon. À l'automne, coupez les tiges des orpins infectés au ras du sol et jetez-les aux ordures. Si le problème se manifeste à nouveau l'été suivant, aspergez vos plantes avec du soufre en poudre mélangé à de l'eau. Appliquez ce produit deux à trois fois par semaine jusqu'à ce que les symptômes disparaissent.

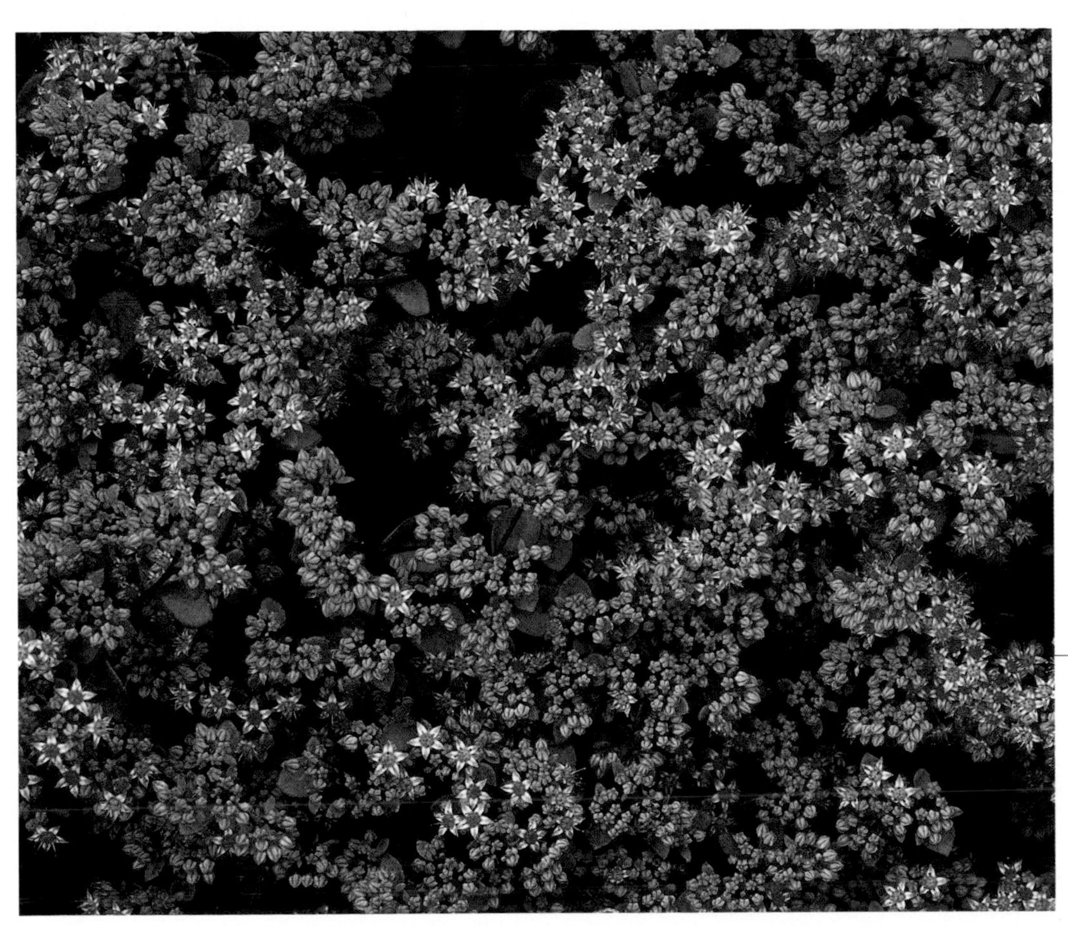

Orpin 'Vera Jameson' (*Sedum* 'Vera Jameson').

LE JARDINIER **RENSEIGNÉ**

La classification des orpins

Depuis quelques années, plusieurs botanistes suggèrent que les grands orpins à floraison tardive soient classés dans un nouveau genre appelé *Hylotelephium.* Le Royal Horticultural Society Advisory Panel d'Angleterre a cependant déterminé que le genre *Sedum* devait rester entier ; la classification des orpins demeure donc intacte. Ouf ! Un problème de nomenclature en moins…

Orpin 'Matrona' (*Sedum* 'Matrona').

Feuillage pourpre

Ayant pour parent *S. telephium* subsp. *maximum* 'Atropurpureum', certains grands orpins arborent des feuilles pourpres. Judicieusement disposées dans un aménagement, ces plantes donnent un effet saisissant et apportent beaucoup d'énergie et de dynamisme aux plantations. Mon cultivar préféré est 'Mohrchen', qui possède un feuillage pourpre très foncé, presque noir. En août et en septembre, durant quelques semaines, il forme une floraison d'un rose pourpré particulièrement intense. Ce cultivar rustique en zone 3 atteint environ 60 cm de hauteur. 'Matrona', également rustique en zone 3, est une variété dont le feuillage est d'un pourpre moins prononcé. Ses fleurs rose très pâle, réunies en très larges inflorescences, sont portées par de robustes tiges qui font parfois un peu plus de 60 cm. Cette plante vigoureuse s'établit rapidement et peut atteindre près de 60 cm de largeur après quelques années seulement.

Le cultivar 'Vera Jameson', issu d'un croisement entre *S. telephium* subsp. *maximum* 'Atropurpureum' et *S.* 'Ruby Glow', possède également un feuillage pourpre. Il n'atteint cependant qu'une trentaine de centimètres de hauteur. Il forme des fleurs roses teintées de pourpre qui s'épanouissent généralement vers la fin d'août et en septembre. Cet orpin est rustique en zone 4.

Panaché

Dans mes aménagements, j'ai toujours eu beaucoup de difficulté à intégrer des cultivars d'orpins au feuillage panaché. 'Frosty Morn', récemment introduit sur le marché horticole canadien, me réconcilie avec ce groupe de plantes. Cette vivace, dont le feuillage est vert tendre panaché de blanc crème, trouve sa place dans la plupart des jardins. Sa floraison rose très pâle s'harmonise parfaitement à son feuillage. Probablement rustique en zone 4, 'Frosty Morn' atteint 30 cm de hauteur.

Associations gagnantes

Les orpins couvre-sol accompagnent bien certaines plantes rampantes qui affectionnent les sols bien drainés comme l'armoise de Steller 'Silver Brocade' (*Artemisia stelleriana* 'Silver Brocade'), le céraiste tomenteux *(Cerastium tomentosum)*, les divers cultivars d'œillets à delta *(Dianthus deltoides)* et d'œillets bleuâtres *(D. gratianopolitanus)*, le géranium de Dalmatie *(Geranium dalmaticum)* ainsi que la saponaire faux-basilic *(Saponaria ocymoides)*. Les grands orpins se marient quant à eux très bien aux plantes qui fleurissent en fin d'été et durant l'automne, comme les anémones du Japon *(Anemone)*, les asters *(Aster)*, les échinacées *(Echinacea)* et les rudbeckias *(Rudbeckia)*. Les cultivars qui possèdent des feuilles pourpres forment un saisissant contraste avec le feuillage gris des armoises *(Artemisia)* et de l'épiaire *(Stachys byzantina)*. Ne manquez pas non plus de marier les grands orpins aux graminées afin de créer des scènes automnales d'une grande beauté.

Joli contraste entre les feuilles de l'orpin 'Frosty Morn' (*Sedum* 'Frosty Morn') et celles de l'euphorbe 'Purple Leaf' (*Euphorbia* 'Purple Leaf').

RENSEIGNÉ

LE JARDINIER

La culture des orpins

Les orpins sont très peu exigeants. Ils peuvent s'accommoder d'une terre à jardin brune bien drainée comme d'un sol plus sableux et sec. Dans une terre argileuse lourde, il leur arrive parfois de pourrir lorsque l'humidité est trop importante. Si vous les plantez dans un tel sol, je vous recommande d'ajouter une ou deux pelletées de compost et du gravier fin dans la fosse de plantation pour améliorer le drainage. Une fois établis, la majorité des orpins n'ont généralement plus besoin de compost. Vous pouvez tout de même épandre une épaisseur de 0,5 cm à la base des grands orpins chaque printemps. Les orpins nécessitent le plein soleil ou la mi-ombre. Plusieurs espèces et variétés s'adaptent aussi à l'ombre légère.

Ces plantes peuvent rester en place sans être divisées pendant de nombreuses années. Cependant, la division peut être utile pour limiter le développement de certaines espèces et variétés rampantes qui recouvrent le sol très rapidement.

Choc de couleurs

soleil

Une piscine entourée de végétaux est beaucoup plus facile à intégrer à un jardin. Les plantes situées autour d'une piscine creusée sont soumises à une exposition intense à la lumière et à des éclaboussures d'eau chlorée qui les dessèchent. De plus, les abords des piscines creusées sont généralement constitués d'allées de béton autour desquelles il y a beaucoup de sable et de pierre concassée. L'eau ne peut pas s'accumuler dans ces endroits ; elle est rapidement drainée sans que les plantes puissent l'absorber en quantité suffisante. Cet aménagement, que j'ai conçu et réalisé, convient parfaitement aux abords d'une piscine creusée, puisqu'il est composé de plantes bien adaptées aux sols secs dont le feuillage est très étroit ou coriace.

Orpin 'Matrona'
(*Sedum* 'Matrona')

Coréopsis rose
(*Coreopsis rosea*)

Calamagrostide 'Stricta'
(*Calamagrostis x acutiflora* 'Stricta')

Hémérocalle 'Mauna-Loa'
(*Hemerocallis* 'Mauna-Loa')

Échinacée pourpre
(*Echinacea purpurea*)

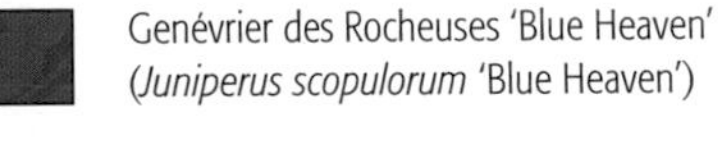
Genévrier des Rocheuses 'Blue Heaven'
(*Juniperus scopulorum* 'Blue Heaven')

Une scène annonçant l'arrivée toute proche de l'été où le pigamon à feuilles d'ancolie *(Thalictrum aquilegiifolium)* est accompagné de la rodgersie à feuilles de marronnier *(Rodgersia aesculifolia)*, de la ligulaire dentée *(Ligularia dentata)* et de l'iris de Sibérie 'Coolabah' (*Iris sibirica* 'Coolabah').

Belle association entre le hosta 'Krossa Regal' (*Hosta* 'Krossa Regal'), l'astilbe 'Bressigham Beauty' (*Astilbe* x *arendsii* 'Bressingham Beauty') et le pigamon de Rochebrun *(Thalictrum rochebrunianum)* situé à l'arrière de la plantation.

Thalictrum

Vaporeux pigamons

Au tout début de l'été, le pigamon à feuilles d'ancolie *(Thalictrum aquilegiifolium)* produit une magnifique floraison rose. Comme ses fleurs sont uniquement composées d'étamines, les inflorescences possèdent un aspect vaporeux des plus charmants. Dans la nature, la couleur des fleurs de cette espèce est très variable, ce qui a donné naissance à plusieurs cultivars. Rustique en zone 4, possiblement même en zone 3, le pigamon à feuilles d'ancolie atteint environ 1,20 m de hauteur. D'autres espèces moins connues me semblent tout aussi décoratives. Le pigamon de Rochebrun *(T. rochebrunianum)*, rustique en zone 4, est une superbe et solide plante vivace à placer à l'arrière des plates-bandes puisqu'elle peut parfois atteindre un peu plus de 2 m de hauteur sans qu'il soit pour autant nécessaire de la tuteurer. À la fin de juillet et en août, elle produit des fleurs rose pâle très délicates dont le centre est garni d'étamines jaune verdâtre. Le pigamon jaune *(T. flavum* subsp. *glaucum*, syn. *T. speciosissimum)*, que j'apprécie beaucoup, est une vivace rustique en zone 4. En plus de posséder un feuillage vert bleuté, ce pigamon forme durant le mois de juillet une jolie floraison jaune pâle. Ses fleurs très légères, qui sont portées par des tiges de 1,50 m, se marient à merveille avec les fleurs bleu foncé de certains pieds-d'alouette *(Delphinium)*. Enfin, *T. delavayi* 'Hewitt's Double', aux fleurs doubles de couleur rose, est parfois offert dans certaines jardineries et pépinières.

Riche et humide

Les pigamons préfèrent les sols riches et humides. Les sols secs et compacts nuisent habituellement à leur croissance. Ils peuvent également croître dans une bonne terre à jardin brune toujours fraîche. Tous les ans, fournissez-leur environ 2,5 cm d'épaisseur de compost. La majorité des pigamons demandent le plein soleil ou la mi-ombre. Par ailleurs, certaines espèces, comme *T. rochebrunianum*, poussent relativement bien à l'ombre légère ou même moyenne, si la compétition racinaire n'est pas trop importante.

Associations gagnantes

T. aquilegiifolium et ses cultivars se marient particulièrement bien au darméra *(Darmera peltata)*, aux iris de Sibérie *(Iris sibirica)*, aux rodgersies *(Rodgersia)* et aux fougères. Pour mieux apprécier toute la beauté des fleurs de *T. rochebrunianum*, disposez-le devant de grands arbustes ou des conifères de couleur contrastante. Un arrangement d'une beauté exceptionnelle peut être créé en associant *T. flavum* subsp. *glaucum* à *Delphinium* 'Black Knight'.

Tricyrtis

Incroyables tricyrtis

Originaires d'Asie, les tricyrtis sont des plantes vivaces dont les fleurs ressemblent étrangement à celles des orchidées. Cette floraison singulière apporte inévitablement une touche d'exotisme au jardin. Les fleurs du tricyrtis à poils rudes *(Tricyrtis hirta)*, d'une beauté incomparable, sont blanches et recouvertes de petits picots violets. Elles s'épanouissent sur de gracieuses tiges qui peuvent atteindre un peu plus de 60 cm. La floraison se produit habituellement à la fin de l'été et au début de l'automne, à un moment où peu de plantes d'ombre fleurissent. 'Variegata', qui arbore de jolies feuilles vertes finement bordées de blanc crème, et 'White Tower', aux fleurs complètement blanches, sont deux des cultivars issus de cette espèce qui sont vendus sur le marché horticole. Le tricyrtis à poils rudes et ses diverses variétés sont rustiques en zone 4. Le tricyrtis de Taïwan *(T. formosana)* possède des fleurs assez semblables à celles du tricyrtis à poils rudes à la différence qu'elles sont plutôt tachetées de rouge pourpré. Cette espèce assez rare est moins rustique et doit être couverte vers la fin de novembre d'une épaisse couche de feuilles mortes afin qu'elle résiste bien aux hivers de la zone 5. Quant au tricyrtis 'Togen' (*T.* 'Togen'), tout récemment introduit sur le marché horticole canadien, il produit de superbes fleurs aux tépales blancs dont la base est teintée de jaune et l'extrémité, de mauve. Les étamines et le pistil, disposés de façon très caractéristique, sont tachetés de pourpre. Finalement, le tricyrtis à larges feuilles *(T. latifolia)* forme des fleurs de couleur jaune doré tachetées de pourpre. Cette espèce, rustique en zone 4, fleurit plus hâtivement que les autres, soit en juillet et en août.

Tricyrtis à poils rudes *(Tricyrtis hirta)*.

Protégés du soleil

Les tricyrtis affectionnent les sols riches et toujours frais. Ils poussent bien sous le couvert des arbres à l'ombre légère ou moyenne. Ils peuvent aussi très bien s'épanouir dans les endroits mi-ombragés situés à l'orée des boisés, à condition d'être protégés des rayons ardents du soleil d'après-midi, sans quoi les marges de leurs feuilles se dessécheront. Lors de la plantation, il est essentiel d'ajouter du compost et de placer un paillis au pied de ces plantes. Vous devrez également renouveler la couche de compost chaque année, en ajoutant environ 2,5 cm d'épaisseur.

Associations gagnantes

Les fleurs des tricyrtis possèdent une beauté très originale qui mérite d'être appréciée de près. Plantez donc ces vivaces à proximité d'un sentier ou d'un banc, entourées de plantes au feuillage décoratif qui les mettront en valeur.

Tricyrtis 'Togen' (*Tricyrtis* 'Togen').

Trollius
Vifs trolles

Au printemps, principalement en mai et en juin, les trolles égayent les jardins avec leurs fleurs aux coloris lumineux. Classés sous le nom de *Trollius* x *cultorum,* les divers hybrides habituellement retrouvés dans les jardineries et les pépinières sont issus de croisements entre *T. asiaticus, T. europaeus* et *T. chinensis*. Plus d'une vingtaine de cultivars, dont la couleur des fleurs passe du blanc jaunâtre à l'orange saturé, sont offerts. Les variétés que je préfère sont 'Cheddar', qui possède des fleurs jaune très pâle portées par des tiges de 60 cm, 'Lemon Queen', dont la floraison est d'un jaune très vif, ainsi que 'Orange Princess', qui fait environ 80 cm de hauteur et qui présente en juin et en juillet une spectaculaire floraison orange foncé. Tous ces cultivars sont rustiques en zone 3. Les fleurs orange du trolle de Chine *(T. chinensis)* diffèrent quelque peu de celles des autres espèces puisqu'elles possèdent de longues étamines qui dépassent les pétales. *T. chinensis* 'Golden Queen' est plus facile à trouver sur le marché que l'espèce. Il peut atteindre jusqu'à 1 m de hauteur et sa floraison a lieu vers la fin du printemps et au début de l'été. Cette plante est rustique en zone 3.

Un choc de couleurs spectaculaire entre le trolle de Chine 'Golden Queen' (*Trollius chinensis* 'Golden Queen') et le géranium 'Ann Folkard' (*Geranium* 'Ann Folkard').

Humidité

Bien que les trolles préfèrent les sols riches, légèrement acides et humides situés aux abords des cours d'eau, ils s'accommodent relativement bien d'une terre à jardin brune bien drainée et à peine fraîche. Ces plantes nécessitent la mi-ombre ou l'ombre légère, mais elles peuvent accepter le plein soleil à condition que le sol soit constamment humide. Chaque printemps, épandez à leur base une couche de compost d'une épaisseur de 2,5 cm. Taillées après leur floraison, certaines variétés de trolles peuvent parfois refleurir à l'automne.

Associations gagnantes

Les trolles se marient à merveille avec les plantes qui affectionnent les sols frais ou humides comme les filipendules *(Filipendula),* certains géraniums vivaces *(Geranium),* les hostas *(Hosta),* les iris de Sibérie *(Iris sibirica),* la valériane grecque *(Polemonium),* les primevères *(Primula)* et les fougères. Une magnifique association contrastante peut être créée en plantant ensemble le trolle de Chine 'Golden Queen' (*T. chinensis* 'Golden Queen'), la buglosse 'Loddon Royalist' (*Anchusa azurea* 'Loddon Royalist') et l'alchémille *(Alchemilla mollis)*.

Trolle 'Lemon Queen' (*Trollius* x *cultorum* 'Lemon Queen').

Molène 'Helen Johnson'
(*Verbascum* 'Helen Johnson').

Molène soyeuse
(Verbascum bombyciferum).

Verbascum
Molènes magiques

Les molènes sont des végétaux fascinants. Déjà très prisées en Europe, ces plantes devraient connaître une grande popularité en Amérique du Nord, surtout avec l'introduction récente de plusieurs cultivars aux coloris tout à fait inattendus. Grâce à ces plantes aux teintes singulières, il est possible de créer des aménagements paysagers inédits.

Fleurs blanches, fleurs jaunes

De toutes les espèces, la plus cultivée est probablement la spectaculaire molène soyeuse *(V. bombyciferum)*. Cette plante bisannuelle possède de grandes feuilles grises duveteuses qui sont particulièrement décoratives. Lors de la deuxième année suivant le semis, habituellement en juin et en juillet, elle produit une multitude de fleurs jaunes groupées en longs épis très tomenteux qui atteignent jusqu'à 1,80 m. Cette étonnante molène est rustique en zone 4, peut-être même en zone 3. La molène noire *(V. nigrum)*, une espèce originaire d'Europe et d'Asie, est plutôt considérée comme une vivace. Cette plante d'une hauteur de 1,20 m produit en juillet et en août de superbes fleurs jaunes dont les étamines sont d'un violet pourpré très saturé. La molène de Chaix *(V. chaixii)* ressemble beaucoup à la précédente, mais ses fleurs sont légèrement plus petites. On trouve aussi un cultivar à fleurs blanches nommé 'Album'. La molène noire et la molène de Chaix sont toutes deux rustiques en zone 4.

Teintes insolites

Une foule d'hybrides de molènes maintenant offerts sur le marché horticole arborent des fleurs aux coloris très originaux. Plusieurs de ces végétaux ont pour parent la molène de Phénicie *(V. phoeniceum)*, une vivace dont la couleur de la floraison est très variable. Les plantes issues d'hybridations impliquant la molène de Phénicie et des espèces à fleurs jaunes ou blanches peuvent présenter une floraison de couleur rose, pêche, abricot, ambre, orange, cuivre, brune, violette ou pourpre. Le cultivar le plus extraordinaire est à mon avis 'Helen Johnson', qui atteint environ 90 cm de hauteur et qui produit de spectaculaires

Nom latin : *Verbascum.*
Nom commun : molène.
Famille : scrophulariacées.
Feuillage : feuilles habituellement oblongues ou ovées de couleur verte. Certaines espèces et cultivars possèdent un feuillage glauque ou gris.
Floraison : fleurs de couleur blanche, jaune, orange, cuivre, rose ou pourpre, généralement regroupées en longs épis ou en grappes.
Période de floraison : été.
Exposition : plein soleil.
Sol : terre à jardin brune légèrement sableuse et très bien drainée.
Rusticité : à partir de la zone 4.

RENSEIGNÉ

LE JARDINIER

La culture des molènes

Les molènes affectionnent les sites très ensoleillés et tolèrent une sécheresse passagère. Bien qu'elles préfèrent une terre à jardin brune légèrement sableuse et très bien drainée, elles s'adaptent à d'autres types de sols à condition qu'ils se drainent rapidement. En sol trop humide, ou si leur base est couverte de feuilles mortes à l'automne, elles risquent de pourrir. Une fois établies, la majorité des molènes n'ont généralement plus besoin de compost. Vous pouvez tout de même en épandre 0,5 cm à la base des espèces et des cultivars les plus voraces.

Molène de Chaix 'Album' (*Verbascum chaixii* 'Album').

Molène noire *(Verbascum nigrum).*

fleurs brun pâle à peine teintées de rose. 'Megan's Mauve', une mutation spontanée du cultivar 'Helen Johnson', forme en juillet de superbes fleurs d'un mauve particulièrement saturé.

Quelques cultivars issus d'hybridations entre *V. nigrum* et *V. densiflorum* sont maintenant classés sous l'appellation *V.* Groupe Cotswold. Ces variétés très attrayantes ont reçu un Award of Garden Merit pour leurs qualités ornementales exceptionnelles. De ce groupe, je vous recommande 'Cotswold Beauty', dont la floraison est de couleur pêche tirant légèrement sur le cuivre, 'Cotswold Queen', qui arbore des fleurs d'un jaune foncé légèrement ambré au cœur pourpre très foncé, et 'Gainsborough', aux fleurs jaune pâle portées par des tiges de 1,20 m. Ces hybrides sont rustiques en zone 4.

Associations gagnantes

Les molènes forment de splendides associations avec les buglosses *(Anchusa)*, les panicauts *(Eryngium)*, les hémérocalles *(Hemerocallis)*, les népétas *(Nepeta)*, les sauges *(Salvia)* et les graminées ornementales.

Un des nombreux cultivars issus de la molène de Phénicie *(Verbascum phoeniceum)*.

Les molènes constituent des accents verticaux qui apportent beaucoup de puissance aux plantations. Afin que cet effet soit bien rendu, il est préférable d'entourer ces grandes vivaces de plantes plus basses qui les mettront en valeur. Les molènes se marient cependant aussi très bien à des plantes de même dimension, comme le démontre cette association avec la céphalaire géante *(Cephalaria gigantea)*.

ASTUCIEUX

LE JARDINIER

La propagation des molènes

Les espèces de molènes se propagent facilement à partir de semences. Vous pouvez effectuer le semis en pleine terre dès le début de mai. Couvrez les graines d'une fine couche de compost bien tamisé. Une fois leur floraison terminée, ne coupez pas les fleurs des molènes bisannuelles afin qu'elles puissent se ressemer. Comme les hybrides sont stériles et peu longévifs, vous devez les propager régulièrement à partir de fragments de racines. Vers la fin d'avril ou au début de mai, sans extraire le plant de terre, creusez un trou sur le côté de façon à prélever quelques racines. Sectionnez-les en morceaux de 1 à 2 cm de longueur. Coupez en biseau la partie inférieure des racines. Plantez les fragments à la verticale dans un contenant, la partie biseautée vers le bas, en vous assurant que leur partie supérieure soit au même niveau que la surface du terreau. Placez le contenant sur le bord d'une fenêtre orientée vers le sud. Les jeunes pousses devraient apparaître après une quinzaine de jours si le terreau reste toujours bien humide. Lorsqu'elles ont des feuilles, vous pouvez empoter les boutures individuellement dans des contenants d'environ 10 cm de diamètre. Plantez-les au jardin dès que leur motte se tient bien.

Superbe plantation où *Veronica longifolia* est accompagnée d'*Allium sphaerocephalum*, d'*Echinacea purpurea* 'Magnus' et de *Filipendula rubra* 'Venusta'.

Veronica
Valeureuses véroniques

Les véroniques sont des plantes particulièrement gracieuses qui s'harmonisent bien avec la plupart des autres plantes dans les aménagements paysagers. Avec leurs longues et étroites grappes de fleurs qui se dressent au-dessus de leur feuillage, elles ont une allure noble qui rappelle celle des sauges.

Rampantes

Quelques espèces de véroniques sont basses et constituent de bons couvre-sol pour les endroits graveleux et secs exposés au plein soleil. Toutefois, leur croissance est souvent supérieure dans une terre à jardin brune fraîche. La véronique prostrée 'Heavenly Blue' (*V. prostrata* 'Heavenly Blue'), qui atteint environ 15 cm de hauteur, est rustique en zone 4. Ce cultivar forme de jolies fleurs bleu pâle. La véronique germandrée 'Crater Lake Blue' (*V. austriaca* subsp. *teucrium* 'Crater Lake Blue') est une autre variété rampante que je vous propose. Elle produit des fleurs d'un bleu intense qui éclosent durant plusieurs semaines en juin et juillet. Elle est rustique en zone 3 (voir p. 107).

Dressées

Parmi toutes les espèces de véroniques au port dressé, la plus connue est sans contredit la fameuse véronique en épis *(V. spicata)*. Cette vivace, qui pousse spontanément dans les collines au sol caillouteux et les prairies d'Europe et du nord de l'Asie, a donné naissance à plusieurs cultivars rustiques en zone 3. Ils fleurissent pendant de nombreuses semaines, habituellement en juillet et en août. Je suggère de faire l'essai de 'Blue Peter', aux fleurs bleues qui s'épanouissent au bout de tiges faisant environ 45 cm sur un peu moins en largeur, et 'Rosea', aux fleurs roses. *V. spicata* subsp. *incana* (syn. *V. incana*) se distingue de l'espèce par son feuillage gris. Cette plante, qui atteint environ 30 cm de hauteur, demande un sol plus sableux et sec que la véronique en épis. Quelques variétés, qui proviennent d'hybridations entre *V. spicata* et *V. spicata* subsp. *incana,* possèdent un feuillage gris et un port dressé. 'Heidekind', dont la floraison est mauve, est l'un de ces hybrides. Quant aux cultivars 'Blue

Nom latin : *Veronica.*

Nom commun : véronique.

Famille : scrophulariacées.

Feuillage : feuilles habituellement lancéolées ou elliptiques de couleur verte. Certaines espèces et variétés possèdent un feuillage gris.

Floraison : fleurs blanches, roses, bleues ou violettes le plus souvent réunies en longues grappes ressemblant à des épis.

Période de floraison : printemps et été.

Exposition : plein soleil et mi-ombre.

Sol : terre à jardin brune à peine fraîche et bien drainée.

Rusticité : à partir de la zone 3.

La véronicastre de Virginie 'Fascination' (*Veronicastrum virginicum* 'Fascination') accompagne à merveille les lis *(Lilium)* et les hémérocalles *(Hemerocallis)* à fleurs jaunes.

RENSEIGNÉ

LE JARDINIER

La culture des véroniques

Bien qu'elles puissent pour la plupart pousser dans une terre légèrement sableuse et caillouteuse, les véroniques préfèrent une bonne terre à jardin brune bien drainée exposée au plein soleil ou à la mi-ombre. Évitez de les planter dans une terre trop riche pour que leurs tiges ne s'affaissent pas. *Veronicastrum virginicum* préfère pour sa part une terre plus riche et toujours humide. Chaque printemps, vous pouvez épandre environ 1 cm de compost au pied des véroniques.

Véronique en épis 'Blue Peter' (*Veronica spicata* 'Blue Peter').

Charm' et 'Sunny Border Blue', ils semblent plutôt être issus de *V. grandis*. Cette plante est très semblable à la véronique en épis, à cette différence près qu'elle présente des feuilles plus larges.

La véronique à longues feuilles *(V. longifolia)* est une espèce native d'Europe qui s'est naturalisée à certains endroits en Amérique du Nord. Elle mérite d'être utilisée davantage dans nos jardins. Cette magnifique véronique, qui atteint 1 m de hauteur, porte de longues et minces grappes de fleurs bleues vers la fin de juillet et en août, parfois même jusqu'au début de septembre. Cette plante est rustique en zone 3. Le cultivar 'Icicle', aux fraîches fleurs blanches, est probablement issu d'une hybridation impliquant cette espèce.

Fascinante

La véronicastre de Virginie *(Veronicastrum virginicum,* syn. *Veronica virginica)* est une plante indigène dans l'est des États-Unis. Cette vivace fascinante possède de longues tiges d'environ 1,50 m qui portent des verticilles de feuilles disposés à intervalles réguliers. En août éclosent ses fleurs bleu clair ou blanches regroupées en de nombreuses petites grappes très semblables à des épis. Quelques cultivars dont 'Album', à la floraison blanche, 'Fascination', aux fleurs d'un mauve très saturé, et 'Rosea', aux fleurs roses, sont offerts sur le marché horticole. La véronicastre de Virginie et ses cultivars sont rustiques jusqu'en zone 3.

Associations gagnantes

Les véroniques forment de belles associations avec les coréopsis *(Coreopsis)*, les échinacées *(Echinacea)*, les géraniums vivaces *(Geranium)*, les hémérocalles *(Hemerocallis)*. Pour leur part, les divers cultivars de *Veronicastrum virginicum* se marient particulièrement bien avec les aconits *(Aconitum)*, les eupatoires *(Eupatorium)*, les graminées ornementales, l'héliopsis *(Heliopsis helianthoides* var. *scabra)*, les rudbeckias *(Rudbeckia)* ainsi que les grands cultivars d'hémérocalles *(Hemerocallis)* et de lis *(Lilium)*.

ASTUCIEUX

LE JARDINIER

Du blanc sur les feuilles

Le blanc, ou oïdium, appelé à tort mildiou, est causé par un champignon qui provoque l'apparition d'un feutre blanc grisâtre sur la surface des feuilles des végétaux. Plusieurs vivaces telles que certaines véroniques *(Veronica)* ainsi que les divers cultivars de monarde *(Monarda didyma)* et de phlox paniculés *(Phlox paniculata)*, par exemple, sont particulièrement sensibles au blanc. Sauf à de très rares exceptions, le blanc n'affecte pas une plante au point de la tuer, mais il la rend très inesthétique, diminue sa croissance et peut causer la chute prématurée des feuilles.

Vous pouvez d'abord prévenir cette maladie en vous assurant que le sol dans lequel plongent les racines des plantes sensibles ne s'assèche jamais complètement. Évitez également d'arroser directement leur feuillage. Dès l'apparition du blanc, aspergez le feuillage deux à trois fois par semaine avec une solution constituée de 3 L d'eau (12 ta) et d'une cuillère à soupe de bicarbonate de soude. Par temps ensoleillé, cette solution peut brûler le feuillage ; il est donc essentiel de l'appliquer par temps frais et couvert ou tôt le matin. Vous pouvez également utiliser un fongicide à base de soufre. Si les symptômes apparaissent tard en saison, ne faites pas de traitement ; coupez et jetez plutôt aux ordures les parties atteintes.

Énergie en blanc

soleil, mi-ombre

Ce n'est pas parce qu'une plate-bande est composée d'une seule couleur qu'elle doit nécessairement être triste. Dans cette plantation créée par Darrel Apps, les fleurs utilisées ont des formes et des textures très différentes, ce qui donne du mouvement et une certaine énergie à l'ensemble. Les végétaux qui composent ce bel aménagement apprécient un sol riche et humide situé en plein soleil ou à la mi-ombre.

Veronicastre de Virginie 'Album' (*Veronicastrum virginicum* 'Album')

Hortensia 'Annabelle' (*Hydrangea arborescens* 'Annabelle')

Hémérocalle 'Lime Frost' (*Hemerocallis* 'Lime Frost')

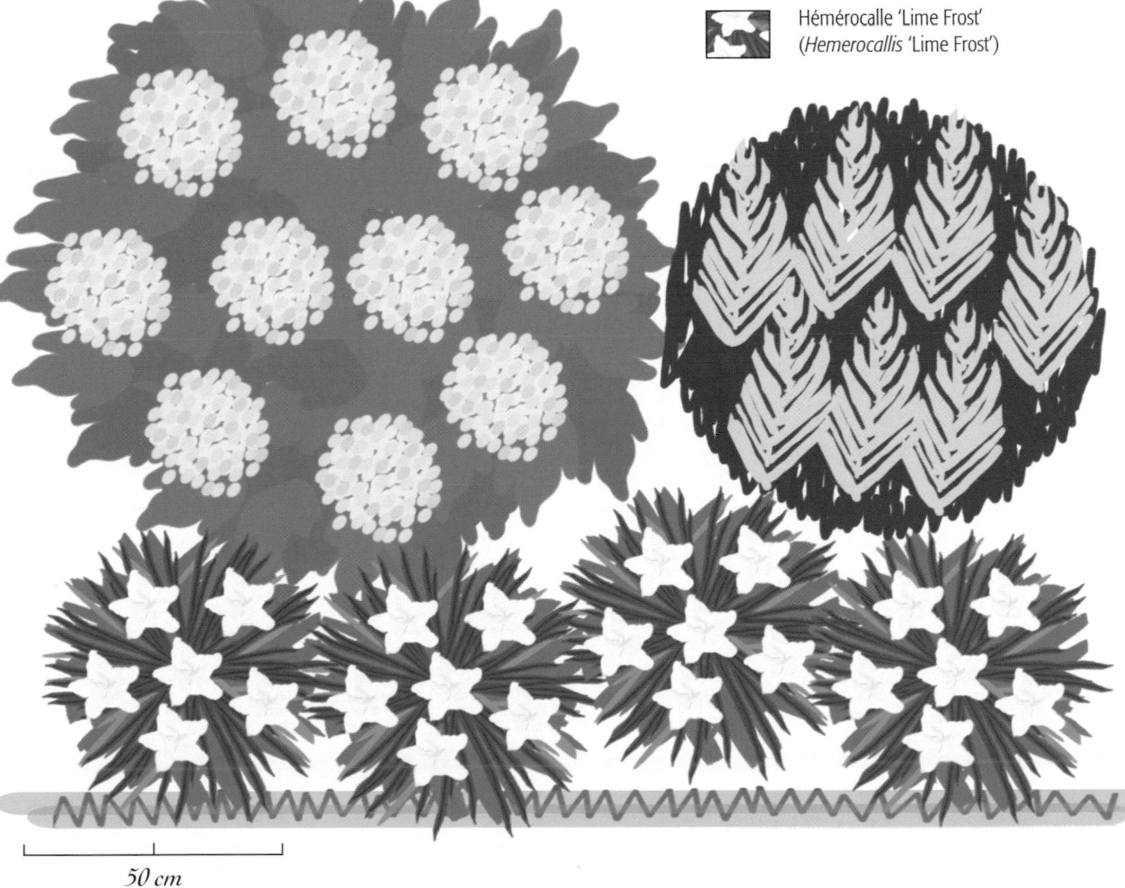

50 cm

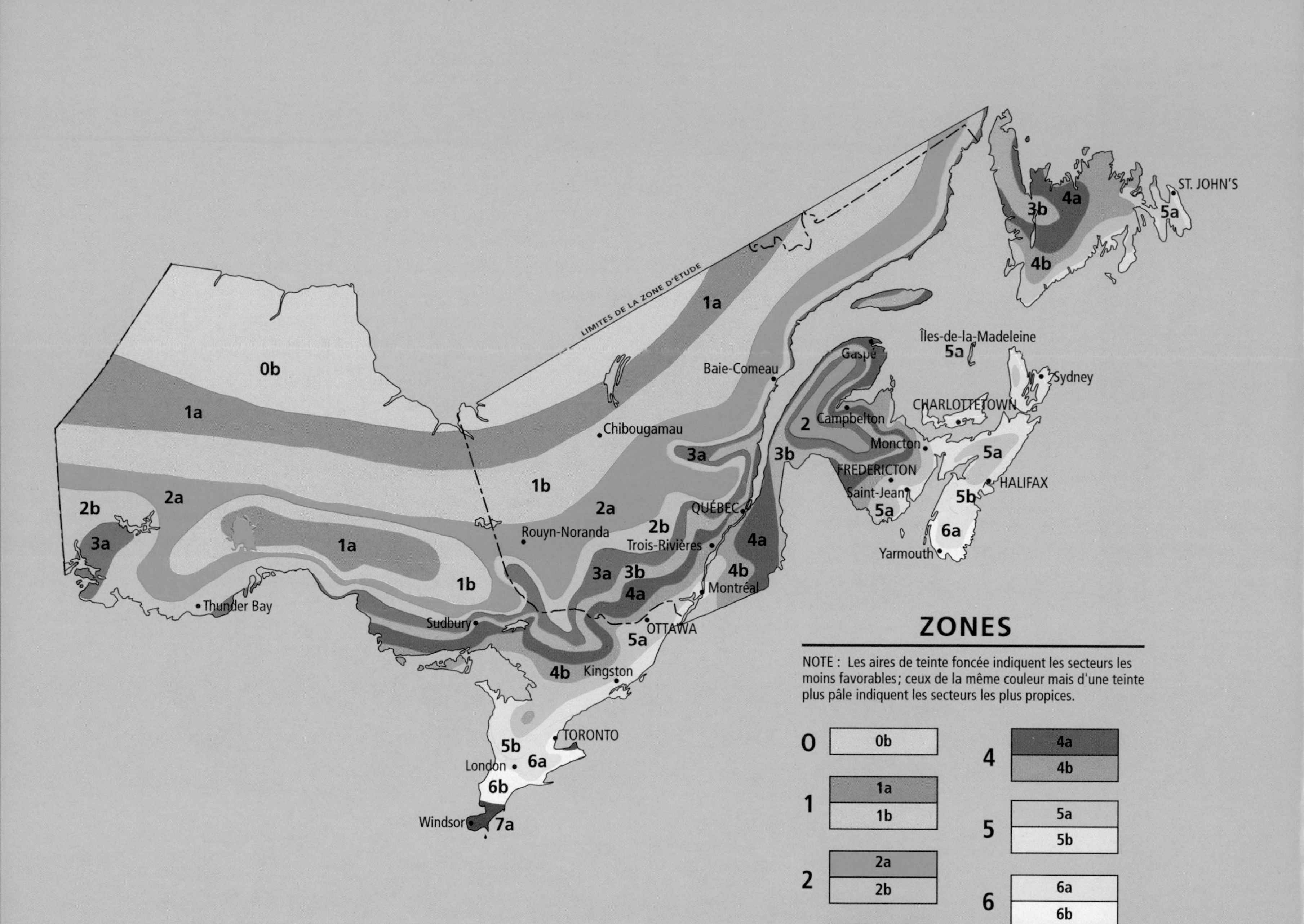

SOURCE : Centre de recherches sur les terres, Agriculture Canada. Tiré de renseignements fournis par la station de recherches d'Ottawa et le service de la météorologie, Environnement Canada.

ÉNERGIE EN BLANC

soleil, mi-ombre

Ce n'est pas parce qu'une plate-bande est composée d'une seule couleur qu'elle doit nécessairement être triste. Dans cette plantation créée par Darrel Apps, les fleurs utilisées ont des formes et des textures très différentes, ce qui donne du mouvement et une certaine énergie à l'ensemble. Les végétaux qui composent ce bel aménagement apprécient un sol riche et humide situé en plein soleil ou à la mi-ombre.

Veronicastre de Virginie 'Album'
(*Veronicastrum virginicum* 'Album')

Hortensia 'Annabelle'
(*Hydrangea arborescens* 'Annabelle')

Hémérocalle 'Lime Frost'
(*Hemerocallis* 'Lime Frost')

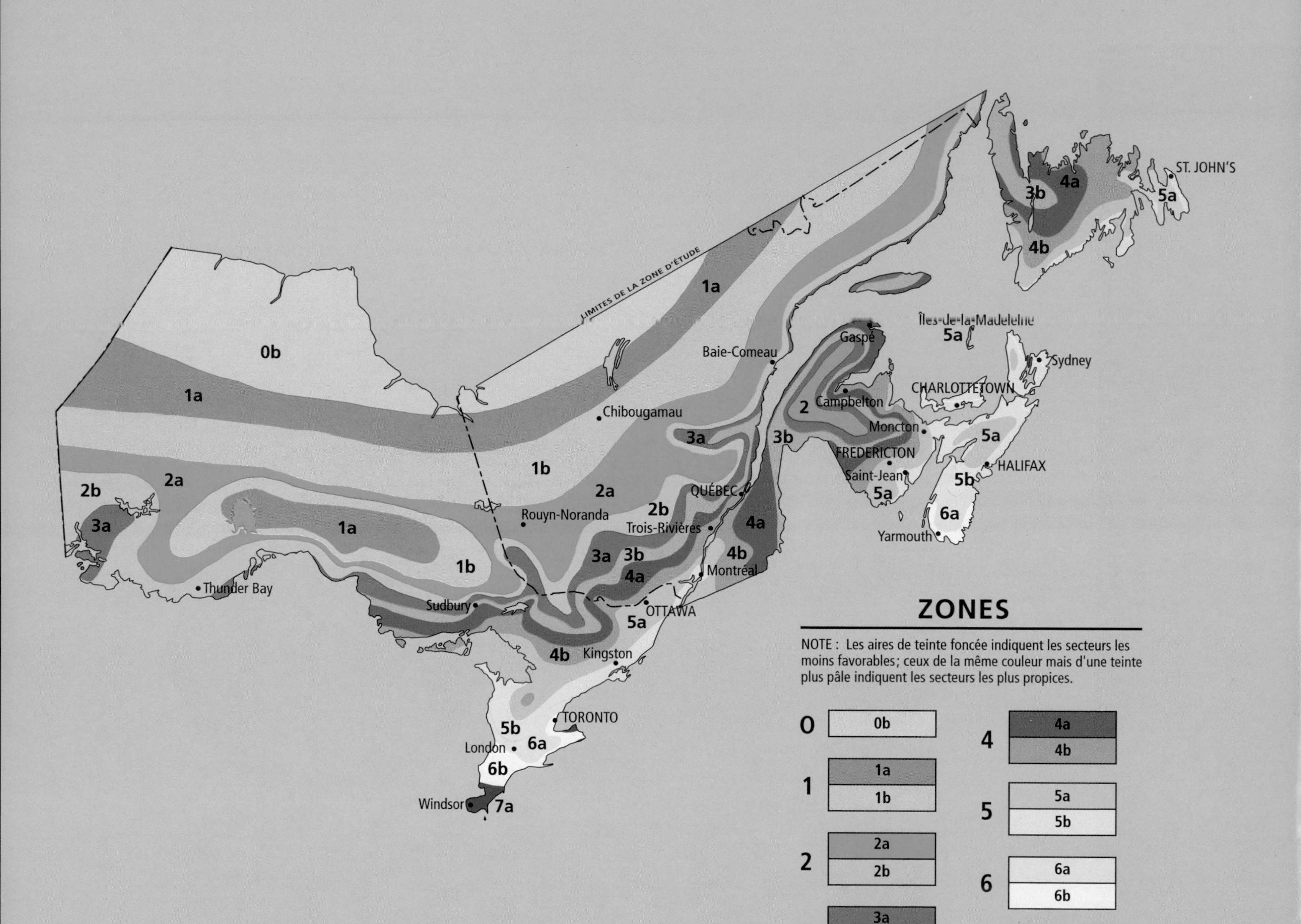

SOURCE : Centre de recherches sur les terres, Agriculture Canada. Tiré de renseignements fournis par la station de recherches d'Ottawa et le service de la météorologie, Environnement Canada.

Rusticité

En 1967, un système de zones de rusticité fut créé pour l'ensemble du Canada. Ce système, qui a pour fonction de caractériser et de distinguer le climat des différentes régions du pays, divise l'est du Canada en huit zones qui s'échelonnent de 0 à 7, les températures les plus froides se situant en zone 0. Chaque zone est elle-même divisée en deux sections, a et b, cette dernière étant la plus clémente. Par exemple, la zone 5b, qui englobe la grande région de Montréal, est plus chaude que la zone 5a, qui représente les régions voisines. Lorsqu'un chiffre n'est pas suivi d'une lettre, il indique forcément la zone a, qui est la plus froide.

La survie des végétaux est principalement influencée par les conditions environnementales auxquelles ils sont soumis. Quelques plantes qui tolèrent bien le froid intense peuvent survivre dans les zones 1 et 2, alors que d'autres nécessitent un climat doux et un ensoleillement important pour produire leurs fleurs et leurs fruits. Lorsqu'une plante est zonée 3, par exemple, elle peut être utilisée tant dans cette zone que dans les zones 4, 5, 6 et 7 ; il est cependant assez difficile, voire impossible, de la cultiver en zones 1 et 2.

Bien que ce système de zonage soit un outil fort utile pour les jardiniers, il a tout de même certaines limites. D'abord, il ne tient pas compte des microclimats régionaux, des caractéristiques du sol ni de l'épaisseur et de la constance de la couverture de neige. De plus, avec l'introduction de centaines de nouveaux cultivars sur le marché chaque année, les connaissances sur le comportement de ces plantes et leur potentiel de rusticité manquent pour nos régions. Le meilleur moyen de vérifier la rusticité des végétaux est sans doute de réaliser vos propres essais.

LE JARDINIER RENSEIGNÉ

Montréal ? Tout un cas !

Malheureusement pour tous les jardiniers de la grande région de Montréal, le couvert de neige y est de moins en moins constant. Durant les mois de janvier et de février, il arrive assez fréquemment que le gazon soit visible. Avec un climat semblable, les plantes ornementales sont moins bien protégées du vent hivernal desséchant qu'elles ne le sont dans la région de Québec où le couvert de neige est habituellement très épais. Plusieurs vivaces à feuillage persistant ou qui sont à la limite de leur rusticité survivent plus facilement dans la région de Québec que dans la région de Montréal, qui est pourtant plus chaude. Il devient donc parfois essentiel de protéger certaines cultures. Par exemple, dans les régions où le couvert de neige est insuffisant, il est souvent très bénéfique de placer une couche de feuilles mortes déchiquetées sur les plates-bandes, de façon à donner aux plantes vivaces une protection supplémentaire. Vous pouvez également améliorer le climat qui prévaut sur votre terrain en plantant une haie champêtre. Cette haie composée de conifères, d'arbustes bas et d'arbustes à plus grand développement offre une excellente protection contre les vents, diminue les écarts de température et favorise l'accumulation de neige.

TABLEAU 2

Quelques villes de l'est du Canada et leur zone de rusticité

Ville	Zone
Alma	3a
Baie-Comeau	3a
Beauport	4b
Bécancour	4a
Brossard	5b
Campbelton	4b
Charlesbourg	4b
Charlottetown	5b
Châteauguay	5b
Chibougamau	1b
Chicoutimi	3b
Cowansville	4b
Drummondville	5a
Fredericton	5a
Gaspé	4a
Gatineau	5a
Granby	4b
Grand-mère	4a
Halifax	6a
Hull	5a
Îles-de-la-Madeleine	5a
Joliette	4b
Jonquière	3b
Kingston	5b
La Malbaie	4a
La Pocatière	4a
La Tuque	3a
Lachute	5a
Laval	5b
Lévis	4b
London	6a
Longueuil	5b
Magog	4b
Matane	4a
Moncton	5a
Mont-Laurier	3b
Montmagny	4a
Montréal	5b
Ottawa	5a
Percé	4a
Plessisville	4a
Québec	4b
Repentigny	5b
Rimouski	4a
Rivière-du-Loup	4a
Roberval	3a
Rouyn-Noranda	2a
Sainte-Agathe	4a
Sainte-Thérèse	5b
Saint-Eustache	5b
Saint-Georges	4a
Saint-Jean	5a
Saint-Jean-Iberville	5a
Saint-Jérôme	5a
Saint-Hyacinthe	5a
Sept-Îles	3a
Shawinigan	4a
Sherbrooke	4b
Sorel	5a
St-John's	5b
Sudbury	4a
Sydney	6a
Thetford Mines	4a
Thunder Bay	2b
Toronto	6b
Trois-Rivières	4b
Val-d'Or	2a
Valleyfield	5b
Vaudreuil	5b
Victoriaville	4b
Windsor	7a
Yarmouth	6b

Index

B

C

H

Bibliographie

AUSTIN MCRAE, Edward. *Lilies. A Guide for Growers and Collectors,* Timber Press, Portland, 1998.

BAGUST, Harold. *The Gardener's Dictionary of Horticultural Terms,* Cassell Publishers, Londres, 1992.

BALL, Jeff et BALL, Liz. *Rodale's Landscape Problem Solver,* Rodale Press, Emmaus, 1989.

BARTLETT, Cy. « All in Moderation », *The Garden,* vol. 124, n° 5, mai 1999, pp. 355-359.

BATH, Trevor et JONES, Joy. *The Gardener's Guide to Growing Hardy Geraniums,* Timber Press, Portland, 1994.

BISHOP, Kersty. « Into the limelight », *The Garden,* vol. 125, n° 5, mai 2000, pp. 350-353.

BILLINGTON, Jill. *Using Foliage Plants in the Garden,* Ward Lock, Londres, 1994.

BLOOM, Adrian. « Aspiring Elegance », *The Garden,* vol. 123, n° 7, juillet 1998, pp. 496-501.

BROWN, Michael J. et HOWLAND, Harris. *The Gardener's Guide to Growing Lilies,* Timber Press, Portland, 1995.

CARR, Anna et autres. *Rodale's Chemical-free Yard and Garden,* Rodale Press, Emmaus, 1991.

COLBORN, Nigel. « Hardy *Salvia* », *The Garden,* vol. 122, n° 11, novembre 1997, pp. 778-781.

COMBES, Allen. *Dictionary of Plant Names,* Timber Press, Portland, 1985.

COMPTON, James et CULHAM, Alastair. « The Name is the Game », *The Garden,* vol. 125, n° 1, janvier 2000, pp. 48-52.

CONDER, Susan. *Variegated Leaves,* Macmillan Publishing Company, New York, 1993.

CORBEIL, Michel. *Plantes vivaces,* Maison des fleurs vivaces, Saint-Eustache, 1999.

COX, Jeff. *Plant Marriages,* Harper-Collins Publishers, New York, 1993.

DRUSE, Ken. *The Natural Shade Garden,* Clarkson Potter Publishers, New York, 1992.

DUNLOP, Gary. « Bright Sparks », *The Garden,* vol. 124, n° 8, août 1999, pp. 599-605.

ELLIOTT, Jack et THORNTON-WOOD, Simon. « Dwarf *Penstemon* », *The Garden,* vol. 122, n° 9, avril 1997, pp. 652-655.

FESSLER, Alfred. *Le jardin de plantes vivaces,* édition en français, Éditions Eugen Ulmer, Paris, 1995.

FORTIN, Daniel. « Les vivaces tapissantes et couvre-sol », *Québec Vert,* vol. 16, n° 2, février 1994, pp. 7-31.

FORTIN, Daniel. *Plantes vivaces pour le Québec,* tome I, Éditions du Trécarré, Saint-Laurent, 1993.

FORTIN, Daniel. *Plantes vivaces pour le Québec,* tome II, Éditions du Trécarré, Saint-Laurent, 1994.

FORTIN, Daniel. *Plantes vivaces pour le Québec,* tome III, Éditions du Trécarré, Saint-Laurent, 1996.

FORTIN, Daniel. *Plantes vivaces pour le Québec,* tome IV, Éditions du Trécarré, Saint-Laurent, 1999.

GRANT, Mike. « Showing Their Metal », *The Garden,* vol. 125, n° 7, juillet 2000, pp. 534-539.

GREY-WILSON, Christopher. « Oriental Glories », *The Garden,* vol. 123, n° 5, mai 1998, pp. 320-325.

GREY-WILSON, Christopher. « *Pulsatilla* », *The Garden,* vol. 122, n° 4, avril 1997, pp. 232-235.

GRIFFITHS, Mark. *Index of Garden Plants,* Timber Press, Portland, 1994.

GROSVENOR, Graeme. *Iris, Flower of the Rainbow,* Kangaroo Press, Australie, 1997.

HANSEN, Richard et STAHL, Friedrich. *Les plantes vivaces et leurs milieux,* édition en français, Eugen Ulmer GmbH & Co, Stuttgart, 1992.

HEWITT, Jennifer. « Well Spotted », *The Garden,* vol. 124, n° 2, février 1999, pp. 98-105.

HOBHOUSE, Penelope. « Penelope Hobhouse on Structure », *Garden Design,* juin-juillet 1996, pp. 64-71.

HOBHOUSE, Penelope. *Colour in Your Garden,* Collins, Londres, 1985.

HOBHOUSE, Penelope. *Flower Gardens,* Frances Lincoln, Londres, 1991.

HOBHOUSE, Penelope. *On Gardening,* Macmillan Publishing Company, New York, 1994.

HUNTINGTON, Lucy. « For Every Plant, a Place », *The Garden,* vol. 122, n° 2, février 1997, pp. 80-83.

JAMES, Peter, et WAY, David. *The Gardener's Guide to Growing Penstemons,* Timber Press, Portland, 1998.

JEFFERSON BROWN, Michael. *Lilies, Their Care and Cultivation,* Cassell, Londres, 1990.

JEKYLL, Gertrude. *Colour Schemes for the Flower Garden,* Frances Lincoln, Londres, 1992.

JESIOLOWSKI, Jill. « How and When to Water », *Organic Gardening,* vol. 39, n° 4, avril 1992, pp. 38-40.

JOHNSTONE, Vic et WILSON, Claire. « Dreaming spires », *The Garden,* vol. 125, n° 8, août 2000, pp. 608-609.

KEEN, Mary. *Gardening With Color,* Random House, New York, 1991.

KELLY, John. *Foliage in Your Garden,* Penguin Books, New York, 1988.

LACOURSIÈRE, Estelle et THERRIEN, Julie. *Fleurs sauvages du Québec,* Les Éditions de l'Homme, Montréal, 1998.

LALIBERTÉ, Guy et autres. *Cahier des normes en aménagement paysager,* Association des Paysagistes Professionnels du Québec, Sainte-Foy, 1994.

LAMOUREUX, Gisèle et autres. *Fougères, prêles et lycopodes,* Fleurbec auteur et éditeur, Saint-Henri-de-Lévis, 1993.

LAMOUREUX, Gisèle et autres. *Plantes sauvages des villes et des champs,* vol. 1, Fleurbec auteur et éditeur, Saint-Henri-de-Lévis, 1978.

LAMOUREUX, Gisèle et autres. *Plantes sauvages des villes, des champs et en bordure des chemins,* vol. 2, Fleurbec auteur et éditeur, Saint-Augustin, 1983.

LAMOUREUX, Gisèle et autres. *Plantes sauvages printanières,* Fleurbec éditeur, Saint-Augustin, 1975.

LAWSON, Andrew. *The Gardener's Book of Colour,* Frances Lincoln, Londres, 1996.

LESLIE, Alan. « *Anthemis Tinctoria* », *The Garden,* vol. 122, n° 8, août 1997, pp. 552-555.

LESLIE, Alan. « Tempting Treats », *The Garden,* vol. 123, n° 9, septembre 1998, pp. 660-663.

LEWIS, Peter. « Belles of the Border », *The Garden,* vol. 123, n° 6, juin 1998, pp. 436-439.

MCKENDRICK, Margaret. « Japanese Anemones », *The Garden,* vol. 123, n° 9, septembre 1998, pp. 628-633.

MARIE-VICTORIN, Frère. *Flore Laurentienne,* 3e édition, Les Presses de l'Université de Montréal, Montréal, 1995.

MATTERN, Vicki. « The OG Guide to Organic Fertilizers », *Organic Gardening,* vol. 43, n° 5, mai-juin 1996, pp. 55-59.

MAUBACK, Anja. « Life Among the Flowers », *The Garden,* vol. 122, n° 2, février 1997, pp. 110-115.

MCEWEN, Currier. *The Japanese Iris,* University Press of New England, 1990.

MONDOR, Albert. *Jardins d'ombre et de lumière,* Éditions de l'Homme, Montréal, 1999.

MONDOR, Albert. *Les annuelles en pots et au jardin,* Éditions de l'Homme, Montréal, 2000.

NOLD, Robert. *Penstemons,* Timber Press, Portland, 1999.

OTIS, Michel-André. « Des plantes pour l'ombre », *Québec Vert,* vol. 17, n° 3, mars 1995, pp. 6-28.

OTIS, Michel-André. « Les astilbes de A à Z », *Québec Vert,* vol. 19, n° 1, janvier-février 1997, pp. 6-21.

OTIS, Michel-André. « Les plantes de sous-bois », *Cahier des conférences du colloque Les vivaces l'entretien et l'utilisation,* IQDHO, Saint-Hyacinthe, 1994.

PEDNEAULT, André. « Farine de sang, farine de plume et produits apparentés », *Québec Vert,* vol. 16, n° 9, septembre 1994, pp. 44-45.

PEDNEAULT, André. « L'utilisation du compost en horticulture ornementale », *Québec Vert,* vol. 16, n° 10, octobre 1994, pp. 6-20.

PEDNEAULT, André. « L'utilité des extraits d'algues », *Québec Vert,* vol. 16, n° 4, avril 1994, pp. 48-50.

PEDNEAULT, André. « Les paillis organiques et la fertilisation », *Québec Vert,* vol. 15, n° 11, novembre 1993, pp. 48-50.

PEDNEAULT, André. « Os fossiles ou os moulus ? », *Québec Vert,* vol. 16, n° 6, juin 1994, pp. 47-48.

PEAT, John et PETIT, Ted. *The Color Encyclopedia of Daylilies,* Timber Press, Portland, 2000.

PHILLIPS, Ellen et BURRELL, C. Colston. *Rodale's Illustrated Encyclopedia of Perennials,* Rodale Press, Emmaus, 1993.

PHILLIPS, Roger et RIX, Martyn. *The Random House Book of Perennials,* vol. 1, *Early perennials,* Random House, New York, 1991.

PHILLIPS, Roger et RIX, Martyn. *The Random House Book of Perennials,* vol. 2, *Late perennials,* Random House, New York, 1991.

PICTON, Paul. « *Aster Novae-Angliae* », *The Garden,* vol. 122, n° 9, septembre 1997, pp. 620-623.

RENAUD, Michel. « L'utilisation du compost en horticulture ornementale », *Québec Vert,* vol. 16, n° 10, octobre 1994, pp. 28-36.

RICE, Graham. « Out of the Woods », *The Garden,* vol. 125, n° 3, mars 2000, pp. 188-191.

RIVIÈRE, Michel. *Le monde fabuleux des pivoines,* Éditions Eugen Ulmer, Paris.

ROGERS, Allan. *Peonies,* Timber Press, Portland, 1995.

ROTH, Susan. *The Four-Season Landscape,* Rodale Press, Emmaus, 1994.

SCHMID, W. George. *The Genus Hosta,* Timber Press, Portland, 1991.

SOLTNER, Dominic. *Les bases de la production végétale,* 18e édition, Sciences et techniques agricoles, Sainte-Gemme-sur-Loire, 1990.

STEBBINGS, Geoff. « Hovering in the Wings », *The Garden,* vol. 123, n° 6, juin 1998, pp. 408-412.

SUTTON, John. *The Gardener's Guide to Growing Salvias,* Timber Press, Portland, 1999.

TAYLOR, Jane. *Les jardins à l'ombre,* édition en français, Éditions Hatier, Paris, 1993.

THORNTON-WOOD, Simon. « Colour on a Plate », *The Garden,* vol. 124, n° 6, juin 1999, pp. 442-447.

THURMAN, Peter. « Framing the Painting », *The Garden,* vol. 123, n° 2, février 1998, pp. 110-115.

THURMAN, Peter. « Room to Grow », *The Garden,* vol. 122, n° 3, mars 1997, pp. 172-175.

UPSON, Tim. « Deep Purple », *The Garden,* vol. 124, n° 7, juillet 1999, pp. 524-529.

VERNON, Jean. « Breeches and Bleeding Hearts », *The Garden,* vol. 122, n° 5, mai 1997, pp. 320-323.

VERNON, Jean. « Power Flowers », *The Garden,* vol. 124, n° 8, août 1999, pp. 588-593.

WALTER, Kerry et autres. *1997 IUCN Red List of Threatened Plants,* IUCN Publications Services, Cambridge, 1998.

ZILIS, Mark. *The Hosta Handbook,* Q and Z Nursery, Rochelle, 2000.

Table des matières

Imprimé au Canada
en avril 2001 sur les presses
de l'imprimerie Interglobe.